P9-CFN-596

El Triunfo del Amor de Dios

Dibujos a lápiz por J. L. Converse

Elena G. de White

Autora de las siguientes obras de gran difusión: *El Deseado de todas las gentes, El Camino a Cristo, El Hogar cristiano, Líderes que inspiraron al mundo,* y muchas otras.

El Triunfo del Amor de Dios

La Historia de la Vindicación del Carácter de Dios y de la Salvación de la Humanidad

Tomo 2

Esta obra también se ha publicado con los títulos de *El conflicto de los siglos, Seguridad y paz en el conflicto de los siglos* y *El gran conflicto.*

PUBLICACIONES INTERAMERICANAS
PACIFIC PRESS PUBLISHING ASSOCIATION
Boise, Idaho
Oshawa, Ontario, Canadá

Título de este libro en inglés:
The Triumph of God's Love

Derechos reservados.
Copyright © 1954, 1979, by
Pacific Press Publishing Association.
Se prohíbe la reproducción total o parcial de esta obra
sin el permiso de los editores.

Illustrations copyright © 1977, by the
PACIFIC PRESS PUBLISHING ASSOCIATION

Editado e impreso por
PUBLICACIONES INTERAMERICANAS
División Hispana de la Pacific Press Publishing Association
P. O. Box 7000, Boise, Idaho 83707, EE. UU. de N. A.

Primera edición en este formato
6.000 ejemplares en circulación
1991

Offset in U.S.A.
ISBN 0-8163-9890-9

Indice

INDICE

CAPITULO 20

Luz a Través de las Tinieblas

LA OBRA de Dios en la tierra presenta, siglo tras siglo, sorprendente analogía en cada gran movimiento reformatorio o religioso. Los principios que rigen el trato de Dios con los hombres son siempre los mismos. Los movimientos importantes de esta época concuerdan con los de épocas anteriores, y la experiencia de la iglesia en tiempos que fueron encierra lecciones de gran valor para los nuestros.

Ninguna verdad se enseña en la Biblia con mayor claridad que aquella de que por medio de su Santo Espíritu Dios dirige especialmente a sus siervos en la tierra en los grandes movimientos en pro del adelanto de la obra de salvación. Los hombres son en mano de Dios instrumentos de los que él se vale para realizar sus fines de gracia y misericordia. Cada cual tiene su papel que desempeñar; a cada cual le ha sido concedida cierta medida de luz adecuada a las necesidades de su tiempo, y suficiente para permitirle cumplir la obra que Dios le asignó. Sin embargo, ningún hombre, por mucho que le haya honrado el Cielo, alcanzó jamás a comprender completamente el gran plan de la redención, ni siquiera a apreciar debidamente el propósito divino en la obra para su propia época. Los hombres no entienden por completo lo que Dios quisiera cumplir por medio de la obra que les da que hacer; no entienden, en todo su alcance, el mensaje que proclaman en su nombre.

"¿Descubrirás tú los secretos de Dios? ¿Llegarás tú a la perfección del Todopoderoso?" "Mis pensamientos no son vuestros pensamientos, ni vuestros caminos mis caminos, dijo Jehová. Como son más altos los cielos que la tierra, así son mis caminos más altos que vuestros caminos, y mis pensamientos más que vuestros pensamientos". "Yo soy Dios,... y nada hay semejante a mí, que anuncio lo por venir desde el principio, y desde la antigüedad lo que aún no era hecho" (Job 11: 7; Isaías 55: 8, 9; 46: 9, 10).

313

Aún después de la resurrección de Cristo, surgieron dudas
que hubo que aclarar mediante un reexamen de las profecías,
y así ocurrió también después de los acontecimientos de 1844.

JOHN STEEL © PPPA

EL TRIUNFO DEL AMOR DE DIOS

Ni siquiera los profetas que fueron favorecidos por la iluminación especial del Espíritu comprendieron del todo el alcance de las revelaciones que les fueron concedidas. Su significado debía ser aclarado, de siglo en siglo, a medida que el pueblo de Dios necesitase la instrucción contenida en ellas.

Escribiendo San Pedro acerca de la salvación dada a conocer por el Evangelio, dice: "Los profetas que profetizaron de la gracia destinada a vosotros, inquirieron y diligentemente indagaron acerca de esta salvación, escudriñando *qué persona y qué tiempo* indicaba el Espíritu de Cristo que estaba en ellos, el cual anunciaba de antemano los sufrimientos de Cristo, y las glorias que vendrían tras ellos. A éstos se les reveló que no para sí mismos, sino para nosotros, administraban las cosas" (1 S. Pedro 1: 10-12).

No obstante, a pesar de no haber sido dado a los profetas que comprendiesen enteramente las cosas que les fueron reveladas, procuraron con fervor toda la luz que Dios había tenido a bien manifestar. "Inquirieron y diligentemente indagaron", "escudriñando qué persona y qué tiempo indicaba el Espíritu de Cristo que estaba en ellos". ¡Qué lección para el pueblo de Dios en la era cristiana, para cuyo beneficio estas profecías fueron dadas a sus siervos! "A éstos se les reveló que no para sí mismos, sino para nosotros, administraban las cosas". Considerad a esos santos hombres de Dios que "inquirieron y diligentemente indagaron" respecto a las revelaciones que les fueron dadas para generaciones que aún no habían nacido. Comparad su santo celo con la indiferencia con que los favorecidos en edades posteriores trataron este don del cielo. ¡Qué censura contra la apatía, amiga de la comodidad y de la mundanalidad, que se contenta con declarar que no se pueden entender las profecías!

Si bien es cierto que la inteligencia de los hombres no es capaz de penetrar en los consejos del Eterno, ni de comprender enteramente el modo en que se cumplen sus designios, el hecho de que le resulten tan vagos los mensajes del cielo se debe con frecuencia a algún error o descuido de su parte. A menudo la mente del pueblo —y hasta de los siervos de Dios—es ofuscada por las opiniones humanas, las tradiciones y las falsas enseñanzas de los hombres, de suerte que no alcanzan a comprender más que parcialmente las grandes cosas que Dios reveló en su Palabra. Así les pasó a los discípulos de Cristo, cuando el mismo Señor estaba con ellos en persona. Su espíritu estaba dominado por la creencia popular de que el Mesías sería un príncipe terrenal, que exaltaría a Israel a la altura de un imperio universal, y no pudieron comprender el significado de sus palabras cuando les anunció sus padecimientos y su muerte.

El mismo Cristo los envió con el mensaje: "El tiempo se ha cumplido, y el reino de Dios se ha acercado; arrepentíos, y creed en el Evangelio" (S. Marcos 1: 15). El mensaje se fundaba en la profecía del capítulo noveno de Daniel. El ángel había declarado que las sesenta y nueve semanas alcanzarían "hasta el Mesías Príncipe", y con grandes esperanzas y gozo anticipado los discípulos

314

anhelaban que se estableciera en Jerusalén el reino del Mesías que debía extenderse por toda la tierra.

Predicaron el mensaje que Cristo les había confiado aun cuando ellos mismos entendían mal su significado. Aunque su mensaje se basaba en Daniel 9: 25, no notaron que, según el versículo siguiente del mismo capítulo, el Mesías iba a ser muerto. Desde su más tierna edad la esperanza de su corazón se había cifrado en la gloria de un futuro imperio terrenal, y eso les cegaba la inteligencia con respecto tanto a los datos de la profecía como a las palabras de Cristo.

Cumplieron su deber presentando a la nación judaica el llamamiento misericordioso, y luego, en el momento mismo en que esperaban ver a su Señor ascender al trono de David, le vieron aprehendido como un malhechor, azotado, escarnecido y condenado, y elevado en la cruz del Calvario. ¡Qué desesperación y qué angustia no desgarraron los corazones de esos discípulos durante los días en que su Señor dormía en la tumba!

Cristo había venido al tiempo exacto y en la manera que anunciara la profecía. La declaración de las Escrituras se había cumplido en cada detalle de su ministerio. Había predicado el mensaje de Salvación, y "su palabra era con autoridad". Los corazones de sus oyentes habían atestiguado que el mensaje venía del cielo. La Palabra y el Espíritu de Dios confirmaban el carácter divino de la misión de su Hijo.

Los discípulos seguían aferrándose a su amado Maestro con afecto indisoluble. Y sin embargo sus espíritus estaban envueltos en la incertidumbre y la duda. En su angustia no recordaron las palabras de Cristo que aludían a sus padecimientos y a su muerte. Si Jesús de Nazaret hubiese sido el verdadero Mesías, ¿habríanse visto ellos sumidos así en el dolor y el desengaño? Tal era la pregunta que les atormentaba el alma mientras el Salvador descansaba en el sepulcro durante las horas desesperanzadas de aquel sábado que medió entre su muerte y su resurrección.

Aunque el tétrico dolor dominaba a estos discípulos de Jesús, no por eso fueron abandonados. El profeta dice: "Aunque more en tinieblas, Jehová será mi luz... El me sacará a luz; veré su justicia". "Aun las tinieblas no encubren de ti, y la noche resplandece como el día; lo mismo te son las tinieblas que la luz". Dios había dicho: "Resplandeció en las tinieblas luz a los rectos". "Y guiaré a los ciegos por camino que no sabían, les haré andar por sendas que no habían conocido; delante de ellos cambiaré las tinieblas en luz, y lo escabroso en llanura. Estas cosas les haré, y no los desampararé" (Miqueas 7: 8, 9; Salmos 139: 12; 112: 4; Isaías 42: 16).

Lo que los discípulos habían anunciado en nombre de su Señor, era exacto en todo sentido, y los acontecimientos predichos estaban realizándose en ese mismo momento. "Se ha cumplido el tiempo, y se ha acercado el reino de Dios", había sido el mensaje de ellos. Transcurrido "el tiempo" —las sesenta y nueve semanas del capítulo noveno de Daniel, que debían extenderse hasta el Mesías, "el Ungido"— Cristo había recibido la unción del Espíritu después de haber sido bautizado por Juan en el Jordán, y el "reino de Dios" que habían declarado estar próximo, fue establecido por la muerte de Cristo. Este reino no era un imperio terrenal como se les había enseñado a creer. No era tampoco el reino venidero e inmortal que se establecerá cuando "el reino, y el dominio y la majestad de los reinos debajo de todo el cielo, sea dado al pueblo de los santos del Altísimo"; ese reino eterno en que "todos los dominios le servirán y le obedecerán" (Daniel 7: 27). La expresión "reino de Dios", tal cual la emplea la Biblia, significa tanto el reino de la gracia como el de la gloria. El reino de la gracia es presentado por San Pablo en la Epístola a los Hebreos. Después de haber hablado de Cristo como del intercesor que puede "compadecerse de nuestras debilidades", el apóstol dice: "Acerquémonos, pues, confiadamente al trono de la gracia, para alcanzar misericordia y hallar gracia" (Hebreos 4: 16). El trono de la gracia representa el reino de la gracia; pues la existencia de un trono envuelve la existencia de un reino. En muchas de sus parábolas, Cristo emplea la expresión, "el reino de los cielos", para designar la obra de la gracia divina en los corazones de los hombres.

Asimismo el trono de la gloria representa el reino de la gloria y es a este reino al que se refería el Salvador en las palabras: "Cuando el Hijo del hombre venga en su gloria, y todos los santos ángeles con él, entonces se sentará en su trono de gloria, y serán reunidas delante de él todas las naciones" (S. Mateo 25: 31, 32). Este reino está aún por venir. No quedará establecido sino en el segundo advenimiento de Cristo.

El reino de la gracia fue instituido inmediatamente después de la caída del hombre, cuando se ideó un plan para la redención de la raza culpable. Este reino existía entonces en el designio de Dios y por su promesa; y mediante la fe los hombres podían hacerse sus súbditos. Sin embargo, no fue establecido en realidad hasta la muerte de Cristo. Aun después de haber iniciado su misión terrenal, el Salvador, cansado de la obstinación e ingratitud de los hombres, habría podido retroceder ante el sacrificio del Calvario. En Getsemaní la copa del dolor le tembló en la mano. Aun entonces, hubiera podido enjugar el sudor de sangre de su frente y dejar que la raza culpable pereciese en su iniquidad. Si así lo hubiera hecho no habría habido redención para la humanidad caída. Pero cuando el Salvador hubo rendido la vida y exclamado en su último aliento: "Consumado es", entonces el cumplimiento del plan de la redención quedó asegurado. La promesa de salvación hecha a la pareja culpable en el Edén quedó ratificada. El reino de la gracia, que hasta entonces existiera por la promesa de Dios, quedó establecido.

Así, la muerte de Cristo —el acontecimiento mismo que los discípulos habían considerado como la ruina final de sus esperanzas— fue lo que las aseguró para siempre. Si bien es verdad que esa misma muerte fuera para ellos cruel desengaño, no dejaba de ser la prueba suprema de que su creencia había sido bien fundada. El acontecimiento que los había llenado de tristeza y desesperación, fue lo que abrió para todos los hijos de Adán la puerta de la esperanza, en la cual se concentraban la vida futura y la felicidad eterna de todos los fieles siervos de Dios en todas las edades.

Los designios de la misericordia infinita alcanzaban a cumplirse, hasta por medio del desengaño de los discípulos. Si bien sus corazones habían sido ganados por la gracia divina y el poder de las enseñanzas de Aquel que hablaba como "jamás habló hombre alguno", conservaban, mezclada con el oro puro de su amor a Jesús, la liga vil del orgullo humano y de las ambiciones egoístas. Hasta en el aposento de la cena pascual, en aquella hora solemne en que su Maestro estaba entrando ya en las sombras de Getsemaní, "hubo también entre ellos una disputa sobre quién de ellos sería el mayor" (S. Lucas 22: 24). No veían más que el trono, la corona y la gloria, cuando lo que tenían delante era el oprobio y la agonía del huerto, el pretorio y la cruz del Calvario. Era el orgullo de sus corazones, la sed de gloria mundana lo que les había inducido a adherirse tan tenazmente a las falsas doctrinas de su tiempo, y a no tener en cuenta las palabras del Salvador que exponían la verdadera naturaleza de su reino y predecían su agonía y muerte. Y estos errores rematarón en prueba —dura pero necesaria— que Dios permitió para escarmentarlos. Aunque los discípulos comprendieron mal el sentido del mensaje y vieron frustrarse sus esperanzas, habían predicado la amonestación que Dios les encomendara, y el Señor iba a recompensar su fe y honrar su obediencia confiándoles la tarea de proclamar a todas las naciones el glorioso Evangelio del Señor resucitado. Y a fin de prepararlos para esta obra, había permitido que pasaran por el trance que tan amargo les pareciera.

Después de su resurrección, Jesús apareció a sus discípulos en el camino de Emaús, y "comenzando desde Moisés, y siguiendo por todos los profetas, les declaraba en todas las Escrituras lo que de él decían" (S. Lucas 24: 27). Los corazones de los discípulos se conmovieron. Su fe se reavivó. Fueron reengendrados "en esperanza viva", aun antes de que Jesús se revelase a ellos. El propósito de éste era iluminar sus inteligencias y fundar su fe en la "palabra profética" "más firme". Deseaba que la verdad se arraigase firmemente en su espíritu, no sólo porque era sostenida por su testimonio personal sino a causa de las pruebas evidentes suministradas por los símbolos y sombras de la ley típica, y por las profecías del Antiguo Testamento. Era necesario que los discípulos de Cristo tuviesen una fe inteligente, no sólo en beneficio propio, sino para comunicar al mundo el conocimiento de Cristo. Y como primer paso en la comunicación de este conocimiento, Jesús dirigió a sus discípulos a "Moisés,

317

y... todos los profetas". Tal fue el testimonio dado por el Salvador resucitado en cuanto al valor e importancia de las Escrituras del Antiguo Testamento.

¡Qué cambio el que se efectuó en los corazones de los discípulos cuando contemplaron una vez más el amado semblante de su Maestro! (S. Lucas 24: 32). En un sentido más completo y perfecto que nunca antes, habían hallado "a Aquel, de quien escribió Moisés en la ley, y asimismo los profetas". La incertidumbre, la angustia, la desesperación, dejaron lugar a una seguridad perfecta, a una fe serena. ¿Es de admirarse entonces que después de su ascensión ellos estuviesen "siempre en el templo, alabando y bendiciendo a Dios"? El pueblo, que no tenía conocimiento sino de la muerte ignominiosa del Salvador, miraba para descubrir en sus semblantes una expresión de dolor, confusión y derrota; pero sólo veía en ellos alegría y triunfo. ¡Qué preparación la que habían recibido para la obra que les esperaba! Habían pasado por la prueba más grande que les fuera dable experimentar, y habían visto cómo, cuando a juicio humano todo estaba perdido, la Palabra de Dios se había cumplido y había salido triunfante. En lo sucesivo ¿qué podría hacer vacilar su fe, o enfriar el ardor de su amor? En sus penas más amargas ellos tuvieron "poderoso consuelo", una esperanza que era "como ancla del alma, segura y firme" (Hebreos 6: 18, 19, VM). Habían comprobado la sabiduría y el poder de Dios, y estaban persuadidos de "que ni la muerte, ni la vida, ni ángeles, ni principados, ni potestades, ni lo presente, ni lo por venir, ni lo alto, ni lo profundo, ni ninguna otra cosa creada" podría apartarlos "del amor de Dios, que es en Cristo Jesús Señor nuestro". "En todas estas cosas —decían—, somos más que vencedores por medio de aquel que nos amó". "La Palabra del Señor permanece para siempre". Y "¿quién es el que condenará? Cristo es el que murió; más aun, el que también resucitó, el que además está a la diestra de Dios, el que también intercede por nosotros" (Romanos 8: 38, 39, 37; 1 S. Pedro 1: 25; Rom. 8:34).

El Señor dice: "Nunca jamás será mi pueblo avergonzado" (Joel 2: 26). "Una noche podrá durar el lloro, mas a la mañana vendrá la alegría" (Salmo 30: 5, VM). Cuando en el día de su resurrección estos discípulos encontraron al Salvador, y sus corazones ardieron al escuchar sus palabras; cuando miraron su cabeza, sus manos y sus pies que habían sido heridos por ellos; cuando antes de su ascensión, Jesús les llevara hasta cerca de Betania y, levantando sus manos para bendecirlos, les dijera: "Id por todo el mundo y predicad el Evangelio a toda criatura", y agregara: "He aquí yo estoy con vosotros todos los días, hasta el fin del mundo" (S. Marcos 16: 15; S. Mateo 28: 20); cuando en el día de Pentecostés descendió el Consolador prometido, y por el poder de lo alto que les fue dado las almas de los creyentes se estremecieron con el sentimiento de la presencia de su Señor que ya había ascendido al cielo, —entonces, aunque la senda que seguían, como la que siguiera su Maestro, fuera la senda del sacrificio y del martirio, ¿habrían ellos acaso cambiado el ministerio del Evangelio de gracia, con la "corona de justicia" que habían de recibir a su venida, por la gloria de un trono mundano que había sido su esperanza en los comienzos de su discipulado? Aquel "que es poderoso para hacer infinitamente más de todo cuanto podemos pedir, y aun pensar", les había concedido con la participación en sus sufrimientos, la comunión de su gozo —el gozo de "llevar muchos hijos a la gloria", dicha indecible, "un peso eterno de gloria", al que, dice San Pablo, nuestra "ligera aflicción que no dura sino por un momento", no es "digna de ser comparada".

Lo que experimentaron los discípulos que predicaron el "evangelio del reino" cuando vino Cristo por primera vez tuvo su contraparte en lo que experimentaron los que proclamaron el mensaje de su segundo advenimiento. Así como los discípulos fueron predicando: "Se ha cumplido el tiempo, y se ha acercado el reino de Dios", así también Miller y sus asociados proclamaron que estaba a punto de terminar el período profético más largo y último de que habla la Biblia, que el juicio era inminente y que el reino eterno iba a ser establecido. La predicación de los discípulos en cuanto al tiempo se basaba en las setenta semanas del capítulo noveno de Daniel. El mensaje proclamado por Miller y sus colaboradores anunciaba la conclusión de los 2.300 días de Daniel 8: 14, de los cuales las setenta semanas forman parte. En cada caso la predicación se fundaba en el cumplimiento de una parte diferente del mismo gran período profético.

Como los primeros discípulos, Guillermo Miller y sus colaboradores no comprendieron ellos mismos enteramente el alcance del mensaje que proclamaban. Los errores que existían desde hacía largo tiempo en la iglesia les impidieron interpretar correctamente un punto importante de la profecía. Por eso si bien proclamaron el mensaje que Dios les había confiado para que lo diesen al mundo, sufrieron un desengaño debido a un falso concepto de su significado.

EL TRIUNFO DEL AMOR DE DIOS

Al explicar Daniel 8: 14: "hasta dos mil trescientas tardes y mañanas; luego el santuario será purificado", Miller, como ya lo hemos dicho, aceptó la creencia general de que la tierra era el santuario, y creyó que la purificación del santuario representaba la purificación de la tierra por el fuego a la venida del Señor. Por consiguiente, cuando echó de ver que el fin de los 2.300 días estaba predicho con precisión, sacó la conclusión de que esto revelaba el tiempo del segundo advenimiento. Su error provenía de que había aceptado la creencia popular relativa a lo que constituye el santuario.

En el sistema típico —que era sombra del sacrificio y del sacerdocio de Cristo— la purificación del santuario era el último servicio efectuado por el sumo sacerdote en el ciclo anual de su ministerio. Era el acto final de la obra de expiación —una remoción o apartamiento del pecado de Israel. Prefiguraba la obra final en el ministerio de nuestro Sumo Sacerdote en el cielo, en el acto de borrar los pecados de su pueblo, que están consignados en los libros celestiales. Este servicio envuelve una obra de investigación, una obra de juicio, y precede inmediatamente la venida de Cristo en las nubes del cielo con gran poder y gloria, pues cuando él venga, la causa de cada uno habrá sido fallada. Jesús dice: "Mi galardón conmigo, para recompensar a cada uno según sea su obra" (Apocalipsis 22: 12). Esta obra de juicio, que precede inmediatamente al segundo advenimiento, es la que se anuncia en el primer mensaje angelical de Apocalipsis 14: 7: "Temed a Dios y dadle gloria, porque la hora de su juicio ha llegado" (VM).

Los que proclamaron esta amonestación dieron el debido mensaje a su debido tiempo. Pero así como los primitivos discípulos declararan: "Se ha cumplido el tiempo, y se ha acercado el reino de Dios", fundándose en la profecía de Daniel 9, sin darse cuenta de que la muerte del Mesías estaba anunciada en el mismo pasaje bíblico, así también Miller y sus colaboradores predicaron el mensaje fundado en Daniel 8: 14 y Apocalipsis 14: 7 sin echar de ver que el capítulo 14 del Apocalipsis encerraba aún otros mensajes que debían ser también proclamados antes del advenimiento del Señor. Como los discípulos se equivocaron en cuanto al reino que debía establecerse al fin de las setenta semanas, así también los adventistas se equivocaron en cuanto al acontecimiento que debía producirse al fin de los 2.300 días. En ambos casos la circunstancia de haber aceptado errores populares, o mejor dicho la adhesión a ellos, fue lo que cerró el espíritu a la verdad. Ambas escuelas cumplieron la voluntad de Dios, proclamando el mensaje que él deseaba fuese proclamado, y ambas, debido a su mala comprensión del mensaje, sufrieron desengaños.

Sin embargo, Dios cumplió su propósito misericordioso permitiendo que el juicio fuese proclamado precisamente como lo fue. El gran día era inminente, y en la providencia de Dios el pueblo fue probado tocante a un tiempo fijo a fin de que se les revelase lo que había en sus corazones. El mensaje tenía por objeto probar y purificar la iglesia. Los hombres debían ser inducidos a ver si sus afectos pendían de las cosas de este mundo o de Cristo y del cielo. Ellos profesaban amar al Salvador; debían pues probar su amor. ¿Estarían dispuestos a renunciar a sus esperanzas y ambiciones mundanas, para saludar con gozo el advenimiento de su Señor? El mensaje tenía por objeto hacerles ver su verdadero estado espiritual; fue enviado misericordiosamente para despertarlos a fin de que buscasen al Señor con arrepentimiento y humillación.

Además, si bien el desengaño era resultado de una comprensión errónea del mensaje que anunciaban, Dios iba a predominar para bien sobre las circunstancias. Los corazones de los que habían profesado recibir la amonestación iban a ser probados. En presencia de su desengaño, ¿se apresurarían ellos a renunciar a su experiencia y a abandonar su confianza en la Palabra de Dios o con oración y humildad procurarían discernir en qué puntos no habían comprendido el significado de la profecía? ¿Cuántos habían obrado por temor o por impulso y arrebato? ¿Cuántos eran de corazón indeciso e incrédulo? Muchos profesaban anhelar el advenimiento del Señor. Al ser llamados a sufrir las burlas y el oprobio del mundo, y la prueba de la dilación y del desengaño, ¿renunciarían a su fe? Porque no pudieran comprender luego los caminos de Dios para con ellos, ¿rechazarían verdades confirmadas por el testimonio más claro de su Palabra?

Esta prueba revelaría la fuerza de aquellos que con verdadera fe habían obedecido a lo que creían ser la enseñanza de la Palabra y del Espíritu de Dios. Ella les enseñaría, como sólo tal experiencia podía hacerlo, el peligro que hay en aceptar las teorías e interpretaciones de los hombres, en lugar de dejar la Biblia interpretarse a sí misma. La perplejidad y el dolor que iban a resultar de su error, producirían en los hijos de la fe el escarmiento necesario. Los inducirían a profundizar aún más el estudio de la palabra profética. Aprenderían a examinar más detenidamente el fundamento de su fe, y a rechazar todo lo que no estuviera fundado en la verdad de las Sagradas Escrituras, por muy amplia que fuese su aceptación en el mundo cristiano.

A estos creyentes les pasó lo que a los primeros discípulos: lo que en la hora de la prueba pareciera oscuro a su inteligencia, les fue aclarado después. Cuando vieron el "fin que vino del Señor", supieron que a pesar de la prueba que resultó de sus errores, los propósitos del amor divino para con ellos no habían dejado de seguir cumpliéndose. Merced a tan bendita experiencia llegaron a saber que el "Señor es muy misericordioso y compasivo"; que todos sus caminos "son misericordia y verdad, para los que guardan su pacto y sus testimonios".

CAPITULO 21

Un Gran Movimiento Mundial

EN LA profecía del primer mensaje angelical, en el capítulo 14 del Apocalipsis, se predice un gran despertamiento religioso bajo la influencia de la proclamación de la próxima venida de Cristo. Se ve un "ángel volando en medio del cielo, teniendo un Evangelio eterno que anunciar a los que habitan sobre la tierra, y a cada nación, y tribu, y lengua, y pueblo". "A gran voz" proclama el mensaje: "¡Temed a Dios y dadle gloria; porque ha llegado la hora de su juicio; y adorad al que hizo el cielo y la tierra, y el mar y las fuentes de agua!" (Apocalipsis 14: 6, 7, VM).

La circunstancia de que se diga que es un ángel el heraldo de esta advertencia, no deja de ser significativa. La divina sabiduría tuvo a bien representar el carácter augusto de la obra que el mensaje debía cumplir y el poder y gloria que debían acompañarlo, por la pureza, la gloria y el poder del mensajero celestial. Y el vuelo del ángel "en medio del cielo", la "gran voz" con la que se iba a dar la amonestación, y su promulgación a todos "los que habitan" "la tierra" —"a cada nación, y tribu, y lengua, y pueblo"—, evidencian la rapidez y extensión universal del movimiento.

El mismo mensaje revela el tiempo en que este movimiento debe realizarse. Se dice que forma parte del "Evangelio eterno"; y que anuncia el principio del juicio. El mensaje de salvación ha sido predicado en todos los siglos; pero este mensaje es parte del Evangelio que sólo podía ser proclamado en los últimos días, pues sólo entonces podía ser verdad que la hora del juicio *había llegado*. Las profecías presentan una sucesión de acontecimientos que llevan al comienzo del juicio. Esto es particularmente cierto del libro de Daniel. Pero la parte de su profecía que se refería a los últimos días, debía Daniel cerrarla y sellarla "hasta el tiempo del fin". Un mensaje relativo al juicio, basado en el cumplimiento de estas profecías, no podía ser proclamado antes de que llegásemos a aquel tiempo. Pero al tiempo del fin, dice el profeta, "muchos correrán de aquí para allá, y la ciencia se aumentará" (Daniel 12: 4).

El apóstol Pablo advirtió a la iglesia que no debía esperar la venida de Cristo en tiempo de él. "Ese día —dijo—, no puede venir, sin que" haya venido "primero la apostasía", y sin que haya sido "revelado el hombre de pecado" (2 Tesalonicenses 2: 3, VM). Sólo después que se haya producido la gran apostasía y se haya cumplido el largo período del reino del "hombre de pecado", podemos esperar el advenimiento de nuestro Señor. El "hombre de pecado", que también es llamado "misterio de iniquidad", "hijo de perdición" y "el inicuo", representa al papado, el cual, como está predicho en las profecías, conservaría su supremacía durante 1.260 años. Este período terminó en 1798. La venida del Señor no podía verificarse antes de dicha fecha. San Pablo abarca con su aviso toda la dispensación cristiana hasta el año 1798. Sólo después de esta fecha debía ser proclamado el mensaje de la segunda venida de Cristo.

Semejante mensaje no se predicó en los siglos pasados. San Pablo, como lo hemos visto, no lo predicó; predijo a sus hermanos la venida de Cristo para un porvenir muy lejano. Los reformadores no lo proclamaron tampoco. Martín Lutero fijó la fecha del juicio para cerca de trescientos años después de su época. Pero desde 1798 el libro de Daniel ha sido desellado, la ciencia de las profecías ha aumentado y muchos han proclamado el solemne mensaje del juicio cercano.

Así como en el caso de la gran Reforma del siglo XVI, el movimiento adventista surgió simultáneamente en diferentes países de la cristiandad. Tanto en Europa como en América, hubo hombres de fe y de oración que fueron inducidos a estudiar las profecías, y que al escudriñar la Palabra inspirada, hallaron pruebas convincentes de que el fin de todas las cosas era inminente. En diferentes países había grupos aislados de cristianos, que por el solo estudio de las Escrituras, llegaron a creer que el advenimiento del Señor estaba cerca.

En 1821, tres años después de haber adoptado Miller su modo de interpretar las profecías que fijan el tiempo del juicio, el Dr. José Wolff, "el misionero universal", empezó a proclamar la próxima venida del Señor. Wolff había nacido en Alemania, de origen israelita, pues su padre era rabino. Desde muy temprano se convenció de la verdad de la religión cristiana. Dotado de inteligencia viva y dada a la investigación, solía prestar profunda atención a las conversaciones que se oían en casa de su padre mientras que diariamente se reunían piadosos correligionarios para recordar las esperanzas de su pueblo, la gloria del Mesías venidero y la restauración de Israel. Un día, cuando el niño oyó mencionar a Jesús de Nazaret, preguntó quién era. "Un israelita del mayor talento —le contestaron—; pero como aseveraba ser el Mesías, el tribunal judío le sentenció a muerte". "¿Por qué entonces —siguió preguntando el niño— está Jerusalén destruida? ¿y por qué estamos cautivos?" "¡Ay, ay! —contestó su

padre—. Es porque los judíos mataron a los profetas". Inmediatamente se le ocurrió al niño que "tal vez Jesús de Nazaret había sido también profeta, y los judíos le mataron siendo inocente" (*Travels and Adventures of the Rev. Joseph Wolff*, tomo I, pág. 6). Este sentimiento era tan vivo, que a pesar de haberle sido prohibido entrar en iglesias cristianas, a menudo se acercaba a ellas para escuchar la predicación.

Cuando tenía apenas siete años habló un día con jactancia a un anciano cristiano vecino suyo del triunfo futuro de Israel y del advenimiento del Mesías. El anciano le dijo entonces con bondad: "Querido niño, te voy a decir quién fue el verdadero Mesías: fue Jesús de Nazaret,... a quien tus antepasados crucificaron, como también habían matado a los antiguos profetas. Anda a casa y lee el capítulo cincuenta y tres de Isaías, y te convencerás de que Jesucristo es el Hijo de Dios" (*Id.*, tomo I, pág. 7). No tardó el niño en convencerse. Se fue a casa y leyó el pasaje correspondiente, maravillándose al ver cuán perfectamente se había cumplido en Jesús de Nazaret. ¿Serían verdad las palabras de aquel cristiano? El muchacho pidió a su padre que le explicara la profecía; pero éste lo recibió con tan severo silencio que nunca más se atrevió a mencionar el asunto. Pero el incidente ahondó su deseo de saber más de la religión cristiana.

El conocimiento que buscaba le era negado premeditadamente en su hogar judío; pero cuando tuvo once años dejó la casa de su padre y salió a recorrer el mundo para educarse por sí mismo y para escoger su religión y su profesión. Se albergó por algún tiempo en casa de unos parientes, pero no tardó en ser expulsado como apóstata, y solo y sin un centavo tuvo que abrirse camino entre extraños. Fue de pueblo en pueblo, estudiando con diligencia, y ganándose la vida enseñando hebreo. Debido a la influencia de un maestro católico, fue inducido a aceptar la fe romanista, y se propuso ser misionero para su propio pueblo. Con tal objeto fue, pocos años después, a proseguir sus estudios en el Colegio de la Propaganda, en Roma. Allí, su costumbre de pensar con toda libertad y de hablar con franqueza le hicieron tachar de herejía. Atacaba abiertamente los abusos de la iglesia, e insistía en la necesidad de una reforma. Aunque al principio fue tratado por los dignatarios papales con favor especial, fue luego alejado de Roma. Bajo la vigilancia de la iglesia fue de lugar en lugar, hasta que se hizo evidente que no se le podría obligar jamás a doblegarse al yugo del romanismo. Fue declarado incorregible, y se le dejó en libertad para ir donde quisiera. Dirigióse entonces a Inglaterra, y, habiendo abrazado la fe protestante, se unió a la Iglesia Anglicana. Después de dos años de estudio, dio principio a su misión en 1821.

Al aceptar la gran verdad del primer advenimiento de Cristo como "varón de dolores, experimentado en quebranto", Wolff comprendió que las profecías presentan con igual claridad su segundo advenimiento en poder y gloria. Y mientras trataba de conducir a su pueblo a Jesús de Nazaret, como al Prome-

Durante el siglo diecinueve el estudio de las profecías acerca del segundo advenimiento iluminó las mentes de los hombres por todas partes.

JOHN STEEL © PPPA

tido, y a presentarle su primera venida en humillación como un sacrificio por los pecados de los hombres, le hablaba también de su segunda venida como rey y libertador.

"Jesús de Nazaret —decía—, el verdadero Mesías, cuyas manos y pies fueron traspasados, que fue conducido como cordero al matadero, que fue Varón de dolores y experimentado en quebranto, que vino por primera vez después que el cetro fue apartado de Judá y la vara de gobernador de entre sus pies, vendrá por segunda vez en las nubes del cielo y con trompeta de arcángel" (Wolff, *Researches and Missionary Labors*, pág. 62). "Sus pies se asentarán sobre el Monte de los Olivos. Y el dominio sobre la creación, que fue dado primeramente a Adán y que le fue quitado después (Génesis 1: 26; 3: 17) será dado a Jesús. El será rey sobre toda la tierra. Cesarán los gemidos y lamentos de la creación y oiránse cantos de alabanza y acciones de gracias... Cuando Jesús venga en la gloria de su Padre con los santos ángeles... los creyentes que murieron resucitarán los primeros (1 Tesalonicenses 4: 16; 1 Corintios 15: 23). Esto es lo que nosotros los cristianos llamamos la primera resurrección. Entonces el reino animal cambiará de naturaleza (Isaías 11: 6-9), y será sometido a Jesús (Salmo 8). Prevalecerá la paz universal" (*Journal of the Rev. Joseph Wolff*, págs. 378, 379). "El Señor volverá a mirar la tierra, y dirá que todo es muy bueno" (*Id.*, pág. 294).

Wolff creía inminente la venida del Señor. Según su interpretación de los períodos proféticos, la gran consumación debía verificarse en fecha no muy diferente de la señalada por Miller. A los que se fundaban en el pasaje: "Del día y la hora nadie sabe", para afirmar que nadie podía saber nada respecto a la proximidad del advenimiento, Wolff les contestaba: "¿Dijo el Señor que el día y la hora no se sabrían *jamás*? ¿No nos dio señales de los tiempos, para que reconociéramos siquiera la *proximidad* de su venida, como se reconoce la cercanía del estío por la higuera cuando brotan sus hojas? (S. Mateo 24: 32). ¿No conoceremos jamás ese tiempo, cuando él mismo nos exhortó no sólo a leer la profecía de Daniel sino también a comprenderla? Y es precisamente en Daniel donde se dice que las palabras serían selladas hasta el tiempo del fin (lo que era el caso en su tiempo), y que 'muchos correrán de aquí para allá' (expresión hebraica que significa observar y pensar en el tiempo), y 'la *ciencia*' respecto a ese tiempo será aumentada (Daniel 12: 4). Además, nuestro Señor no dice que la *proximidad* del tiempo no será conocida, sino que nadie sabe con *exactitud* el '*día*' ni la '*hora*'. Dice que se sabrá bastante por las señales de los tiempos, para inducirnos a que nos preparemos para su venida, así como Noé preparó el arca" (Wolff, *Researches and Missionary Labors*, págs. 404, 405).

Respecto al sistema popular de interpretar, o mejor dicho de torcer las Sagradas Escrituras, Wolff escribió: "La mayoría de las iglesias cristianas se ha apartado del claro sentido de las Escrituras, para adoptar el sistema fantástico de los budistas; creen que la dicha futura de la humanidad consistirá en cernerse en el aire, y suponen que cuando se lee *judíos,* debe entenderse *gentiles;* y cuando se lee *Jerusalén,* debe entenderse la *iglesia;* y que si se habla de la *tierra,* es por decir *cielo;* que por la venida del *Señor* debe entenderse el progreso de las *sociedades de misiones;* y que subir a la montaña de la casa del Señor significa *una gran asamblea de los metodistas" (Journal of the Rev. Joseph Wolff,* pág. 96).

Durante los veinticuatro años que transcurrieron de 1821 a 1845, Wolff hizo muchísimos viajes: recorrió en Africa, Egipto y Abisinia; en Asia, la Palestina, Siria, Persia, Bokara y la India. Visitó también los Estados Unidos de Norteamérica, y de paso para aquel país predicó en la isla de Santa Elena. Llegó a Nueva York en agosto de 1837, y después de haber hablado en aquella ciudad, predicó en Filadelfia y Baltimore, y finalmente se dirigió a Wáshington. Allí, dice, "debido a una proposición hecha por el ex presidente Juan Quincy Adams, en una de las cámaras del Congreso, se me concedió por unanimidad el uso del salón del Congreso para una conferencia que di un sábado, y que fue honrada con la presencia de todos los miembros del Congreso, como también del obispo de Virginia, y del clero y de los vecinos de Wáshington. El mismo honor me fue conferido por los miembros del gobierno de Nueva Jersey y de Pensilvania, en cuya presencia di conferencias sobre mis investigaciones en el Asia, como también sobre el reinado personal de Jesucristo" (*Id.,* págs. 398, 399).

El Dr. Wolff visitó los países más bárbaros sin contar con la protección de ningún gobierno europeo, sufriendo muchas privaciones y rodeado de peligros sin número. Fue apaleado y reducido al hambre, vendido como esclavo y condenado tres veces a muerte. Fue atacado por bandidos y a veces estuvo a punto de morir de sed. Una vez fue despojado de cuanto poseía, y tuvo que andar centenares de millas a pie a través de las montañas, con la nieve azotándole la cara y con pies descalzos entumecidos por el contacto del suelo helado.

Cuando se le aconsejó que no fuera sin armas entre tribus salvajes y hostiles, declaró estar provisto de armas: "la oración, el celo por Cristo y la confianza en su ayuda". "Además —decía—, llevo el amor de Dios y de mi prójimo en mi corazón, y la Biblia en la mano" (W. H. D. Adams, *In Perils Oft,* pág. 192). Doquiera fuese llevaba siempre consigo la Biblia en hebreo e inglés. Hablando de uno de sus últimos viajes, dice: "Solía tener la Biblia abierta en mis manos. Sentía que mi fuerza estaba en el Libro, y que su poder me sostendría" (*Id.,* pág. 201).

Perseveró así en sus labores hasta que el mensaje del juicio quedó proclamado en gran parte del mundo habitado. Distribuyó la Palabra de Dios entre judíos, turcos, parsis e hindúes y entre otros muchos pueblos y razas, anunciando por todas partes la llegada del reino del Mesías.

EL TRIUNFO DEL AMOR DE DIOS

En sus viajes por Bokara encontró profesada la doctrina de la próxima venida del Señor entre un pueblo remoto y aislado. Los árabes del Yemen, dice, "poseen un libro llamado *Seera,* que anuncia la segunda venida de Cristo y su reino de gloria, y esperan que grandes acontecimientos han de desarrollarse en el año 1840" (*Journal of the Rev. Joseph Wolff,* pág. 377). "En el Yemen... pasé seis días con los hijos de Recab. No beben vino, no plantan viñas, ni siembran semillas, viven en tiendas y recuerdan las palabras de Jonadab, hijo de Recab; y encontré entre ellos hijos de Israel de la tribu de Dan... quienes, en común con los hijos de Recab, esperan que antes de mucho vendrá el Mesías en las nubes del cielo" (*Id.,* pág. 389).

Otro misionero encontró una creencia parecida en Tartaria. Un sacerdote tártaro preguntó al misionero cuándo vendría Cristo por segunda vez. Cuando el misionero le contestó que no sabía nada de eso, el sacerdote pareció admirarse mucho de tanta ignorancia por parte de uno que profesaba enseñar la Biblia, y manifestó su propia creencia fundada en la profecía de que Cristo vendría hacia 1844.

Desde 1826 el mensaje del advenimiento empezó a ser predicado en Inglaterra. Pero en este país el movimiento no tomó forma tan definida como en los Estados Unidos de Norteamérica; no se enseñaba tan generalmente la fecha exacta del advenimiento, pero la gran verdad de la próxima venida de Cristo en poder y gloria fue extensamente proclamada. Y eso no sólo entre los disidentes y no conformistas. El escritor inglés Mourant Brock dice que cerca de setecientos ministros de la Iglesia Anglicana predicaban este "evangelio del reino". El mensaje que fijaba el año 1844 como fecha de la venida del Señor fue también proclamado en Gran Bretaña. Circularon profusamente las publicaciones adventistas procedentes de los Estados Unidos. Se reimprimieron libros y periódicos en Inglaterra. Y en 1842, Roberto Winter, súbdito inglés que había aceptado la fe adventista en Norteamérica, regresó a su país para anunciar la venida del Señor. Muchos se unieron a él en la obra, y el mensaje del juicio fue proclamado en varias partes de Inglaterra.

En la América del Sur, en medio de la barbarie y de las supercherías de los ministros de la religión, el jesuita chileno Lacunza se abrió camino hasta las Sagradas Escrituras y allí encontró la verdad de la próxima vuelta de Cristo. Impelido a dar el aviso, pero deseando no obstante librarse de la censura de Roma, publicó sus opiniones bajo el seudónimo de "Rabbi Ben-Ezra", dándose por judío convertido. Lacunza vivió en el siglo XVIII, pero fue tan sólo hacia 1825 cuando su libro fue traducido al inglés en Londres. Su publicación contribuyó a aumentar el interés que se estaba despertando ya en Inglaterra por la cuestión del segundo advenimiento. (Véase el Apéndice.)

En Alemania, esta doctrina había sido enseñada en el siglo XVIII por Bengel, ministro de la Iglesia Luterana y célebre teólogo y crítico. Al terminar su educación, Bengel se había "dedicado al estudio de la teología, hacia la cual se sentía naturalmente inclinado por el carácter grave y religioso de su espíritu, que ganó en profundidad y robustez merced a su temprana educación y a la disciplina. Como otros jóvenes de carácter reflexivo antes y después de él, tuvo que luchar con dudas y dificultades de índole religiosa, y él mismo alude, con mucho sentimiento, a los 'muchos dardos que atravesaron su pobre corazón, y que amargaron su juventud'". Cuando llegó a ser miembro del consistorio de Wurtemberg, abogó por la causa de la libertad religiosa. "Si bien defendía los derechos y privilegios de la iglesia, abogaba por que se concediera toda libertad razonable a los que se sentían constreñidos por motivos de conciencia a abandonar la iglesia oficial" (*Encyclopædia Britannica*, 9a. edición, art. "Bengel"). Aún se dejan sentir hoy día en su país natal los buenos efectos de su política.

Mientras estaba preparando un sermón sobre Apocalipsis 21 para un "domingo de advento" la luz de la segunda venida de Cristo se hizo en la mente de Bengel. Las profecías del Apocalipsis se desplegaron ante su inteligencia como nunca antes. Como anonadado por el sentimiento de la importancia maravillosa y de la gloria incomparable de las escenas descritas por el profeta, se vio obligado a retraerse por algún tiempo de la contemplación del asunto. Pero en el púlpito se le volvió a presentar éste en toda su claridad y su poder. Desde entonces se dedicó al estudio de las profecías, especialmente las del Apocalipsis, y pronto llegó a creer que ellas señalan la proximidad de la venida de Cristo. La fecha que él fijó para el segundo advenimiento no difería más que en muy pocos años de la que fue determinada después por Miller.

Los escritos de Bengel se propagaron por toda la cristiandad. Sus opiniones acerca de la profecía fueron adoptadas en forma bastante general en su propio Estado de Wurtemberg, y hasta cierto punto en otras partes de Alemania. El movimiento continuó después de su muerte, y el mensaje del advenimiento se dejó oír en Alemania al mismo tiempo que estaba llamando la atención en otros

países. Desde fecha temprana algunos de los creyentes fueron a Rusia, y formaron allí colonias, y la fe de la próxima venida de Cristo está aún viva entre las iglesias alemanas de aquel país.

La luz brilló también en Francia y en Suiza. En Ginebra, donde Farel y Calvino propagaran las verdades de la Reforma, Gaussen predicó el mensaje del segundo advenimiento. Cuando era aún estudiante, Gaussen había conocido el espíritu racionalista que dominaba en toda Europa hacia fines del siglo XVIII y principios del XIX, y cuando entró en el ministerio no sólo ignoraba lo que era la fe verdadera, sino que se sentía inclinado al escepticismo. En su juventud se había interesado en el estudio de la profecía. Después de haber leído la *Historia Antigua* de Rollin, su atención fue atraída al segundo capítulo de Daniel, y le sorprendió la maravillosa exactitud con que se había cumplido la profecía, según resalta de la relación del historiador. Había en ésta un testimonio en favor de la inspiración de las Escrituras, que fue para él como un ancla en medio de los peligros de los años posteriores. No podía conformarse con las enseñanzas del racionalismo, y al estudiar la Biblia en busca de luz más clara, fue conducido, después de algún tiempo, a una fe positiva.

Al continuar sus investigaciones sobre las profecías, llegó a creer que la venida del Señor era inminente. Impresionado por la solemnidad e importancia de esta gran verdad, deseó presentarla al pueblo, pero la creencia popular de que las profecías de Daniel son misterios y no pueden ser entendidas, le resultó obstáculo serio. Al fin resolvió —como Farel lo había hecho antes que él en la evangelización de Ginebra— empezar con los niños, esperando por medio de ellos alcanzar a los padres.

Al hablar de su propósito en esta tarea, decía él, tiempo después: "Deseo que se comprenda que no es a causa de su escasa importancia, sino a causa de su gran valor, por lo que yo deseaba presentar esas enseñanzas en esta forma familiar y por qué las dirigía a los niños. Deseaba que se me oyese, y temía que no se me escuchara si me dirigía primero a los adultos". "Resolví por consiguiente dirigirme a los más jóvenes. Reúno pues una asistencia de niños; si ésta aumenta, si se ve que los niños escuchan, que están contentos e interesados, que comprenden el tema y saben exponerlo, estoy seguro de tener pronto otro círculo de oyentes, y a su vez los adultos verán que vale la pena sentarse y estudiar. Y así se gana la causa" (Gaussen, *Daniel le Prophète*, tomo 2, Prefacio).

El esfuerzo fue recompensado. Al dirigirse a los niños, tuvo el gusto de ver acudir a la reunión a personas mayores. Las galerías de su iglesia se llenaban de oyentes atentos. Entre ellos había hombres de posición y saber, así como extranjeros y otras personas que estaban de paso en Ginebra; y así el mensaje era llevado a otras partes.

Animado por el éxito, Gaussen publicó sus lecciones, con la esperanza de promover el estudio de los libros proféticos en las iglesias de los pueblos que hablan francés. "Publicar las lecciones dadas a los niños —dice Gaussen—, equivale a decir a los adultos, que hartas veces descuidan la lectura de dichos libros so pretexto de que son oscuros: '¿Cómo pueden serlo, cuando vuestros niños los entienden?' " "Tenía un gran deseo —agrega—, de popularizar el conocimiento de las profecías entre nuestros rebaños, en cuanto fuera posible". "En realidad no hay estudio que parezca responder mejor a las necesidades de la época". "Por medio de él debemos prepararnos para la tribulación cercana y velar, y esperar a Jesucristo".

Aunque Gaussen era uno de los predicadores más distinguidos y de mayor aceptación entre el público de idioma francés, fue suspendido del ministerio por el delito de haber hecho uso de la Biblia al instruir a la juventud, en lugar del catecismo de la iglesia, manual insípido y racionalista, casi desprovisto de fe positiva. Posteriormente fue profesor en una escuela de teología, sin dejar de proseguir su obra de catequista todos los domingos, dirigiéndose a los niños e instruyéndolos en las Sagradas Escrituras. Sus obras sobre las profecías despertaron también mucho interés. Desde la cátedra, desde las columnas de la prensa y por medio de su ocupación favorita como maestro de los niños, siguió aún muchos años ejerciendo extensa influencia y llamando la atención de muchos hacia el estudio de las profecías que enseñaban que la venida del Señor se acercaba.

El mensaje del advenimiento fue proclamado también en Escandinavia, y despertó interés por todo el país. Muchos fueron turbados en su falsa seguridad, confesaron y dejaron sus pecados y buscaron perdón en Cristo. Pero el clero de la iglesia oficial se opuso al movimiento, y debido a su influencia algunos de los que predicaban el mensaje fueron encarcelados. En muchos puntos donde los predicadores de la próxima venida del Señor fueron así reducidos al silencio, plugo a Dios enviar el mensaje, de modo milagroso, por conducto de niños pequeños. Como eran menores de edad, la ley del Estado no podía impedírselo, y se les dejó hablar sin molestarlos.

El movimiento cundió principalmente entre la clase baja, y era en las humildes viviendas de los trabajadores donde la gente se reunía para oír la amonestación. Los mismos predicadores infantiles eran en su mayoría pobres rústicos. Algunos de ellos no tenían más de seis a ocho años de edad, y aunque sus vidas testificaban que amaban al Salvador y que procuraban obedecer los santos preceptos de Dios, no podían dar prueba de mayor inteligencia y pericia que las que se suelen ver en los niños de esa edad. Sin embargo, cuando se encontraban ante el pueblo, era de toda evidencia que los movía una influencia superior a sus propios dones naturales. Su tono y sus ademanes cambiaban, y daban la amonestación del juicio con poder y solemnidad, empleando las palabras mismas de las Sagradas Escrituras: "¡Temed a Dios, y dadle gloria;

porque ha llegado la hora de su juicio!" Reprobaban los pecados del pueblo, condenando no solamente la inmoralidad y el vicio, sino también la mundanalidad y la apostasía, y exhortaban a sus oyentes a huir de la ira venidera.

La gente oía temblando. El Espíritu convincente de Dios hablaba a sus corazones. Muchos eran inducidos a escudriñar las Santas Escrituras con profundo interés; los intemperantes y los viciosos se enmendaban, otros renunciaban a sus hábitos deshonestos y se realizaba una obra tal, que hasta los ministros de la iglesia oficial se vieron obligados a reconocer que la mano de Dios estaba en el movimiento.

Dios quería que las nuevas de la venida del Salvador fuesen publicadas en los países escandinavos, y cuando las voces de sus siervos fueron reducidas al silencio, puso su Espíritu en los niños para que la obra pudiese hacerse. Cuando Jesús se acercó a Jerusalén, seguido de alegres muchedumbres que, con gritos de triunfo y ondeando palmas, le aclamaron Hijo de David, los fariseos envidiosos le intimaron para que hiciese callar al pueblo; pero Jesús contestó que todo eso se realizaba en cumplimiento de la profecía, y que si la gente callaba las mismas piedras clamarían. El pueblo, intimidado por las amenazas de los sacerdotes y de los escribas, dejó de lanzar aclamaciones de júbilo al entrar por las puertas de Jerusalén; pero en los atrios del templo los niños reanudaron el canto y, agitando sus palmas, exclamaban: "¡Hosanna al Hijo de David!" (S. Mateo 21: 8-16). Cuando los fariseos, con amargo descontento, dijeron a Jesús: "¿Oyes lo que éstos dicen?" el Señor contestó: "Sí: ¿nunca leísteis: De la boca de los niños y de los que maman perfeccionaste la alabanza?" Así como Dios actuó por conducto de los niños en tiempo del primer advenimiento de Cristo, así también intervino por medio de ellos para proclamar el mensaje de su segundo advenimiento. Y es que tiene que cumplirse la Palabra de Dios que dice que la proclamación de la venida del Salvador debe ser llevada a todos los pueblos, lenguas y naciones.

A Guillermo Miller y a sus colaboradores les fue encomendada la misión de predicar la amonestación en los Estados Unidos de Norteamérica. Dicho país vino a ser el centro del gran movimiento adventista. Allí fue donde la profecía del mensaje del primer ángel tuvo su cumplimiento más directo. Los escritos de Miller y de sus compañeros se propagaron hasta en países lejanos. Adonde quiera que hubiesen penetrado misioneros allá también fueron llevadas las alegres nuevas de la pronta venida de Cristo. Por todas partes fue predicado el mensaje del Evangelio eterno: "¡Temed a Dios y dadle gloria; porque ha llegado la hora de su juicio!"

El testimonio de las profecías que parecían señalar la fecha de la venida de Cristo para la primavera de 1844 se arraigó profundamente en la mente del pueblo. Al pasar de un Estado a otro, el mensaje despertaba vivo interés por todas partes. Muchos estaban convencidos de que los argumentos de los pasajes proféticos eran correctos, y, sacrificando el orgullo de la opinión propia, aceptaban alegremente la verdad. Algunos ministros dejaron también a un lado sus opiniones y sentimientos sectarios y con ellos sus mismos sueldos y sus iglesias, y se pusieron a proclamar la venida de Jesús. Fueron sin embargo comparativamente pocos los ministros que aceptaron este mensaje; por eso la proclamación de éste fue confiada en gran parte a humildes laicos. Los agricultores abandonaban sus campos, los artesanos sus herramientas, los comerciantes sus negocios, los profesionales sus puestos, y no obstante el número de los obreros era pequeño comparado con la obra que había que hacer. La condición de una iglesia impía y de un mundo sumergido en la maldad, oprimía el alma de los verdaderos centinelas, que sufrían voluntariamente trabajos y privaciones para invitar a los hombres a arrepentirse para salvarse. A pesar de la oposición de Satanás, la obra siguió adelante, y la verdad del advenimiento fue aceptada por muchos miles.

Por todas partes se oía el testimonio escrutador que amonestaba a los pecadores, tanto mundanos como miembros de iglesia, para que huyesen de la ira venidera. Como Juan el Bautista, el precursor de Cristo, los predicadores ponían la segur a la raíz del árbol e instaban a todos a que hiciesen frutos dignos de arrepentimiento. Sus llamamientos conmovedores contrastaban notablemente con las seguridades de paz y salvación que se oían desde los púlpitos populares; y dondequiera que se proclamaba el mensaje, conmovía al pueblo. El testimonio sencillo y directo de las Sagradas Escrituras, inculcado en el corazón de los hombres por el poder del Espíritu Santo, producía una fuerza de convicción a la que sólo pocos podían resistir. Personas que profesaban cierta religiosidad fueron despertadas de su falsa seguridad. Vieron sus apostasías, su mundanalidad y poca fe, su orgullo y egoísmo. Muchos buscaron al Señor con arrepentimiento y humillación. El apego que por tanto tiempo se había dejado sentir por las cosas terrenales se dejó entonces sentir por las cosas del cielo. El Espíritu de Dios descansaba sobre ellos, y con corazones ablandados y subyugados se unían para exclamar: "¡Temed a Dios y dadle gloria; porque ha llegado la hora de su juicio!"

EL TRIUNFO DEL AMOR DE DIOS

Los pecadores preguntaban llorando: "¿Qué debo yo hacer para ser salvo?" Aquellos cuyas vidas se habían hecho notar por su mala fe, deseaban hacer restituciones. Todos los que encontraban paz en Cristo ansiaban ver a otros participar de la misma bendición. Los corazones de los padres se volvían hacia sus hijos, y los corazones de los hijos hacia sus padres. Los obstáculos levantados por el orgullo y la reserva desaparecían. Se hacían sentidas confesiones y los miembros de la familia trabajaban por la salvación de los más cercanos y más queridos. A menudo se oían voces de ardiente intercesión. Por todas partes había almas que con angustia luchaban con Dios. Muchos pasaban toda la noche en oración para tener la seguridad de que sus propios pecados eran perdonados, o para obtener la conversión de sus parientes o vecinos.

Todas las clases de la sociedad se agolpaban en las reuniones de los adventistas. Ricos y pobres, grandes y pequeños ansiaban por varias razones oír ellos mismos la doctrina del segundo advenimiento. El Señor contenía el espíritu de oposición mientras que sus siervos daban razón de su fe. A veces el instrumento era débil; pero el Espíritu de Dios daba poder a su verdad. Se sentía en esas asambleas la presencia de los santos ángeles, y cada día muchas personas eran añadidas al número de los creyentes. Siempre que se exponían los argumentos en favor de la próxima venida de Cristo, había grandes multitudes que escuchaban embelesadas. No parecía sino que el cielo y la tierra se juntaban. El poder de Dios era sentido por ancianos, jóvenes y adultos. Los hombres volvían a sus casas cantando alabanzas, y sus alegres acentos rompían el silencio de la noche. Ninguno de los que asistieron a las reuniones podrá olvidar jamás escenas de tan vivo interés.

La proclamación de una fecha determinada para la venida de Cristo suscitó gran oposición por parte de muchas personas de todas las clases, desde el pastor hasta el pecador más vicioso y atrevido. Cumpliéronse así las palabras de la profecía que decían: "En los postreros días vendrán burladores, andando según sus propias concupiscencias, y diciendo: ¿Dónde está la promesa de su advenimiento? Porque desde el día en que los padres durmieron, todas las cosas permanecen así como desde el principio de la creación" (2 S. Pedro 3: 3, 4). Muchos que profesaban amar al Salvador declaraban que no se oponían a la doctrina del segundo advenimiento, sino tan sólo a que se le fijara una fecha. Pero el ojo escrutador de Dios leía en sus corazones. En realidad lo que había era que no querían oír decir que Cristo estaba por venir para juzgar al mundo en justicia. Habían sido siervos infieles, sus obras no hubieran podido soportar la inspección del Dios que escudriña los corazones, y temían comparecer ante su Señor. Como los judíos en tiempo del primer advenimiento de Cristo, no estaban preparados para dar la bienvenida a Jesús. No sólo se negaban a escuchar los claros argumentos de la Biblia, sino que ridiculizaban a los que esperaban al Señor. Satanás y sus ángeles se regocijaban de esto y arrojaban a la cara de Cristo y de sus santos ángeles la afrenta de que los que profesaban ser su pueblo le amaban tan poco que ni deseaban su aparición.

"Nadie sabe el día ni la hora" era el argumento aducido con más frecuencia por los que rechazaban la fe del advenimiento. El pasaje bíblico dice: "Pero del día y la hora nadie sabe, ni aun los ángeles de los cielos, sino sólo mi Padre" (S. Mateo 24: 36). Los que estaban esperando al Señor dieron una explicación clara y armoniosa de esta cita bíblica, y resultó claramente refutada la falsa interpretación que de ella hacían sus adversarios. Esas palabras fueron pronunciadas por Cristo en la memorable conversación que tuvo con sus discípulos en el monte de los Olivos, después de haber salido del templo por última vez. Los discípulos habían preguntado: "¿Qué señal habrá de tu venida, y del fin del siglo?" Jesús les dio las señales, y les dijo: "Cuando veáis todas estas cosas, conoced que está cerca, a las puertas". No debe interpretarse una declaración del Salvador en forma que venga a anular otra. Aunque nadie sepa el *día* ni la *hora* de su venida, se nos exhorta y se requiere de nosotros que sepamos cuando está cerca. Se nos enseña, además, que menospreciar su aviso y negarse a averiguar cuándo su advenimiento esté cercano, será tan fatal para nosotros como lo fue para los que viviendo en días de Noé no supieron cuándo vendría el diluvio. Y la parábola del mismo capítulo que pone en contraste al siervo fiel y al malo y que señala la suerte de aquél que dice en su corazón: "Mi señor tarda en venir", enseña cómo considerará y recompensará Cristo a los que encuentre velando y proclamando su venida, y a los que la nieguen. "Velad, pues", dice, y añade: "Bienaventurado aquel siervo al cual, cuando su señor venga, le halle haciendo así" (S. Mateo 24: 3, 33, 42-51). "Pues si no velas, vendré sobre ti como ladrón, y no sabrás a qué hora vendré sobre ti" (Apocalipsis 3: 3).

San Pablo habla de una clase de personas para quienes la aparición del Señor vendrá sin que la hayan esperado. Como ladrón en la noche, así viene el día del Señor. Cuando los hombres estén diciendo: "Paz y seguridad, entonces vendrá sobre ellos destrucción repentina,... y no escaparán". Pero agrega también, refiriéndose a los que han tomado en cuenta la amonestación del Salvador: "Mas vosotros, hermanos, no estáis en tinieblas, para que aquel día os sorprenda como ladrón. Porque todos vosotros sois hijos de luz e hijos del día; no somos de la noche ni de las tinieblas" (1 Tesalonicenses 5: 2-5).

Así quedó demostrado que las Sagradas Escrituras no autorizan a los hombres a permanecer ignorantes con respecto a la proximidad de la venida de Cristo. Pero los que no buscaban más que un pretexto para rechazar la verdad, cerraron sus oídos a esta explicación, y las palabras: "Empero del día y hora nadie sabe" seguían siendo repetidas por los atrevidos escarnecedores y hasta por los que profesaban ser ministros de Cristo. Cuando la gente se despertaba y empezaba a inquirir el camino de la salvación, los maestros en religión se interponían entre ellos y la verdad, tratando de tranquilizar sus temores con as interpretaciones de la Palabra de Dios. Los atalayas infieles colaboraban en la obra del gran engañador, clamando: Paz, paz, cuando Dios no había hablado de paz. Como los fariseos en tiempo de Cristo, muchos se negaban a entrar en el reino de los cielos, e impedían a los que querían entrar. La sangre de esas almas será demandada de sus manos.

Los miembros más humildes y piadosos de las iglesias eran generalmente los primeros en aceptar el mensaje. Los que estudiaban la Biblia por sí mismos no podían menos que echar de ver que el carácter de las opiniones corrientes respecto de la profecía era contrario a las Sagradas Escrituras; y dondequiera que el pueblo no estuviese sujeto a la influencia del clero y escudriñara la Palabra de Dios por sí mismo, la doctrina del advenimiento no necesitaba más que ser cotejada con las Escrituras para que se reconociese su autoridad divina.

Muchos fueron perseguidos por sus hermanos incrédulos. Para conservar sus puestos en las iglesias, algunos consintieron en guardar silencio respecto a su esperanza; pero otros sentían que la fidelidad para con Dios les prohibía tener así ocultas las verdades que él les había comunicado. No pocos fueron excluidos de la comunión de la iglesia por la única razón de haber dado expresión a su fe en la venida de Cristo. Muy valiosas eran estas palabras del profeta dirigidas a los que sufrían esa prueba de su fe: "Vuestros hermanos que os aborrecen, y os echan fuera por causa de mi nombre, dijeron: Sea glorificado Jehová. Pero él se mostrará para alegría vuestra, y ellos serán confundidos" (Isaías 66: 5).

Los ángeles de Dios observaban con el más profundo interés el resultado de la amonestación. Cuando las iglesias rechazaban el mensaje, los ángeles se apartaban con tristeza. Sin embargo, eran muchos los que no habían sido probados con respecto a la verdad del advenimiento. Muchos se dejaron descarriar por maridos, esposas, padres o hijos, y se les hizo creer que era pecado prestar siquiera oídos a las herejías enseñadas por los adventistas. Los ángeles recibieron orden de velar fielmente sobre esas almas, pues otra luz había de brillar aún sobre ellas desde el trono de Dios.

Los que habían aceptado el mensaje velaban por la venida de su Salvador con indecible esperanza. El tiempo en que esperaban ir a su encuentro estaba próximo. Y a esa hora se acercaban con solemne calma. Descansaban en dulce comunión con Dios, y esto era para ellos prenda segura de la paz que tendrían en la gloria venidera. Ninguno de los que abrigaron esa esperanza y esa confianza pudo olvidar aquellas horas tan preciosas de expectación. Pocas semanas antes del tiempo determinado dejaron de lado la mayor parte de los negocios mundanos. Los creyentes sinceros examinaban cuidadosamente todos los pensamientos y emociones de sus corazones como si estuviesen en el lecho de muerte y como si tuviesen que cerrar pronto sus ojos a las cosas de este mundo. No se trataba de hacer "vestidos de ascensión" (véase el Apéndice), pero todos sentían la necesidad de una prueba interna de que estaban preparados para recibir al Salvador; sus vestiduras blancas eran la pureza del alma, y un carácter purificado de pecado por la sangre expiatoria de Cristo. ¡Ojalá hubiese aún entre el pueblo que profesa pertenecer a Dios el mismo espíritu para estudiar el corazón, y la misma fe sincera y decidida! Si hubiesen seguido humillándose así ante el Señor y dirigiendo sus súplicas al trono de misericordia, poseerían una experiencia mucho más valiosa que la que poseen ahora. No se ora lo bastante, escasea la comprensión de la condición real del pecado, y la falta de una fe viva deja a muchos destituidos de la gracia tan abundantemente provista por nuestro Redentor.

Dios se propuso probar a su pueblo. Su mano cubrió el error cometido en el cálculo de los períodos proféticos. Los adventistas no descubrieron el error, ni fue descubierto tampoco por los más sabios de sus adversarios. Estos decían: "Vuestro cálculo de los períodos proféticos es correcto. Algún gran acontecimiento está a punto de realizarse; pero no es lo que predice Miller; es la conversión del mundo, y no el segundo advenimiento de Cristo". (Véase el Apéndice.)

Pasó el tiempo de expectativa, y no apareció Cristo para libertar a su pueblo. Los que habían esperado a su Salvador con fe sincera, experimentaron un amargo desengaño. Sin embargo los designios de Dios se estaban cumpliendo: Dios estaba probando los corazones de los que profesaban estar esperando su aparición. Había muchos entre ellos que no habían sido movidos por un motivo más elevado que el miedo. Su profesión de fe no había mejorado sus corazones ni sus vidas. Cuando el acontecimiento esperado no se realizó, esas personas declararon que no estaban desengañadas; no habían creído nunca que Cristo vendría. Fueron de los primeros en ridiculizar el dolor de los verdaderos creyentes.

Pero Jesús y todas las huestes celestiales contemplaron con amor y simpatía a los creyentes que fueron probados y fieles aunque chasqueados. Si se hubiese podido descorrer el velo que separa el mundo visible del invisible, se habrían visto ángeles que se acercaban a esas almas resueltas y las protegían de los dardos de Satanás.

337

CAPITULO 22

La Causa de la Degradación Actual

AL PREDICAR la doctrina del segundo advenimiento, Guillermo Miller y sus colaboradores no tuvieron otro propósito que el de estimular a los hombres para que se preparasen para el juicio. Habían procurado despertar a los creyentes religiosos que hacían profesión de cristianismo y hacerles comprender la verdadera esperanza de la iglesia y la necesidad que tenían de una experiencia cristiana más profunda; trabajaron además para hacer sentir a los inconversos su deber de arrepentirse y de convertirse a Dios inmediatamente. "No trataron de convertir a los hombres a una secta ni a un partido religioso. De aquí que trabajasen entre todos los partidos y sectas, sin entremeterse en su organización ni disciplina".

Miller aseveró: "En todas mis labores nunca abrigué el deseo ni el pensamiento de fomentar interés distinto del de las denominaciones existentes, ni de favorecer a una a expensas de otra. Pensé en ser útil a todas. Suponiendo que todos los cristianos se regocijarían en la perspectiva de la venida de Cristo, y que aquellos que no pudiesen ver las cosas como yo no dejarían por eso de amar a los que aceptasen esta doctrina, no me figuré que había jamás necesidad de tener reuniones distintas. Mi único objeto era el deseo de convertir almas a Dios, de anunciar al mundo el juicio venidero e inducir a mis semejantes a que hiciesen la preparación de corazón que les permitirá ir en paz al encuentro de su Dios. La gran mayoría de los que fueron convertidos por medio de mi ministerio se unieron a las diversas iglesias existentes" (Bliss, pág. 328).

Como su obra tendía a la edificación de las iglesias, se la miró durante algún tiempo con simpatía. Pero cuando los ministros y los directores de aquéllas se declararon contra la doctrina del advenimiento y quisieron sofocar el nuevo movimiento, no sólo se opusieron a ella desde el púlpito, sino que además

339

El histórico conflicto entre el bien y el mal se sigue desarrollando en los corazones de los hombres, y los resultados serán determinados por la elección que cada uno haga.

HARRY ANDERSON © PPPA

negaron a sus miembros el derecho de asistir a predicaciones sobre ella y hasta de hablar de sus esperanzas en las reuniones de edificación mutua en la iglesia. Así se vieron reducidos los creyentes a una situación crítica que les causaba perplejidad. Querían a sus iglesias y les repugnaba separarse de ellas; pero al ver que se anulaba el testimonio de la Palabra de Dios, y que se les negaba el derecho que tenían para investigar las profecías, sintieron que la lealtad hacia Dios les impedía someterse. No podían considerar como constituyendo la iglesia de Cristo a los que trataban de rechazar el testimonio de la Palabra de Dios, "columna y apoyo de la verdad". De ahí que se sintiesen justificados para separarse de la que hasta entonces fuera su comunión religiosa. En el verano de 1844 cerca de cincuenta mil personas se separaron de las iglesias.

Por aquel tiempo se advirtió un cambio notable en la mayor parte de las iglesias de los Estados Unidos de Norteamérica. Desde hacía muchos años venía observándose una conformidad cada vez mayor con las prácticas y costumbres mundanas, y una decadencia correspondiente en la vida espiritual; pero en aquel año se notó repentinamente una decadencia aún más acentuada en casi todas las iglesias del país. Aunque nadie parecía capaz de indicar la causa de ella, el hecho mismo fue muy notado y comentado, tanto por la prensa como desde el púlpito.

En una reunión del presbiterio de Filadelfia, el Sr. Barnes, autor de un comentario de uso muy general, y pastor de una de las principales iglesias de dicha ciudad, "declaró que ejercía el ministerio desde hacía veinte años, y que nunca antes de la última comunión había administrado la santa cena sin recibir muchos o pocos nuevos miembros en la iglesia. Pero ahora, añadía, *no hay despertamientos, ni conversiones,* ni mucho aparente crecimiento en la gracia en los que hacen profesión de religión, y nadie viene más a su despacho para conversar acerca de la salvación de sus almas. Con el aumento de los negocios y las perspectivas florecientes del comercio y de las manufacturas, ha aumentado también el espíritu mundano. *Y esto sucede en todas las denominaciones*" (*Congregational Journal,* 23 de mayo de 1844).

En el mes de febrero del mismo año, el profesor Finney, del colegio de Oberlin, dijo: "Hemos podido comprobar el hecho de que en general las iglesias protestantes de nuestro país, han sido o apáticas u hostiles con respecto a casi todas las reformas morales de la época. Existen excepciones parciales, pero no las suficientes para impedir que el hecho sea general. Tenemos además otro hecho más que confirma lo dicho y es la falta casi universal de influencias reavivadoras en las iglesias. La apatía espiritual lo penetra casi todo y es por demás profunda; así lo atestigua la prensa religiosa de todo el país... De modo muy general, los miembros de las iglesias se están volviendo esclavos de la moda, se asocian con los impíos en diversiones, bailes, festejos, etc... Pero no necesitamos extendernos largamente sobre tan doloroso tema. Basta con que las pruebas aumenten y nos abrumen para demostrarnos que las *iglesias en general están degenerando de un modo que da pena.* Se han alejado muchísimo de Dios, y él se ha alejado de ellas".

Y un escritor declaraba en el *Religious Telescope,* conocido periódico religioso: "Jamás habíamos presenciado hasta ahora un estado de decadencia semejante al de la actualidad. En verdad que la iglesia debería despertar y buscar la causa de este estado aflictivo; pues tal debe ser para todo aquel que ama a Sion. Cuando recordamos cuán pocos son los casos de verdadera conversión, y la impenitencia sin igual y la dureza de los pecadores, exclamamos casi involuntariamente: '¿Se ha olvidado Dios de tener misericordia, o está cerrada la puerta de la gracia?'"

Tal condición no existe nunca sin que la iglesia misma tenga la culpa. Las tinieblas espirituales que caen sobre las naciones, sobre las iglesias y sobre los individuos, no se deben a un retraimiento arbitrario de la gracia divina por parte de Dios, sino a la negligencia o al rechazamiento de la luz divina por parte de los hombres. Ejemplo sorprendente de esta verdad lo tenemos en la historia del pueblo judío en tiempo de Cristo. Debido a su apego al mundo y al olvido de Dios y de su Palabra, el entendimiento de este pueblo se había oscurecido y su corazón se había vuelto mundano y sensual. Así permaneció en la ignorancia respecto al advenimiento del Mesías, y en su orgullo e incredulidad rechazó al Redentor. Pero ni aun entonces Dios privó a la nación judía de conocer o participar en las bendiciones de la salvación. Pero los que rechazaron la verdad perdieron todo deseo de obtener el don del cielo. Ellos habían hecho "de la luz tinieblas, y de las tinieblas luz" hasta que la luz que había en ellos se volvió tinieblas; y ¡cuán grandes fueron aquellas tinieblas!

Conviene a la política de Satanás que los hombres conserven las formas de religión, con tal que carezcan de piedad vital. Después de haber rechazado el Evangelio, los judíos siguieron conservando ansiosamente sus antiguos ritos, y guardaron intacto su exclusivismo nacional, mientras que ellos mismos no podían menos que confesar que la presencia de Dios ya no se manifestaba más entre ellos. La profecía de Daniel señalaba de modo tan exacto el tiempo de la venida del Mesías y predecía tan a las claras su muerte, que ellos trataban de desalentar el estudio de ella, y finalmente los rabinos pronunciaron una maldición sobre todos los que intentaran computar el tiempo. En su obcecación e impenitencia, el pueblo de Israel ha permanecido durante mil ochocientos años indiferente a los ofrecimientos de salvación gratuita, así como a las bendiciones del Evangelio, de modo que constituye una solemne y terrible advertencia del peligro que se corre al rechazar la luz del cielo.

Dondequiera que esta causa exista, seguirán los mismos resultados. Quien deliberadamente mutila su conciencia del deber porque ella está en pugna con sus inclinaciones, acabará por perder la facultad de distinguir entre la verdad y el error. La inteligencia se entenebrece, la conciencia se insensibiliza, el corazón se endurece, y el alma se aparta de Dios. Donde se desdeña o se desprecia la verdad divina, la iglesia se verá envuelta en tinieblas; la fe y el amor se enfriarán, y entrarán el desvío y la disensión. Los miembros de las iglesias concentran entonces sus intereses y energías en asuntos mundanos, y los pecadores se endurecen en su impenitencia.

El mensaje del primer ángel en el capítulo 14 del Apocalipsis, que anuncia la hora del juicio de Dios y que exhorta a los hombres a que le teman y adoren, tenía por objeto separar de las influencias corruptoras del mundo al pueblo que profesaba ser de Dios y despertarlo para que viera su verdadero estado de mundanalidad y apostasía. Con este mensaje Dios había enviado a la iglesia un aviso que, de ser aceptado, habría curado los males que la tenían apartada de él. Si los cristianos hubiesen recibido el mensaje del cielo, humillándose ante el Señor y tratando sinceramente de prepararse para comparecer ante su presencia, el Espíritu y el poder de Dios se habrían manifestado entre ellos. La iglesia habría vuelto a alcanzar aquel bendito estado de unidad, fe y amor que existía en tiempos apostólicos, cuando "la multitud de los que habían creído era de un corazón y un alma", y "hablaban con denuedo la palabra de Dios", cuando "el Señor añadía cada día a la iglesia los que habían de ser salvos" (Hechos 4: 32, 31; 2: 47).

Si los que profesan pertenecer a Dios recibiesen la luz tal cual brilla sobre ellos al dimanar de su Palabra, alcanzarían esa unidad por la cual oró Cristo y que el apóstol describe como "la unidad del Espíritu en el vínculo de la paz". Hay —dice—, "*un* cuerpo, y *un* Espíritu, como fuisteis también llamados en *una* misma esperanza de vuestra vocación; un Señor, una fe, un bautismo" (Efesios 4: 3-5).

Tales fueron los resultados benditos experimentados por los que aceptaron el mensaje del advenimiento. Provenían de diferentes denominaciones, y sus barreras confesionales cayeron al suelo; los credos opuestos se hicieron añicos; la esperanza antibíblica de un milenio temporal fue abandonada, las ideas erróneas sobre el segundo advenimiento fueron enmendadas, el orgullo y la conformidad con el mundo fueron extirpados; los agravios fueron reparados; los corazones se unieron en la más dulce comunión, y el amor y el gozo reinaban por encima de todo; si esta doctrina hizo esto para los pocos que la recibieron, lo mismo lo habría hecho para todos, si todos la hubiesen aceptado.

Pero las iglesias en general no aceptaron la amonestación. Sus ministros que, como centinelas "a la casa de Israel", hubieran debido ser los primeros en discernir las señales de la venida de Jesús, no habían aprendido la verdad, fuese por el testimonio de los profetas o por las señales de los tiempos. Como las esperanzas y ambiciones mundanas llenaban su corazón, el amor a Dios y la fe en su Palabra se habían enfriado, y cuando la doctrina del advenimiento fue presentada, sólo despertó sus prejuicios e incredulidad. La circunstancia de ser predicado el mensaje mayormente por laicos, se presentaba como argumento desfavorable. Como antiguamente, se oponían al testimonio claro de la Palabra de Dios con la pregunta: "¿Ha creído en él alguno de los príncipes, o de los Fariseos?" Y al ver cuán difícil era refutar los argumentos sacados de los pasajes proféticos, muchos dificultaban el estudio de las profecías, enseñando que los libros proféticos estaban sellados y que no se podían entender. Multitudes que confiaban implícitamente en sus pastores, se negaron a escuchar el aviso, y otros, aunque convencidos de la verdad, no se atrevían a proclamarlo, "por no ser echados de la sinagoga". El mensaje que Dios había enviado para probar y purificar la iglesia reveló con exagerada evidencia cuán grande era el número de los que habían concentrado sus afectos en este mundo más bien que en Cristo. Los lazos que los unían a la tierra eran más fuertes que los que les atraían hacia el cielo. Prefirieron escuchar la voz de la sabiduría humana y no hicieron caso del mensaje de verdad destinado a escudriñar los corazones.

Al rechazar la amonestación del primer ángel, rechazaron los medios que Dios había provisto para su redención. Despreciaron al mensajero misericordioso que habría enmendado los males que los separaban de Dios, y con mayor ardor volvieron a buscar la amistad del mundo. Tal era la causa del terrible estado de mundanalidad, apostasía y muerte espiritual que imperaba en las iglesias en 1844.

En el capítulo 14 de Apocalipsis, el primer ángel es seguido de otro que dice: "Ha caído, ha caído Babilonia, la gran ciudad, porque ha hecho beber a todas las naciones del vino del furor de su fornicación" (Apocalipsis 14: 8). La palabra "Babilonia" deriva de "Babel" y significa confusión. Se emplea en las Santas Escrituras para designar las varias formas de religiones falsas y apóstatas. En el capítulo 17 del Apocalipsis, Babilonia está simbolizada por una mujer, —figura que se emplea en la Biblia para representar una iglesia, siendo una mujer virtuosa símbolo de una iglesia pura, y una mujer vil, de una iglesia apóstata.

En la Biblia, el carácter sagrado y permanente de la relación que existe entre Cristo y su iglesia está representado por la unión del matrimonio. El Señor se ha unido con su pueblo en alianza solemne, prometiendo él ser su Dios, y el pueblo a su vez comprometiéndose a ser suyo y sólo suyo. Dios dice: "Te desposaré conmigo para siempre; te desposaré conmigo en justicia, juicio, benignidad y misericordia" (Oseas 2: 19). Y también: "Yo soy vuestro esposo" (Jeremías 3: 14). Y San Pablo emplea la misma figura en el Nuevo Testamento cuando dice: "Os he desposado con un solo esposo, para presentaros como una virgen pura a Cristo" (2 Corintios 11: 2).

La infidelidad a Cristo de que la iglesia se hizo culpable al dejar enfriarse la confianza y el amor que a él le unieran, y al permitir que el apego a las cosas mundanas llenase su alma, es comparada a la violación del voto matrimonial. El pecado que Israel cometió al apartarse del Señor está representado bajo esta figura; y el amor maravilloso de Dios que ese pueblo despreció, está descrito de modo conmovedor: "Te di juramento y entré en pacto contigo, dice Jehová el Señor, y fuiste mía". "Y fuiste hermoseada en extremo, prosperaste hasta llegar a reinar. Y salió tu renombre entre las naciones a causa de tu hermosura; porque era perfecta, a causa de mi hermosura que yo puse sobre ti... Pero confiaste en tu hermosura, y te prostituiste a causa de tu renombre". "Como la esposa infiel abandona a su compañero, así prevaricasteis contra mí, oh casa de Israel, dice Jehová". "Como la mujer adúltera, que en lugar de su marido recibe a ajenos" (Ezequiel 16: 8, 13-15, 32; Jeremías 3:20).

En el Nuevo Testamento se hace uso de un lenguaje muy parecido para con los cristianos profesos que buscan la amistad del mundo más que el favor de Dios. El apóstol Santiago dice: "¡Oh almas adúlteras! ¿No sabéis que la amistad del mundo es enemistad contra Dios? Cualquiera, pues, que quiera ser amigo del mundo, se constituye enemigo de Dios" (Santiago 4: 4).

La mujer Babilonia de Apocalipsis 17 está descrita como "vestida de púrpura y escarlata, y adornada de oro, de piedras preciosas y de perlas, y tenía en la mano un cáliz de oro lleno de abominaciones y de la inmundicia de su fornicación; y en su frente un nombre escrito, un misterio: *Babilonia la grande, la madre de las rameras*". El profeta dice: "Vi a la mujer ebria de la sangre de los santos, y de la sangre de los mártires de Jesús". Se declara además que Babilonia "es la gran ciudad que reina sobre los reyes de la tierra" (Apocalipsis 17: 4-6, 18). La potencia que por tantos siglos dominó con despotismo sobre los monarcas de la cristiandad, es Roma. La púrpura y la escarlata, el oro y las piedras preciosas y las perlas describen como a lo vivo la magnificencia y la pompa más que reales de que hacía gala la arrogante sede romana. Y de ninguna otra potencia se podría decir con más propiedad que estaba "ebria de la sangre de los santos" que de aquella iglesia que ha perseguido tan cruelmente a los discípulos de Cristo. Se acusa además a Babilonia de haber tenido relaciones ilícitas con "los reyes de la tierra". Por su alejamiento del Señor y su alianza con los paganos la iglesia judía se transformó en ramera; Roma se corrompió de igual manera al buscar el apoyo de los poderes mundanos, y por consiguiente recibe la misma condenación.

Se dice que Babilonia es *"madre* de las rameras". Sus *hijas* deben simbolizar las iglesias que se atienen a sus doctrinas y tradiciones, y siguen su ejemplo sacrificando la verdad y la aprobación de Dios, para formar alianza ilícita con el mundo. El mensaje de Apocalipsis 14, que anuncia la *caída* de Babilonia, debe aplicarse a comunidades religiosas que un tiempo fueron puras y luego se han corrompido. En vista de que este mensaje sigue al aviso del juicio, debe ser proclamado en los últimos días, y no puede por consiguiente referirse sólo a la iglesia romana, pues dicha iglesia está en condición caída desde hace muchos siglos. Además, en el capítulo 18 del Apocalipsis se exhorta al pueblo de Dios a que salga de Babilonia. Según este pasaje de la Escritura, muchos del pueblo de Dios deben estar aún en Babilonia. ¿Y en qué comunidades religiosas se encuentra actualmente la mayoría de los discípulos de Cristo? Sin duda alguna, en las varias iglesias que profesan la fe protestante. Al nacer, esas iglesias se decidieron noblemente por Dios y la verdad, y la bendición divina las acompañó. Aun el mundo incrédulo se vio obligado a reconocer los felices resultados de la aceptación de los principios del Evangelio. Se les aplican las palabras del profeta a Israel: "Salió tu renombre entre las naciones a causa de tu hermosura; porque era perfecta, a causa de mi hermosura que yo puse sobre ti, dice Jehová el Señor". Pero esas iglesias cayeron víctimas del mismo deseo que causó la maldición y la ruina de Israel: el deseo de imitar las prácticas de los impíos y de buscar su amistad. "Confiaste en tu hermosura, y te prostituiste a causa de tu renombre" (Ezequiel 16: 14, 15).

Muchas de las iglesias protestantes están siguiendo el ejemplo de Roma, y se unen inicuamente con "los reyes de la tierra". Así obran las iglesias del Estado en sus relaciones con los gobiernos seculares, y otras denominaciones en su afán de captarse el favor del mundo. Y la expresión "Babilonia" —confusión— puede aplicarse acertadamente a esas congregaciones que, aunque declaran todas que sus doctrinas derivan de la Biblia, están sin embargo divididas en un sinnúmero de sectas, con credos y teorías muy opuestos.

Además de la unión pecaminosa con el mundo, las iglesias que se separaron de Roma presentan otras características de ésta.

Una obra católica romana arguye que "si la iglesia romana fue alguna vez culpable de idolatría con respecto a los santos, su hija, la Iglesia Anglicana, es

igualmente culpable, pues tiene diez iglesias dedicadas a María por una dedicada a Cristo" (Dr. Challoner, *The Catholic Christian Instructed*, prólogo, págs. 21, 22).

Y el Dr. Hopkins, en un "Tratado sobre el milenio", declara: "No hay razón para creer que el espíritu y las prácticas anticristianas se limiten a lo que se llama actualmente la iglesia romana. Las iglesias protestantes tienen en sí mucho del Anticristo, y distan mucho de haberse reformado enteramente de... las corrupciones e impiedades" (Samuel Hopkins, *Works*, tomo 2, pág. 328).

Respecto a la separación entre la Iglesia Presbiteriana y la de Roma, el doctor Guthrie escribe: "Hace trescientos años que nuestra iglesia, con una Biblia abierta en su bandera y el lema 'Escudriñad las Escrituras' en su rollo de pergamino, salió de las puertas de Roma". Luego hace la significativa pregunta: "¿Salió *del todo* de Babilonia?" (Tomás Guthrie, *The Gospel in Ezekiel*, pág. 237).

"La iglesia de Inglaterra —dice Spurgeon— parece estar completamente roída por la doctrina de que la salvación se encuentra en los sacramentos; pero los disidentes parecen estar casi tan hondamente contaminados por la incredulidad filosófica. Aquellos de quienes esperábamos mejores cosas están apartándose uno tras otro de los fundamentos de la fe. Creo que el mismo corazón de Inglaterra está completamente carcomido por una incredulidad fatal que hasta se atreve a subir al púlpito y llamarse cristiana".

¿Cuál fue el origen de la gran apostasía? ¿Cómo empezó a apartarse la iglesia de la sencillez del Evangelio? —Conformándose a las prácticas del paganismo para facilitar a los paganos la aceptación del cristianismo. El apóstol Pablo dijo acerca de su propio tiempo: "Ya está en acción el misterio de la iniquidad" (2 Tesalonicenses 2: 7). Mientras aún vivían los apóstoles, la iglesia permaneció relativamente pura. "Pero hacia fines del siglo II, la mayoría de las iglesias asumieron una forma nueva; la sencillez primitiva desapareció, e insensiblemente, a medida que los antiguos discípulos bajaban a la tumba, sus hijos, en unión con nuevos conversos... se adelantaron y dieron nueva forma a la causa" (Roberto Robinson, *Ecclesiastical Researches*, capítulo 6, pág. 51). Para aumentar el número de los conversos, se rebajó el alto nivel de la fe cristiana, y el resultado fue que "una ola de paganismo anegó la iglesia, trayendo consigo sus costumbres, sus prácticas y sus ídolos" (Gavazzi, *Lectures*, pág. 278). Una vez que la religión cristiana hubo ganado el favor y el apoyo de los legisladores seculares, fue aceptada nominalmente por multitudes; pero mientras éstas eran cristianas en apariencia, muchos "permanecieron en el fondo paganos que seguían adorando sus ídolos en secreto" (*Ibíd.*).

¿No ha sucedido otro tanto en casi todas las iglesias que se llaman protestantes? Cuando murieron sus fundadores, que poseían el verdadero espíritu de reforma, sus descendientes se adelantaron y "dieron nueva forma a la causa". Mientras se atenían ciegamente al credo de sus padres y se negaban a aceptar cualquier verdad que fuese más allá de lo que veían, los hijos de los reformadores se alejaron mucho de su ejemplo de humildad, de abnegación y de renunciación al mundo. Así "la simplicidad primitiva desaparece". Una ola de mundanalidad invade la iglesia "trayendo consigo sus costumbres, sus prácticas y sus ídolos".

¡Ay, hasta qué grado esa amistad del mundo, que es "enemistad contra Dios", es fomentada actualmente entre los que profesan ser discípulos de Cristo! ¡Cuánto no se han alejado las iglesias nacionales de toda la cristiandad del modelo bíblico de humildad, abnegación, sencillez y piedad! Juan Wesley decía, al hablar del buen uso del dinero: "No malgastéis nada de tan precioso talento, tan sólo por agradar a los ojos con superfluos y costosos atavíos o con adornos innecesarios. No gastéis parte de él adornando prolijamente vuestras casas con muebles inútiles y costosos, con cuadros costosos, pinturas y dorados... No gastéis nada para satisfacer la soberbia de la vida, ni para obtener la admiración de los hombres... 'Siempre que te halagues a ti mismo, los hombres hablarán bien de ti'. Siempre que te vistas 'de púrpura y de lino fino blanco, y tengas banquetes espléndidos todos los días', no faltará quien aplauda tu elegancia, tu buen gusto, tu generosidad y tu rumbosa hospitalidad. Pero no vayas a pagar tan caros sus aplausos. Conténtate más bien con el honor que viene de Dios" (Wesley, *Works,* sermón 50, sobre el uso de dinero). Pero muchas iglesias actuales desprecian estas enseñanzas.

Está de moda en el mundo hacer profesión de religión. Gobernantes, políticos, abogados, médicos y comerciantes se unen a la iglesia para asegurarse el respeto y la confianza de la sociedad, y así promover sus intereses mundanos. Tratan de cubrir todos sus procederes injustos con el manto de la religiosidad. Las diversas comunidades religiosas robustecidas con las riquezas y con la influencia de esos mundanos bautizados pujan a cual más por mayor popularidad y patrocinio. Iglesias magníficas, embellecidas con el más extravagante despilfarro, se yerguen en las avenidas más ricas y más pobladas. Los fieles visten con lujo y a la moda. Se pagan grandes sueldos a ministros elocuentes para que entretengan y atraigan a la gente. Sus sermones no deben aludir a los pecados populares, sino que deben ser suaves y agradables como para los oídos de un auditorio elegante. Así los pecadores del mundo son recibidos en la iglesia, y los pecados de moda se cubren con un manto de piedad.

Hablando de la actitud actual de los profesos cristianos para con el mundo, un notable periódico profano dice: "Insensiblemente la iglesia ha seguido el espíritu del siglo, y ha adaptado sus formas de culto a las necesidades de la actualidad". "En verdad, todo cuanto contribuye a hacer atractiva la religión, la iglesia lo emplea ahora y se vale de ello". Y un escritor apunta, en el *Independent* de Nueva York, lo siguiente acerca del metodismo actual: "La línea de separación entre los piadosos y los irreligiosos desaparece en una especie de penumbra, y en ambos lados se está trabajando con empeño para hacer desaparecer toda diferencia entre su modo de ser y sus placeres". "La popularidad de la religión tiende en gran manera a aumentar el número de los que quisieran asegurarse sus beneficios sin cumplir honradamante con los deberes de ella".

Howard Crosby dice: "Motivo de hondo pesar es el hecho de que la iglesia de Cristo esté cumpliendo tan mal los designios del Señor. Así como los antiguos judíos dejaron que el trato familiar con las naciones idólatras alejara sus corazones de Dios ..., así también ahora la iglesia de Jesús, merced al falso consorcio con el mundo incrédulo, está abandonando los métodos divinos de su verdadera vida y se dobiega ante las costumbres perniciosas, si bien a menudo plausibles, de una sociedad anticristiana, valiéndose de argumentos y llegando a conclusiones ajenas a la revelación de Dios y directamente opuestas a todo crecimiento en la gracia" (*The Healthy Christian: An Appeal to the Church*, págs. 141, 142).

En esta marea de mundanalidad y de afán por los placeres, el espíritu de desprendimiento y de sacrificio personal por el amor de Cristo ha desaparecido casi completamente. "Algunos de los hombres y mujeres que actúan hoy en esas iglesias aprendieron, cuando niños, a hacer sacrificios para poder dar o hacer algo por Cristo". Pero "ahora si se necesitan fondos ..., no hay que pedirle nada a nadie. ¡Oh no! Organícese un bazar, prepárese una representación de figuras vivas, una escena jocosa, una comida al estilo antiguo o a la moderna, cualquier cosa para divertir a la gente".

El gobernador Washburn, de Wisconsin, declaró en su mensaje anual, el 9 de enero de 1873: "Parece necesario dictar una ley que obligue a cerrar las escuelas donde se forman jugadores. Se las encuentra por todas partes. Hasta se ven iglesias que (sin saberlo, indudablemente) hacen a veces la obra del diablo. Los conciertos y las representaciones de beneficio, así como las rifas, que se hacen, a veces con fines religiosos o de caridad, pero a menudo con propósitos menos dignos; loterías, premios, etc., no son sino estratagemas para recaudar dinero sin dar a cambio un valor correspondiente. No hay nada tan desmoralizador y tan embriagador, en especial para los jóvenes, como la adquisición de dinero o de propiedad sin trabajo. Si personas respetables toman parte en esas empresas de azar y acallan su conciencia con la reflexión de que el dinero está destinado a un buen fin, nada de raro tiene que la juventud del Estado caiga tan a menudo en los hábitos que con casi toda seguridad engendra la afición a los juegos de azar".

El espíritu de conformidad con el mundo está invadiendo las iglesias por toda la cristiandad. Roberto Atkins, en un sermón predicado en Londres, pinta un cuadro sombrío del decaimiento espiritual que predomina en Inglaterra: "Los hombres verdaderamente justo están desapareciendo de la Tierra, sin que a nadie se le importe algo. Los que hoy profesan religiosidad, en todas las iglesias, aman al mundo, se conforman con él, gustan de las comodidades terrenales y aspiran a los honores. Están llamados a sufrir con Cristo, pero retroceden ante el simple oprobio... ¡*Apostasía, apostasía, apostasía*! es lo que está grabado en el frontis mismo de cada iglesia; y si lo supiesen o sintiesen, habría esperanza; pero ¡ay!, lo que se oye decir es: Rico soy, y estoy lleno de bienes, y nada me falta" (Second Advent Library, folleto No. 39).

El gran pecado de que se acusa a Babilonia es que ha hecho que "todas las naciones beban del vino de la ira de su fornicación". Esta copa embriagadora que ofrece al mundo representa las falsas doctrinas que ha aceptado como resultado de su unión ilícita con los magnates de la tierra. La amistad con el mundo corrompe su fe, y a su vez Babilonia ejerce influencia corruptora sobre el mundo enseñando doctrinas que están en pugna con las declaraciones más claras de la Sagrada Escritura.

Roma le negó la Biblia al pueblo y exigió que en su lugar todos aceptasen sus propias enseñanzas. La obra de la Reforma consistió en devolver a los hombres la Palabra de Dios; pero ¿no se ve acaso que en las iglesias de hoy lo que se enseña a los hombres es a fundar su fe en el credo y en las doctrinas de su iglesia antes que en las Sagradas Escrituras? Hablando de las iglesias protestantes, Carlos Beecher dice: "Retroceden ante cualquier palabra severa que se diga contra sus credos con la misma sensibilidad con que los santos padres se habrían estremecido ante una palabra dura pronunciada contra la veneración creciente que estaban fomentando por los santos y los mártires... Las denominaciones evangélicas protestantes se han atado mutuamente las manos, de tal modo que nadie puede hacerse predicador entre ellas sin haber aceptado primero la autoridad de algún libro aparte de la Biblia... No hay nada de imaginario en la aseveración de que el poder del clero está ahora empezando a proscribir la Biblia tan ciertamente como lo hizo Roma, aunque de un modo más sutil" (Sermón sobre la Biblia como credo suficiente, predicado en Fort Wayne, Indiana, el 22 de febrero, 1846).

Cuando se levantan maestros verdaderos para explicar la Palabra de Dios, levántanse también hombres de saber, ministros que profesan comprender las Santas Escrituras, para denunciar la sana doctrina como si fuera herejía, alejando así a los que buscan la verdad. Si el mundo no estuviese fatalmente embriagado con el vino de Babilonia, multitudes se convencerían y se convertirían por medio del conocimiento de las verdades claras y penetrantes de la Palabra de Dios. Pero la fe religiosa aparece tan confusa y discordante que el pueblo no sabe qué creer ni qué aceptar como verdad. La iglesia es responsable del pecado de impenitencia del mundo.

El mensaje del segundo ángel de Apocalipsis 14 fue proclamado por primera vez en el verano de 1844, y se aplicaba entonces más particularmente a las iglesias de los Estados Unidos de Norteamérica, donde la amonestación del juicio había sido también más ampliamente proclamada y más generalmente rechazada, y donde el decaimiento de las iglesias había sido más rápido. Pero el mensaje del segundo ángel no alcanzó su cumplimiento total en 1844. Las iglesias decayeron entonces moralmente por haber rechazado la luz del mensaje del advenimiento; pero este decaimiento no fue completo. A medida que continuaron rechazando las verdades especiales para nuestro tiempo, fueron decayendo más y más. Sin embargo aún no se puede decir: "Ha caído, ha caído Babilonia, la gran ciudad, porque ha hecho beber a *todas las naciones* del vino del furor de su fornicación". Aún no ha dado de beber a todas las naciones. El espíritu de conformidad con el mundo y de indiferencia hacia las verdades que deben servir de prueba en nuestro tiempo, existe y ha estado ganando terreno en las iglesias protestantes de todos los países de la cristiandad; y estas iglesias están incluidas en la solemne y terrible amonestación del segundo ángel. Pero la apostasía aún no ha culminado.

La Biblia declara que antes de la venida del Señor, Satanás obrará "con gran poder y señales y prodigios mentirosos, y con todo engaño de iniquidad", y que todos aquellos que "no recibieron el amor de la verdad para ser salvos", serán dejados para que reciban "un poder engañoso, para que crean la mentira" (2 Tesalonicenses 2: 9-11). La caída de Babilonia no será completa sino cuando la iglesia se encuentre en este estado, y la unión de la iglesia con el mundo se haya consumado en toda la cristiandad. El cambio es progresivo, y el cumplimiento perfecto de Apocalipsis 14: 8 está aún reservado para lo por venir.

A pesar de las tinieblas espirituales y del alejamiento de Dios que se observan en las iglesias que constituyen Babilonia, la mayoría de los verdaderos discípulos de Cristo se encuentran aún en el seno de ellas. Muchos de ellos no

han oído nunca proclamar las verdades especiales para nuestro tiempo. No pocos están descontentos con su estado actual y tienen sed de más luz. En vano buscan el espíritu de Cristo en las iglesias a las cuales pertenecen. Como estas congregaciones se apartan más y más de la verdad y se van uniendo más y más con el mundo, la diferencia entre ambas categorías de cristianos se irá acentuando hasta quedar consumada la separación. Llegará el día en que los que aman a Dios sobre todas las cosas no podrán permanecer unidos con los que son "amadores de los deleites más que de Dios, que tendrán apariencia de piedad, pero negarán la eficacia de ella".

El capítulo 18 del Apocalipsis indica el tiempo en que, por haber rechazado la triple amonestación de Apocalipsis 14: 6-12, la iglesia alcanzará el estado predicho por el segundo ángel, y el pueblo de Dios que se encontrare aún en Babilonia, será llamado a separarse de la comunión de ésta. Este mensaje será el último que se dé al mundo y cumplirá su obra. Cuando los que "no creyeron a la verdad, sino que se complacieron en la injusticia" (2 Tesalonicenses 2: 12), sean dejados para sufrir tremendo desengaño y para que crean a la mentira, entonces la luz de la verdad brillará sobre todos aquellos cuyos corazones estén abiertos para recibirla, y todos los hijos del Señor que quedaren en Babilonia, oirán el llamamiento: "Salid de ella, pueblo mío" (Apocalipsis 18: 4).

CAPITULO 23

Vaticinios Alentadores

CUANDO hubo pasado el tiempo en que al principio se había esperado la venida del Señor —la primavera de 1844— los que así habían esperado con fe su advenimiento se vieron envueltos durante algún tiempo en la duda y la incertidumbre. Mientras que el mundo los consideraba como completamente derrotados, y como si se hubiese probado que habían estado acariciando un engaño, la fuente de su consuelo seguía siendo la Palabra de Dios. Muchos continuaron escudriñando las Santas Escrituras, examinando de nuevo las pruebas de su fe, y estudiando detenidamente las profecías para obtener más luz. El testimonio de la Biblia en apoyo de su actitud parecía claro y concluyente. Había señales que no podían ser mal interpretadas y que daban como cercana la venida de Cristo. La bendición especial del Señor, manifestada tanto en la conversión de los pecadores como en el reavivamiento de la vida espiritual entre los cristianos, había probado que el mensaje provenía del cielo. Y aunque los creyentes no podían explicar el chasco que habían sufrido abrigaban la seguridad de que Dios los había dirigido en lo que habían experimentado.

Las profecías que ellos habían aplicado al tiempo del segundo advenimiento iban acompañadas de instrucciones que correspondían especialmente con su estado de incertidumbre e indecisión, y que los animaban a esperar pacientemente, en la firme creencia de que lo que entonces parecía oscuro a sus inteligencias sería aclarado a su debido tiempo.

Entre estas profecías se encontraba la de Habacuc 2: 1-4: "Sobre mi guarda estaré, y sobre la fortaleza afirmaré el pie, y velaré para ver lo que se me dirá, y qué he de responder tocante a mi queja. Y Jehová me respondió, y dijo: Escribe la visión, y declárala en tablas, para que corra el que leyere en ella. Aunque la visión tardará aún por un tiempo, mas se apresura hacia el fin, y no

352

mentirá; aunque tardare, espéralo, porque sin duda vendrá, no tardará. He aquí que aquel cuya alma no es recta, se enorgullece; mas el justo por su fe vivirá".

Ya por el año 1842, la orden dada en esta profecía: "Escribe la visión, y declárala en tablas, para que corra el que leyere en ella", le había sugerido a Carlos Fitch la redacción de un cartel profético con que ilustrar las visiones de Daniel y del Apocalipsis. La publicación de este cartel fue considerada como cumplimiento de la orden dada por Habacuc. Nadie, sin embargo, notó entonces que la misma profecía menciona una dilación evidente en el cumplimiento de la visión —un tiempo de demora. Después del contratiempo, este pasaje de las Escrituras resultaba muy significativo: "La visión tardará aún por un tiempo, mas se apresura hacia el fin, y no mentirá; aunque tardare, espéralo, porque sin duda vendrá, no tardará... Mas el justo por su *fe* vivirá".

Una porción de la profecía de Ezequiel fue también fuente de fuerza y de consuelo para los creyentes: "Vino a mí palabra de Jehová, diciendo: Hijo de hombre, ¿qué refrán es este que tenéis vosotros en la tierra de Israel, que dice: Se van prolongando los días, y desaparecerá toda visión? Diles, por tanto:... Se han acercado aquellos días, y el cumplimiento de toda visión... Hablaré, y se cumplirá la palabra que yo hable; no se tardará más". "Los de la casa de Israel dicen: La visión que éste ve es para de aquí a muchos días, para lejanos tiempos profetiza éste. Diles, por tanto: Así ha dicho Jehová el Señor: No se tardará más ninguna de mis palabras sino que la palabra que yo hable se cumplirá" (Ezequiel 12: 21-25, 27, 28). Los que esperaban se regocijaron en la creencia de que Aquel que conoce el fin desde el principio había mirado a través de los siglos, y previendo su contrariedad, les había dado palabras de valor y esperanza. De no haber sido por esos pasajes de las Santas Escrituras, que los exhortaban a esperar con paciencia y firme confianza en la Palabra de Dios, su fe habría cejado en la hora de prueba.

La parábola de las diez vírgenes, de San Mateo 25, ilustra también lo que experimentaron los adventistas. En el capítulo 24 de San Mateo, en contestación a la pregunta de sus discípulos respecto a la señal de su venida y del fin del mundo, Cristo había anunciado algunos de los acontecimientos más importantes de la historia del mundo y de la iglesia desde su primer advenimiento hasta su segundo; a saber, la destrucción de Jerusalén, la gran tribulación de la iglesia bajo las persecuciones paganas y papales, el oscurecimiento del sol y de la luna, y la caída de las estrellas. Después, habló de su venida en su reino, y refirió la parábola que describe las dos clases de siervos que esperarían su aparecimiento. El capítulo 25 empieza con las palabras: "*Entonces* el reino de los cielos será semejante a diez vírgenes". Aquí se presenta a la iglesia que vive en los últimos días la misma enseñanza de que se habla al fin del capítulo 24. Lo que ella experimenta se ilustra con las particularidades de un casamiento oriental.

EL TRIUNFO DEL AMOR DE DIOS

"Entonces el reino de los cielos será semejante a diez vírgenes que tomando sus lámparas, salieron a recibir al esposo. Cinco de ellas eran prudentes y cinco insensatas. Las insensatas, tomando sus lámparas, no tomaron consigo aceite; mas las prudentes tomaron aceite en sus vasijas, juntamente con sus lámparas. Y tardándose el esposo, cabecearon todas y se durmieron. Y a la medianoche se oyó un clamor: ¡Aquí viene el esposo; salid a recibirle!"

Se comprendía que la venida de Cristo, anunciada por el mensaje del primer ángel, estaba representada por la venida del esposo. La extensa obra de reforma que produjo la proclamación de su próxima venida, correspondía a la salida de las vírgenes. Tanto en esta parábola como en la de San Mateo 24 se representan dos clases de personas. Unas y otras habían tomado sus lámparas, la Biblia, y a su luz salieron a recibir al Esposo. Pero mientras que "las insensatas, tomando sus lámparas, no tomaron consigo aceite", "las prudentes tomaron aceite en sus vasijas, juntamente con sus lámparas". Estas últimas habían recibido la gracia de Dios, el poder regenerador e iluminador del Espíritu Santo, que convertía su Palabra en una antorcha para los pies y una luz en la senda. A fin de conocer la verdad, habían estudiado las Escrituras en el temor de Dios, y habían procurado con ardor que hubiese pureza en su corazón y su vida. Tenían experiencia personal, fe en Dios y en su Palabra, y esto no podían borrarlo el desengaño y la dilación. En cuanto a las otras vírgenes, tomando sus lámparas, no tomaron consigo aceite". Habían obrado por impulso. Sus temores habían sido despertados por el solemne mensaje, pero se habían apoyado en la fe de sus hermanas, satisfechas con la luz vacilante de las buenas emociones, sin comprender a fondo la verdad y sin que la gracia hubiese obrado verdaderamente en sus corazones. Habían salido a recibir al Señor, llenas de esperanza en la perspectiva de una recompensa inmediata; pero no estaban preparadas para la tardanza ni para el contratiempo. Cuando vinieron las pruebas, su fe vaciló, y sus luces se debilitaron.

"Tardándose el esposo, cabecearon todas y se durmieron". La tardanza del esposo representa la expiración del plazo en que se esperaba al Señor, el contratiempo y la demora aparente. En ese momento de incertidumbre, el interés de los superficiales y de los sinceros *a medias* empezó a vacilar y cejaron en sus esfuerzos; pero aquellos cuya fe descansaba en un conocimiento personal de la Biblia, tenían bajo los pies una roca que no podía ser barrida por las olas de la contrariedad. "Cabecearon todas y se durmieron"; una clase de cristianos se sumió en la indiferencia y abandonó su fe, la otra siguió esperando pacientemente hasta que se le diese mayor luz. Sin embargo, en la noche de la prueba esta segunda categoría pareció perder, hasta cierto punto, su ardor y devoción. Los tibios y superficiales no podían seguir apoyándose en la fe de sus hermanos. Cada cual debía sostenerse por sí mismo o caer.

Por aquel entonces, despuntó el fanatismo. Algunos que habían profesado

354

creer férvidamente en el mensaje rechazaron la Palabra de Dios como guía infalible, y pretendiendo ser dirigidos por el Espíritu, se abandonaron a sus propios sentimientos, impresiones e imaginación. Había quienes manifestaban un ardor ciego y fanático, y censuraban a todos los que no querían aprobar su conducta. Sus ideas y sus actos inspirados por el fanatismo no encontraban simpatía entre la gran mayoría de los adventistas; no obstante sirvieron para atraer oprobio sobre la causa de la verdad.

Satanás estaba tratando de oponerse por este medio a la obra de Dios y destruirla. El movimiento adventista había conmovido grandemente a la gente, se habían convertido miles de pecadores, y hubo hombres sinceros que se dedicaron a proclamar la verdad, hasta en el tiempo de la tardanza. El príncipe del mal estaba perdiendo sus súbditos, y para echar oprobio sobre la causa de Dios, trató de engañar a algunos de los que profesaban la fe, y de trocarlos en extremistas. Luego sus agentes estaban listos para aprovechar cualquier error, cualquier falta, cualquier acto indecoroso, y presentarlo al pueblo en la forma más exagerada, a fin de hacer odiosos a los adventistas y la fe que profesaban. Así, cuanto mayor era el número de los que lograra incluir entre los que profesaban creer en el segundo advenimiento mientras su poder dirigía sus corazones, tanto más fácil le sería señalarlos a la atención del mundo como representantes de todo el cuerpo de creyentes.

Satanás es "el acusador de nuestros hermanos", y es su espíritu el que inspira a los hombres a acechar los errores y defectos del pueblo de Dios, y a darles publicidad, mientras que no se hace mención alguna de las buenas acciones de este mismo pueblo. Siempre está activo cuando Dios obra para salvar las almas. Cuando los hijos de Dios acuden a presentarse ante el Señor, Satanás viene también entre ellos. En cada despertamiento está listo para introducir a aquellos cuyos corazones no están santificados y cuyos espíritus no están bien equilibrados. Cuando éstos han aceptado algunos puntos de la verdad, y han conseguido formar parte del número de los creyentes, él influye por conducto de ellos para introducir teorías que engañarán a los incautos. El hecho de que una persona se encuentre en compañía de los hijos de Dios, y hasta en el lugar de culto y en torno a la mesa del Señor, no prueba que dicha persona sea verdaderamente cristiana. Allí está con frecuencia Satanás en las ocasiones más solemnes, bajo la forma de aquellos a quienes puede emplear como agentes suyos.

El príncipe del mal disputa cada pulgada del terreno por el cual avanza el pueblo de Dios en su peregrinación hacia la ciudad celestial. En toda la historia de la iglesia, ninguna reforma ha sido llevada a cabo sin encontrar serios obstáculos. Así aconteció en los días de San Pablo. Dondequiera que el apóstol fundase una iglesia, había algunos que profesaban aceptar la fe, pero que introducían herejías que, de haber sido recibidas, habrían hecho desaparecer el

amor a la verdad. Lutero tuvo también que sufrir gran aprieto y angustia debido a la conducta de fanáticos que pretendían que Dios había hablado directamente por ellos, y que, por lo tanto, ponían sus propias ideas y opiniones por encima del testimonio de las Santas Escrituras. Muchos a quienes les faltaba fe y experiencia, pero a quienes les sobraba confianza en sí mismos y a quienes les gustaba oír y contar novedades, fueron engañados por los asertos de los nuevos maestros y se unieron a los agentes de Satanás en la tarea de destruir lo que, movido por Dios, Lutero había edificado. Y los Wesley, y otros que por su influencia y su fe fueron causa de bendición para el mundo, tropezaron a cada paso con las artimañas de Satanás, que consistían en empujar a personas de celo exagerado, desequilibradas y no santificadas a excesos de fanatismo de toda clase.

Guillermo Miller no simpatizaba con aquellas influencias que conducían al fanatismo. Declaró, como Lutero, que todo espíritu debía ser probado por la Palabra de Dios. "El diablo —decía Miller— tiene gran poder en los ánimos de algunas personas de nuestra época. ¿Y cómo sabremos de qué espíritu provienen? La Biblia contesta: 'Por sus frutos los conoceréis'… Hay muchos espíritus en el mundo, y se nos manda que los probemos. El espíritu que no nos hace vivir sobria, justa y piadosamente en este mundo, no es de Cristo. Estoy más y más convencido de que Satanás tiene mucho que ver con estos movimientos desordenados… Muchos de los que entre nosotros aseveran estar completamente santificados, no hacen más que seguir las tradiciones de los hombres, y parecen ignorar la verdad tanto como otros que no hacen tales asertos" (Bliss, págs. 236, 237). "El espíritu de error nos alejará de la verdad, mientras que el Espíritu de Dios nos conducirá a ella. Pero, decís vosotros, una persona puede estar en el error y pensar que posee la verdad. ¿Qué hacer en tal caso? A lo que contestamos: el Espíritu y la Palabra están de acuerdo. Si alguien se juzga a sí mismo por la Palabra de Dios y encuentra armonía perfecta en toda la Palabra, entonces debe creer que posee la verdad; pero si encuentra que el espíritu que le guía no armoniza con todo el contenido de la ley de Dios o su Libro, ande entonces cuidadosamente para no ser apresado en la trampa del diablo" (*The Advent Herald and Signs of the Times Reporter*, tomo 8, No. 23. 15 de enero, 1845). "Muchas veces, al notar una mirada benigna, una mejilla humedecida y unas palabras entrecortadas, he visto mayor prueba de piedad interna que en todo el ruido de la cristiandad" (Bliss, pág. 282).

En los días de la Reforma, los adversarios de ésta achacaron todos los males del fanatismo a quienes lo estaban combatiendo con el mayor ardor. Algo semejante hicieron los adversarios del movimiento adventista. Y no contentos con desfigurar y abultar los errores de los extremistas y fanáticos, hicieron circular noticias desfavorables que no tenían el menor viso de verdad. Esas personas eran dominadas por prejuicios y odios. La proclamación de la venida

357

En la parábola de las diez vírgenes Cristo presenta
lo que será la condición de su iglesia cuando él regrese.
En ese día unos estarán preparados y otros no.

ROBERT TEMPLE AYRES © SPA

inminente de Cristo les perturbaba la paz. Temían que pudiese ser cierta, pero esperaban sin embargo que no lo fuese, y éste era el motivo secreto de su lucha contra los adventistas y su fe.

La circunstancia de que unos pocos fanáticos se abrieran paso entre las filas de los adventistas no era mayor razón para declarar que el movimiento no era de Dios, que lo fue la presencia de fanáticos y engañadores en la iglesia en días de San Pablo o de Lutero, para condenar la obra de ambos. Despierte el pueblo de Dios de su somnolencia y emprenda seriamente una obra de arrepentimiento y de reforma; escudriñe las Escrituras para aprender la verdad tal cual es en Jesús; conságrese por completo a Dios, y no faltarán pruebas de que Satanás está activo y vigilante. Manifestará su poder por todos los engaños posibles, y llamará en su ayuda a todos los ángeles caídos de su reino.

No fue la proclamación del segundo advenimiento lo que dio origen al fanatismo y a la división. Estos aparecieron en el verano de 1844, cuando los adventistas se encontraban en un estado de duda y perplejidad con respecto a su situación real. La predicación del mensaje del primer ángel y del "clamor de medianoche", tendía directamente a reprimir el fanatismo y la disensión. Los que participaban en estos solemnes movimientos estaban en armonía; sus corazones estaban llenos de amor mutuo y de amor hacia Jesús, a quien esperaban ver pronto. Una sola fe y una sola esperanza bendita los elevaban por encima de cualquier influencia humana, y les servían de escudo contra los ataques de Satanás.

"Tardándose el esposo, cabecearon todas y se durmieron. Y a la medianoche se oyó un clamor: ¡Aquí viene el esposo; salid a recibirle! Entonces todas aquellas vírgenes se levantaron, y arreglaron sus lámparas" (S. Mateo 25: 5-7). En el verano de 1844, a mediados de la época comprendida entre el tiempo en que se había supuesto primero que terminarían los 2.300 días y el otoño del mismo año, hasta donde descubrieron después que se extendían, el mensaje fue proclamado en los términos mismos de la Escritura: "¡Aquí viene el Esposo!"

Lo que condujo a este movimiento fue el haberse dado cuenta de que el decreto de Artajerjes en pro de la restauración de Jerusalén, el cual formaba el punto de partida del período de los 2.300 días, empezó a regir en el otoño del año 457 AC, y no a principios del año, como se había creído anteriormente. Contando desde el otoño de 457, los 2.300 años concluían en el otoño de 1844. (Véase el diagrama de las págs. 300, 301 y también el Apéndice.)

Los argumentos basados en los símbolos del Antiguo Testamento indicaban también el otoño como el tiempo en que el acontecimiento representado por la "purificación del santuario" debía verificarse. Esto resultó muy claro cuando la atención se fijó en el modo en que los símbolos relativos al primer advenimiento de Cristo se habían cumplido.

La inmolación del cordero pascual prefiguraba la muerte de Cristo. San

Pablo dice: "Nuestra pascua, que es Cristo, ya fue sacrificada por nosotros" (1 Corintios 5: 7). La gavilla de las primicias del trigo, que era costumbre mecer ante el Señor en tiempo de la Pascua, era figura típica de la resurrección de Cristo. San Pablo dice, hablando de la resurrección del Señor y de todo su pueblo: "Cristo, las primicias; luego los que son de Cristo, en su venida" (1 Corintios 15: 23). Como la gavilla de la ofrenda mecida, que era las primicias o los primeros granos maduros recogidos antes de la cosecha, así también Cristo es primicias de aquella inmortal cosecha de rescatados que en la resurrección futura serán recogidos en el granero de Dios.

Estos símbolos se cumplieron no sólo en cuanto al acontecimiento sino también en cuanto al tiempo. El día 14 del primer mes de los judíos, el mismo día y el mismo mes en que quince largos siglos antes el cordero pascual había sido inmolado, Cristo, después de haber comido la pascua con sus discípulos, estableció la institución que debía conmemorar su propia muerte como "Cordero de Dios, que quita el pecado del mundo". En aquella misma noche fue aprehendido por manos impías, para ser crucificado e inmolado. Y como antitipo de la gavilla mecida, nuestro Señor fue resucitado de entre los muertos al tercer día, "primicias de los que durmieron", cual ejemplo de todos los justos que han de resucitar, cuyo "vil cuerpo" "transformará" y hará "semejante a su cuerpo glorioso" (1 Corintios 15: 20; Filipenses 3: 21, VM).

Asimismo los símbolos que se refieren al segundo advenimiento deben cumplirse en el tiempo indicado por el ritual simbólico. Bajo el régimen mosaico, la purificación del santuario, o sea el gran día de la expiación, caía en el décimo día del séptimo mes judío (Levítico 16: 29-34), cuando el sumo sacerdote, habiendo hecho expiación por todo Israel y habiendo quitado así sus pecados del santuario, salía a bendecir al pueblo. Así se creyó que Cristo, nuestro Sumo Sacerdote, aparecería para purificar la tierra por medio de la destrucción del pecado y de los pecadores, y para conceder la inmortalidad a su pueblo que le esperaba. El décimo día del séptimo mes, el gran día de la expiación, el tiempo de la purificación del santuario, el cual en el año 1844 caía en el 22 de octubre, fue considerado como el día de la venida del Señor. Esto estaba en consonancia con las pruebas ya presentadas, de que los 2.300 días terminarían en el otoño, y la conclusión parecía irrebatible.

En la parábola de San Mateo 25, el tiempo de espera y el cabeceo son seguidos de la venida del esposo. Esto estaba de acuerdo con los argumentos que se acaban de presentar, y que se basaban tanto en las profecías como en los símbolos. Para muchos entrañaban gran poder convincente de su verdad; y el "clamor de media noche" fue proclamado por miles de creyentes.

Como marea creciente, el movimiento se extendió por el país. Fue de ciudad en ciudad, de pueblo en pueblo y hasta a lugares remotos del campo, y consiguió despertar al pueblo de Dios que estaba esperando. El fanatismo desapareció ante esta proclamación como helada temprana ante el sol naciente. Los creyentes vieron desvanecerse sus dudas y perplejidades; la esperanza y el valor reanimaron sus corazones. La obra quedaba libre de las exageraciones propias de todo arrebato que no es dominado por la influencia de la Palabra y del Espíritu de Dios. Este movimiento recordaba los períodos sucesivos de humillación y de conversión al Señor que entre los antiguos israelitas solían resultar de las reconvenciones dadas por los siervos de Dios. Llevaba el sello distintivo de la obra de Dios en todas las edades. Había en él poco gozo extático, sino más bien un profundo escudriñamiento del corazón, confesión de los pecados y renunciación al mundo. El anhelo de los espíritus abrumados era prepararse para recibir al Señor. Había perseverancia en la oración y consagración a Dios sin reserva.

Dijo Miller al describir esta obra: "No hay gran manifestación de gozo; no parece sino que éste fuera reservado para más adelante, para cuando cielo y tierra gocen juntos de dicha indecible y gloriosa. No se oye tampoco en ella grito de alegría, pues esto también está reservado para la aclamación que ha de oírse del cielo. Los cantores callan; están esperando poderse unir a las huestes angelicales, al coro del cielo... No hay conflicto de sentimientos; todos son de un corazón y de una mente" (Bliss, págs. 270, 271).

Otra persona que tomó parte en el movimiento testifica lo siguiente: "Produjo en todas partes el más profundo escudriñamiento del corazón y humillación del alma ante el Dios del alto cielo... Ocasionó un gran desapego de las cosas de este mundo, hizo cesar las controversias y animosidades, e impulsó a confesar los malos procederes y a humillarse ante Dios y a dirigirle súplicas sinceras y ardientes para obtener perdón. Causó humillación personal y postración del alma cual nunca las habíamos presenciado hasta entonces. Como el Señor lo dispusiera por boca del profeta Joel, para cuando el día del Señor estuviese cerca, produjo un desgarramiento de los corazones y no de las vestiduras y la conversión al Señor con ayuno, lágrimas y lamentos. Como Dios lo dijera por conducto de Zacarías, un espíritu de gracia y oración fue derramado sobre sus hijos; miraron a Aquel a quien habían traspasado, había gran pesar en la tierra..., y los que estaban esperando al Señor afligían sus almas ante él" (Bliss, en *Advent Shield and Review*, tomo I, pág. 271. Enero de 1845).

Entre todos los grandes movimientos religiosos habidos desde los días de los apóstoles, ninguno resultó más libre de imperfecciones humanas y engaños de Satanás que el del otoño de 1844. Ahora mismo, después del transcurso de muchos años, todos los que tomaron parte en aquel movimiento y han permanecido firmes en la verdad, sienten aún la santa influencia de tan bendita obra y dan testimonio de que ella era de Dios.*

*Esto se escribía hacia 1885.

360

Al clamar: "¡Aquí viene el Esposo; salid a recibirle!" los que esperaban "se levantaron, y arreglaron sus lámparas"; estudiaron la Palabra de Dios con una intensidad e interés antes desconocidos. Fueron enviados ángeles del cielo para despertar a los que se habían desanimado, y para prepararlos a recibir el mensaje. La obra no descansaba en la sabiduría y los conocimientos humanos, sino en el poder de Dios. No fueron los de mayor talento, sino los más humildes y piadosos, los que oyeron y obedecieron primero al llamamiento. Los campesinos abandonaban sus cosechas en los campos, los artesanos dejaban sus herramientas y con lágrimas y gozo iban a pregonar el aviso. Los que anteriormente habían encabezado la causa fueron los últimos en unirse a este movimiento. Las iglesias en general cerraron sus puertas a este mensaje, y muchos de los que lo aceptaron se separaron de sus congregaciones. En la providencia de Dios, esta proclamación se unió con el segundo mensaje angelical y dio poder a la obra.

El mensaje: "¡Aquí viene el Esposo!" no era tanto un asunto de argumentación, si bien la prueba de las Escrituras era clara y terminante. Iba acompañado de un poder que movía e impulsaba al alma. No había dudas ni discusiones. Con motivo de la entrada triunfal de Cristo en Jerusalén, el pueblo que se había reunido de todas partes del país para celebrar la fiesta, fue en tropel al Monte de los Olivos, y al unirse con la multitud que acompañaba a Jesús, se dejó arrebatar por la inspiración del momento y contribuyó a dar mayores proporciones a la aclamación: "¡Bendito el que viene en el nombre del Señor!" (S. Mateo 21: 9). Del mismo modo, los incrédulos que se agolpaban en las reuniones adventistas —unos por curiosidad, otros tan sólo para ridiculizarlas— sentían el poder convincente que acompañaba el mensaje: "¡Aquí viene el Esposo!"

En aquel entonces había una fe que atraía respuestas del Cielo a las oraciones, una fe que se atenía a la recompensa. Como los aguaceros que caen en tierra sedienta, el Espíritu de gracia descendió sobre los que le buscaban con sinceridad. Los que esperaban verse pronto cara a cara con su Redentor sintieron una solemnidad y un gozo indecibles. El poder suavizador y sojuzgador del Espíritu Santo cambiaba los corazones, pues sus bendiciones eran dispensadas abundantemente sobre los fieles creyentes.

Los que recibieron el mensaje llegaron cuidadosa y solemnemente al tiempo en que esperaban encontrarse con su Señor. Cada mañana sentían que su primer deber consistía en asegurar su aceptación para con Dios. Sus corazones estaban estrechamente unidos, y oraban mucho unos con otros y unos por otros. A menudo se reunían en sitios apartados para ponerse en comunión con Dios, y oíanse voces de intercesión que desde los campos y las arboledas ascendían al cielo. La seguridad de que el Señor les daba su aprobación era para ellos más necesaria que su alimento diario, y si alguna nube oscurecía sus espíritus, no descansaban hasta que se hubiera desvanecido.

EL TRIUNFO DEL AMOR DE DIOS

Como sentían el testimonio de la gracia que les perdonaba anhelaban contemplar a Aquel a quien amaban sus almas.

Pero un desengaño más les estaba reservado. El tiempo de espera pasó, y su Salvador no apareció. Con confianza inquebrantable habían esperado su venida, y ahora sentían lo que María, cuando, al ir al sepulcro del Salvador y encontrándolo vacío, exclamó llorando: "Se han llevado a mi Señor, y no sé dónde le han puesto" (S. Juan 20: 13).

Un sentimiento de pavor, el temor de que el mensaje fuese verdad, había servido durante algún tiempo para refrenar al mundo incrédulo. Cumplido el plazo, ese sentimiento no desapareció del todo; al principio no se atrevieron a celebrar su triunfo sobre los que habían quedado chasqueados; pero como no se vieran señales de la ira de Dios, se olvidaron de sus temores y nuevamente profirieron insultos y burlas. Un número notable de los que habían profesado creer en la próxima venida del Señor, abandonaron su fe. Algunos que habían tenido mucha confianza, quedaron tan hondamente heridos en su orgullo, que hubiesen querido huir del mundo. Como Jonás, se quejaban de Dios, y habrían preferido la muerte a la vida. Los que habían fundado su fe en opiniones ajenas y no en la Palabra de Dios, estaban listos para cambiar otra vez de parecer. Los burladores atrajeron a sus filas a los débiles y cobardes, y todos éstos convinieron en declarar que ya no podía haber temor ni expectación. El tiempo había pasado, el Señor no había venido, y el mundo podría subsistir como antes, miles de años.

Los creyentes fervientes y sinceros lo habían abandonado todo por Cristo, y habían gozado de su presencia como nunca antes. Creían haber dado su último aviso al mundo, y, esperando ser recibidos pronto en la sociedad de su divino Maestro y de los ángeles celestiales, se habían separado en su mayor parte de los que no habían recibido el mensaje. Habían orado con gran fervor: "Ven, Señor Jesús; y ven presto". Pero no vino. Reasumir entonces la pesada carga de los cuidados y perplejidades de la vida, y soportar las afrentas y escarnios del mundo, constituía una dura prueba para su fe y paciencia.

Con todo, este contratiempo no era tan grande como el que experimentaran los discípulos cuando el primer advenimiento de Cristo. Cuando Jesús entró triunfalmente en Jerusalén, sus discípulos creían que estaba a punto de subir al trono de David y de libertar a Israel de sus opresores. Llenos de esperanza y de gozo anticipado rivalizaban unos con otros en tributar honor a su Rey. Muchos tendían sus ropas como alfombra en su camino, y esparcían ante él palmas frondosas. En su gozo y entusiasmo unían sus voces a la alegre aclamación: "¡Hosanna al Hijo de David!" Cuando los fariseos, incomodados y airados por esta explosión de regocijo, expresaron el deseo de que Jesús censurara a sus discípulos, él contestó: "Si éstos callaran, las piedras clamarían" (S. Lucas 19: 40). Las profecías deben cumplirse. Los discípulos estaban cumpliendo el propósito de Dios; sin embargo un duro contratiempo les estaba reservado. Pocos días pasaron antes que fueran testigos de la muerte atroz del Salvador y de su sepultura. Su expectación no se había realizado, y sus esperanzas murieron con Jesús. Fue tan sólo cuando su Salvador hubo salido triunfante del sepulcro cuando pudieron darse cuenta de que todo había sido predicho por la profecía, y de "que era necesario que el Cristo padeciese, y resucitase de los muertos" (Hechos 17: 3).

Quinientos años antes, el Señor había declarado por boca del profeta Zacarías: "Alégrate mucho, hija de Sion; da voces de júbilo, hija de Jerusalén; he aquí tu rey vendrá a ti, justo y salvador, humilde, y cabalgando sobre un asno, sobre un pollino hijo de asna" (Zacarías 9: 9). Si los discípulos se hubiesen dado cuenta de que Cristo iba al encuentro del juicio y de la muerte, no habrían podido cumplir esta profecía.

Del mismo modo, Miller y sus compañeros cumplieron la profecía y proclamaron un mensaje que la Inspiración había predicho que iba a ser dado al mundo, pero que ellos no hubieran podido dar si hubiesen entendido por completo las profecías que indicaban su contratiempo y que presentaban otro mensaje que debía ser predicado a todas las naciones antes de la venida del Señor. Los mensajes del primer ángel y del segundo fueron proclamados en su debido tiempo, y cumplieron la obra que Dios se había propuesto cumplir por medio de ellos.

EL TRIUNFO DEL AMOR DE DIOS

El mundo había estado observando, y creía que todo el sistema adventista sería abandonado en caso de que pasase el tiempo sin que Cristo viniese. Pero aunque muchos, al ser muy tentados, abandonaron su fe, hubo algunos que permanecieron firmes. Los frutos del movimiento adventista, el espíritu de humildad, el examen del corazón, la renunciación al mundo y la reforma de la vida, que habían acompañado la obra, probaban que ésta era de Dios. No se atrevían a negar que el poder del Espíritu Santo hubiera acompañado la predicación del segundo advenimiento, y no podrían descubrir error alguno en el cómputo de los períodos proféticos. Los más hábiles de sus adversarios no habían logrado echar por tierra su sistema de interpretación profética. Sin pruebas bíblicas, no podían consentir en abandonar posiciones que habían sido alcanzadas merced a la oración y a un estudio formal de las Escrituras, por inteligencias alumbradas por el Espíritu de Dios y por corazones en los cuales ardía el poder vivificante de éste, pues eran posiciones que habían resistido a las críticas más agudas y a la oposición más violenta por parte de los maestros de religión del pueblo y de los sabios mundanos, y que habían permanecido firmes ante las fuerzas combinadas del saber y de la elocuencia y las afrentas y ultrajes tanto de los hombres de reputación como de los más viles.

Verdad es que no se había producido el acontecimiento esperado, pero ni aun esto pudo conmover su fe en la Palabra de Dios. Cuando Jonás proclamó en las calles de Nínive que en el plazo de cuarenta días la ciudad sería destruida, el Señor aceptó la humillación de los ninivitas y prolongó su tiempo de gracia; no obstante el mensaje de Jonás fue enviado por Dios, y Nínive fue probada por la voluntad divina. Los adventistas creyeron que Dios les había inspirado de igual modo para proclamar el aviso del juicio. "El aviso —decían—, probó los corazones de todos los que lo oyeron, y despertó interés por el advenimiento del Señor, o determinó un odio a su venida que resultó visible o no, pero que es conocido por Dios. Trazó una línea divisoria…, de suerte que los que quieran examinar sus propios corazones pueden saber de qué lado de ella se habrían encontrado en caso de haber venido el Señor entonces; si hubieran exclamado: '¡He aquí éste es nuestro Dios; le hemos esperado, y él nos salvará!' o si hubieran clamado a los montes y a las peñas para que cayeran sobre ellos y los escondieran de la presencia del que está sentado en el trono, y de la ira del Cordero. Creemos que Dios probó así a su pueblo y su fe, y vio si en la hora de aflicción retrocederían del sitio en que creyera conveniente colocarlos, y si abandonarían este mundo confiando absolutamente en la Palabra de Dios" (*The Advent Herald and Signs of the Times Reporter,* t. 8, No. 14. 13 de nov. de 1844).

Los sentimientos de los que creían que Dios los había dirigido en su pasada experiencia, están expresados en las siguientes palabras de Guillermo Miller: "Si tuviese que volver a empezar mi vida con las mismas pruebas que tuve entonces, para ser de buena fe para con Dios y los hombres, tendría que hacer lo que hice". "Espero haber limpiado mis vestiduras de la sangre de las almas; siento que, en cuanto me ha sido posible, me he librado de toda culpabilidad en su condenación". "Aunque me chasqueé dos veces —escribió este hombre de Dios—, no estoy aún abatido ni desanimado... Mi esperanza en la venida de Cristo es tan firme como siempre. No he hecho más que lo que, después de años de solemne consideración, sentía que era mi solemne deber hacer. Si me he equivocado, ha sido del lado de la caridad, del amor a mis semejantes y movido por el sentimiento de mi deber para con Dios". "Algo sé de cierto, y es que no he predicado nada en que no creyese; y Dios ha estado conmigo, su poder se ha manifestado en la obra, y mucho bien se ha realizado". "A juzgar por las apariencias humanas, muchos miles fueron inducidos a estudiar las Escrituras por la predicación de la fecha del advenimiento; y por ese medio y la aspersión de la sangre de Cristo, fueron reconciliados con Dios" (Bliss, págs. 256, 255, 277, 280, 281). "Nunca he solicitado el favor de los orgullosos, ni temblado ante las amenazas del mundo. No seré yo quien compre ahora su favor, ni vaya más allá del deber para despertar su odio. Nunca imploraré de ellos mi vida ni vacilaré en perderla, si Dios en su providencia así lo dispone" (J. White, *Life of Wm. Miller,* pág. 315).

Dios no se olvidó de su pueblo; su Espíritu siguió acompañando a los que no negaron temerariamente la luz que habían recibido ni denunciaron el movimiento adventista. En la Epístola a los Hebreos hay palabras de aliento y de admonición para los que vivían en la expectación y fueron probados en esa crisis: "No perdáis, pues, vuestra confianza, que tiene grande galardón; porque os es necesaria la paciencia, para que habiendo hecho la voluntad de Dios, obtengáis la promesa. Porque aún un poquito, y el que ha de venir vendrá, y no tardará. Mas el justo vivirá por fe; y si retrocediere, no agradará a mi alma. Pero nosotros no somos de los que retroceden para perdición, sino de los que tienen fe para preservación del alma" (Hebreos 10: 35-39).

Que esta amonestación va dirigida a la iglesia en los últimos días se echa de ver por las palabras que indican la proximidad de la venida del Señor: "Porque aún un poquito, y el que ha de venir vendrá, y no tardará". Y este pasaje implica claramente que habría una demora aparente, y que el Señor parecería tardar en venir. La enseñanza dada aquí se aplica especialmente a lo que les pasaba a los adventistas en ese entonces. Los cristianos a quienes van dirigidas esas palabras estaban en peligro de zozobrar en su fe. Habían hecho la voluntad de Dios al seguir la dirección de su Espíritu y de su Palabra; pero no podían comprender los designios que había tenido en lo que habían experimentado ni podían discernir el sendero que estaba ante ellos, y estaban tentados a dudar de si en realidad Dios los había dirigido. Entonces era cuando estas palabras tenían su aplicación: "Mas el justo vivirá por fe". Mientras la luz brillante del "clamor de media noche" había alumbrado su sendero, y habían visto abrirse el sello de las profecías, y cumplirse con presteza las señales que anunciaban la proximidad de la venida de Cristo, habían andado en cierto sentido por la vista. Pero ahora, abatidos por esperanzas defraudadas, sólo podían sostenerse por la fe en Dios y en su Palabra. El mundo escarnecedor decía: "Habéis sido engañados. Abandonad vuestra fe, y declarad que el movimiento adventista era de Satanás". Pero la Palabra de Dios declaraba: "Si retrocediere, no agradará a mi alma". Renunciar entonces a su fe, y negar el poder del Espíritu Santo que había acompañado al mensaje, habría equivalido a retroceder camino de la perdición. Estas palabras de San Pablo los alentaban a permanecer firmes: "No perdáis, pues, vuestra confianza"; "os es necesaria la paciencia"; "porque aún un poquito, y el que ha de venir vendrá y no tardará". El único proceder seguro para ellos consistía en apreciar la luz que ya habían recibido de Dios, atenerse firmemente a sus promesas, y seguir escudriñando las Sagradas Escrituras esperando con paciencia y velando para recibir mayor luz.

CAPITULO 24

El Templo de Dios

EL PASAJE bíblico que más que ninguno había sido el fundamento y el pilar central de la fe adventista era la declaración: "Hasta dos mil trescientas tardes y mañanas; luego el santuario será purificado" (Daniel 8: 14). Estas palabras habían sido familiares para todos los que creían en la próxima venida del Señor. La profecía que encerraban era repetida como santo y seña de su fe por miles de bocas. Todos sentían que sus esperanzas más gloriosas y más queridas dependían de los acontecimientos en ella predichos. Había quedado demostrado que aquellos días proféticos terminaban en el otoño del año 1844. En común con el resto del mundo cristiano, los adventistas creían entonces que la tierra, o alguna parte de ella, era el santuario. Entendían que la purificación del santuario era la purificación de la tierra por medio del fuego del último y supremo día, y que ello se verificaría en el segundo advenimiento. De ahí que concluyeran que Cristo volvería a la tierra en 1844.

Pero el tiempo señalado había pasado, y el Señor no había aparecido. Los creyentes sabían que la Palabra de Dios no podía fallar; su interpretación de la profecía debía estar pues errada; ¿pero dónde estaba el error? Muchos cortaron sin más ni más el nudo de la dificultad negando que los 2.300 días terminasen en 1844. Este aserto no podía apoyarse con prueba alguna, a no ser con la de que Cristo no había venido en el momento en que se le esperaba. Alegábase que si los días proféticos hubiesen terminado en 1844, Cristo habría vuelto entonces para limpiar el santuario mediante la purificación de la tierra por fuego, y que como no había venido, los días no podían haber terminado.

Aceptar estas conclusiones equivalía a renunciar a los cómputos anteriores de los períodos proféticos. Se había comprobado que los 2.300 días principiaron cuando entró en vigor el decreto de Artajerjes ordenando la restauración y edificación de Jerusalén, en el otoño del año 457 AC. Tomando esto como punto de partida, había perfecta armonía en la aplicación de todos los acontecimientos predichos en la explicación de ese período hallada en Daniel 9: 25-27. Sesenta y nueve semanas, o los 483 primeros años de los 2.300 años debían alcanzar hasta el Mesías, el Ungido; y el bautismo de Cristo y su unción por el Espíritu Santo, en el año 27 de nuestra era, cumplían exactamente la predicción. En medio de la septuagésima semana, el Mesías había de ser muerto. Tres años y medio después de su bautismo, Cristo fue crucificado, en la primavera del año 31. Las setenta semanas, ó 490 años, les tocaban especialmente a los judíos. Al fin del período, la nación selló su rechazamiento de Cristo con la persecución de sus discípulos, y los apóstoles se volvieron hacia los gentiles en el año 34 de nuestra era. Habiendo terminado entonces los 490 primeros años de los 2.300, quedaban aún 1.810 años. Contando desde el año 34, 1.810 años llegan a 1844. "Luego —había dicho el ángel—el santuario será purificado". Era indudable que todas las anteriores predicciones de la profecía se habían cumplido en el tiempo señalado.

En ese cálculo, todo era claro y armonioso, menos la circunstancia de que en 1844 no se veía acontecimiento alguno que correspondiese a la purificación del santuario. Negar que los días terminaban en esa fecha equivalía a confundir todo el asunto y a abandonar creencias fundadas en el cumplimiento indudable de las profecías.

Pero Dios había dirigido a su pueblo en el gran movimiento adventista; su poder y su gloria habían acompañado la obra, y él no permitiría que ésta terminase en la oscuridad y en un chasco, para que se la cubriese de oprobio como si fuese una mera excitación mórbida y producto del fanatismo. No iba a dejar su Palabra envuelta en dudas e incertidumbres. Aunque muchos abandonaron sus primeros cálculos de los períodos proféticos, y negaron la exactitud del movimiento basado en ellos, otros no estaban dispuestos a negar puntos de fe y de experiencia que estaban sostenidos por las Sagradas Escrituras y por el testimonio del Espíritu de Dios. Creían haber adoptado en sus estudios de las profecías sanos principios de interpretación, y que era su deber atenerse firmemente a las verdades ya adquiridas, y seguir en el mismo camino de la investigación bíblica. Orando con fervor, volvieron a considerar su situación, y estudiaron las Santas Escrituras para descubrir su error. Como no encontraran ninguno en sus cálculos de los períodos proféticos, fueron inducidos a examinar más de cerca la cuestión del santuario.

En sus investigaciones vieron que en las Santas Escrituras no hay prueba alguna en apoyo de la creencia general de que la tierra es el santuario; pero encontraron en la Biblia una explicación completa de la cuestión del santuario, su naturaleza, su situación y sus servicios; pues el testimonio de los escritores sagrados era tan claro y tan amplio que despejaba este asunto de toda duda. El apóstol Pablo dice en su Epístola a los Hebreos: "Ahora bien, aun el primer pacto tenía ordenanzas de culto y un santuario terrenal. Porque el tabernáculo estaba dispuesto así: en la primera parte, llamada el Lugar Santo, estaba el candelabro, la mesa y los panes de la proposición. Tras el segundo velo estaba la parte del tabernáculo llamada el Lugar Santísimo, el cual tenía un incensario de oro y el arca del pacto cubierta de oro por todas partes, en la que estaba una urna de oro que contenía el maná, la vara de Aarón que reverdeció, y las tablas del pacto; y sobre ella los querubines de gloria que cubrían el propiciatorio" (Hebreos 9: 1-5).

El santuario al cual se refiere aquí San Pablo era el tabernáculo construido por Moisés a la orden de Dios como morada terrenal del Altísimo. "Harán un santuario para mí, y habitaré en medio de ellos" (Exodo 25: 8), había sido la orden dada a Moisés mientras estaba en el monte con Dios. Los israelitas estaban peregrinando por el desierto, y el tabernáculo se preparó de modo que pudiese ser llevado de un lugar a otro; no obstante era una construcción de gran magnificencia. Sus paredes consistían en tablones ricamente revestidos de oro y asegurados en basas de plata, mientras que el techo se componía de una serie de cortinas o cubiertas, las de fuera de pieles, y las interiores de lino fino magníficamente recamado con figuras de querubines. A más del atrio exterior, donde se encontraba el altar del holocausto, el tabernáculo propiamente dicho

EL TRIUNFO DEL AMOR DE DIOS

consistía en dos departamentos llamados el lugar santo y el lugar santísimo, separados por rica y magnífica cortina, o velo; otro velo semejante cerraba la entrada que conducía al primer departamento.

En el lugar santo se encontraba hacia el sur el candelabro, con sus siete lámparas que alumbraban el santuario día y noche; hacia el norte estaba la mesa de los panes de la proposición; y ante el velo que separaba el lugar santo del santísimo estaba el altar de oro para el incienso, del cual ascendía diariamente a Dios una nube de sahumerio junto con las oraciones de Israel.

En el lugar santísimo se encontraba el arca, cofre de madera preciosa cubierta de oro, depósito de las dos tablas de piedra sobre las cuales Dios había grabado la ley de los Diez Mandamientos. Sobre el arca, a guisa de cubierta del sagrado cofre, estaba el propiciatorio, verdadera maravilla artística, coronada por dos querubines, uno en cada extremo y todo de oro macizo. En este departamento era donde se manifestaba la presencia divina en la nube de gloria entre los querubines.

Después que los israelitas se hubieron establecido en Canaán el tabernáculo fue reemplazado por el templo de Salomón, el cual, aunque edificio permanente y de mayores dimensiones, conservaba las mismas proporciones y el mismo amueblado. El santuario subsistió así —menos durante el plazo en que permaneció en ruinas en tiempo de Daniel— hasta su destrucción por los romanos, en el año 70 de nuestra era.

Tal fue el único santuario que haya existido en la tierra y del cual la Biblia nos dé alguna información. San Pablo dijo de él que era el santuario del primer pacto. Pero ¿no tiene el nuevo pacto también el suyo?

Volviendo al libro de los Hebreos, los que buscaban la verdad encontraron que existía un segundo santuario, o sea el del nuevo pacto, al cual se alude en las palabras ya citadas del apóstol Pablo: "En verdad el primer pacto *también* tenía reglamentos del culto, y su santuario que lo era de este mundo". El uso de la palabra "también" implica que San Pablo ha hecho antes mención de este santuario. Volviendo al principio del capítulo anterior, se lee: "Ahora bien, el punto principal de lo que venimos diciendo es que tenemos tal sumo sacerdote, el cual se sentó a la diestra del trono de la Majestad en los cielos, ministro del santuario, y de aquel verdadero tabernáculo que levantó el Señor, y no el hombre" (Hebreos 8: 1, 2).

Aquí tenemos revelado el santuario del nuevo pacto. El santuario del primer pacto fue asentado por el hombre, construido por Moisés; éste segundo es asentado por el Señor, no por el hombre. En aquel santuario los sacerdotes terrenales desempeñaban el servicio; en éste es Cristo, nuestro gran Sumo Sacerdote, quien ministra a la diestra de Dios. Uno de los santuarios estaba en la tierra, el otro está en el cielo.

Además, el tabernáculo construido por Moisés fue hecho según un mo-

370

delo. El Señor le ordenó: "Conforme a todo lo que yo te muestre, el diseño del tabernáculo, y el diseño de todos sus utensilios, así lo haréis". Y le mandó además: "Mira y hazlos conforme al modelo que te ha sido mostrado en el monte" (Exodo 25: 9, 40). Y San Pablo dice que el primer tabernáculo "era una parábola para aquel tiempo entonces presente; conforme a la cual se ofrecían dones y sacrificios"; que sus santos lugares eran "representaciones de las cosas celestiales"; que los sacerdotes que presentaban las ofrendas según la ley, ministraban lo que era "la mera representación y sombra de las cosas celestiales", y que "no entró Cristo en un lugar santo hecho de mano, que es una mera representación del verdadero, sino en el cielo mismo, para presentarse ahora delante de Dios por nosotros" (Hebreos 9: 9, 23; 8: 5; 9: 24, VM).

El santuario celestial, en el cual Jesús ministra, es el gran modelo, del cual el santuario edificado por Moisés no era más que trasunto. Dios puso su Espíritu sobre los que construyeron el santuario terrenal. La pericia artística desplegada en su construcción fue una manifestación de la sabiduría divina. Las paredes tenían aspecto de oro macizo, y reflejaban en todas direcciones la luz de las siete lámparas del candelero de oro. La mesa de los panes de la proposición y el altar del incienso relucían como oro bruñido. La magnífica cubierta que formaba el techo, recamada con figuras de ángeles, en azul, púrpura y escarlata, realzaba la belleza de la escena. Y más allá del segundo velo estaba la santa *shekina,* la manifestación visible de la gloria de Dios, ante la cual sólo el sumo sacerdote podía entrar y sobrevivir.

El esplendor incomparable del tabernáculo terrenal reflejaba a la vista humana la gloria de aquel templo celestial donde Cristo nuestro precursor ministra por nosotros ante el trono de Dios. La morada del Rey de reyes, donde miles y miles ministran delante de él, y millones de millones están en su presencia (Daniel 7: 10); ese templo, lleno de la gloria del trono eterno, donde los serafines, sus flamantes guardianes, cubren sus rostros en adoración, no podía encontrar en la más grandiosa construcción que jamás edificaran manos humanas, más que un pálido reflejo de su inmensidad y de su gloria. Con todo, el santuario terrenal y sus servicios revelaban importantes verdades relativas al santuario celestial y a la gran obra que se llevaba allí a cabo para la redención del hombre.

Los lugares santos del santuario celestial están representados por los dos departamentos del santuario terrenal. Cuando en una visión le fue dado al apóstol Juan que viese el templo de Dios en el cielo, contempló allí "siete lámparas de fuego" ardiendo "delante del trono" (Apocalipsis 4: 5). Vio un ángel que tenía "un incensario de oro; y se le dio mucho incienso para añadirlo a las oraciones de todos los santos, sobre el altar de oro que estaba delante del trono" (Apocalipsis 8: 3). Se le permitió al profeta contemplar el primer departamento del santuario en el cielo; y vio allí las "siete lámparas de fuego" y el "altar de oro"

371

representados por el candelabro de oro y el altar de incienso en el santuario terrenal. De nuevo, "el templo de Dios fue abierto" (Apocalipsis 11: 19), y miró hacia adentro del velo interior, el lugar santísimo. Allí vio "el arca de su pacto", representada por el cofre sagrado construido por Moisés para guardar la ley de Dios.

Así fue como los que estaban estudiando ese asunto encontraron pruebas irrefutables de la existencia de un santuario en el cielo. Moisés hizo el santuario terrenal según un modelo que le fue enseñado. San Pablo declara que ese modelo era el verdadero santuario que está en el cielo. Y San Juan afirma que lo vio en el cielo.

En el templo celestial, la morada de Dios, su trono está asentado en juicio y en justicia. En el lugar santísimo toda la humanidad. El arca, que contiene las tablas de la ley, está cubierta con el propiciatorio, ante el cual Cristo ofrece su sangre a favor del pecador. Así se representa la unión de la justicia y de la misericordia en el plan de la redención humana. Sólo la sabiduría infinita podía idear semejante unión, y sólo el poder infinito podía realizarla; es una unión que llena todo el cielo de admiración y adoración. Los querubines del santuario terrenal que miraban reverentemente hacia el propiciatorio, representaban el interés con el cual las huestes celestiales contemplan la obra de redención. Es el misterio de misericordia que los ángeles desean contemplar, a saber: que Dios puede ser justo al mismo tiempo que justifica al pecador arrepentido y reanuda sus relaciones con la raza caída; que Cristo pudo humillarse para sacar a innumerables multitudes del abismo de la perdición y revestirlas con las vestiduras inmaculadas de su propia justicia, a fin de unirlas con ángeles que no cayeron jamás y permitirles vivir para siempre en la presencia de Dios.

La obra mediadora de Cristo en favor del hombre se presenta en esta hermosa profecía de Zacarías relativa a Aquel "cuyo nombre es El Vástago". El profeta dice: "Sí, edificará el Templo de Jehová, y llevará sobre sí la gloria; y se sentará y reinará sobre su trono, siendo Sacerdote sobre su trono; y el *consejo de la paz* estará entre los dos" (Zacarías 6: 12, 13, VM).

"Sí, edificará el Templo de Jehová". Por su sacrificio y su mediación, Cristo es el fundamento y el edificador de la iglesia de Dios. El apóstol Pablo le señala como "la principal piedra del ángulo,... en quien todo el edificio, bien coordinado, va creciendo para ser un templo santo en el Señor; en quien —dice—, vosotros también sois juntamente edificados para morada de Dios en el Espíritu" (Efesios 2: 20-22).

"Y llevará sobre sí la gloria". Es a Cristo a quien pertenece la gloria de la redención de la raza caída. Por toda la eternidad, el canto de los redimidos será: "A Aquel que nos ama, y nos ha lavado de nuestros pecados en su misma sangre,... a él sea la gloria y el dominio por los siglos de los siglos" (Apocalipsis 1: 5, 6, VM).

El ministerio del sumo sacerdote en el lugar santísimo del santuario representa la obra redentora de Cristo.

JOHN STEEL © PPPA

EL TRIUNFO DEL AMOR DE DIOS

"Y se sentará y reinará sobre su trono, siendo Sacerdote sobre su trono". No todavía "sobre el trono de su gloria"; el reino de gloria no le ha sido dado aún. Sólo cuando su obra mediadora haya terminado, "el Señor Dios le dará el trono de David su padre", un reino del que "no tendrá fin" (S. Lucas 1: 32, 33). Como sacerdote, Cristo está sentado ahora con el Padre en su trono (Apocalipsis 3: 21). En el trono, en compañía del Dios eterno que existe por sí mismo, está Aquel que "llevó... nuestras enfermedades, y sufrió nuestros dolores", quien fue "tentado en todo según nuestra semejanza, pero sin pecado", para que pudiese "socorrer a los que son tentados". "Si alguno hubiere pecado, abogado tenemos para con el Padre, a Jesucristo el justo" (Isaías 53: 4; Hebreos 4: 15; 2: 18; 1 S. Juan 2: 1). Su intercesión es la de un cuerpo traspasado y quebrantado y de una vida inmaculada. Las manos heridas, el costado abierto, los pies desgarrados, abogan en favor del hombre caído, cuya redención fue comprada a tan infinito precio.

"Y el consejo de la paz estará entre los dos". El amor del Padre, no menos que el del Hijo, es la fuente de salvación para la raza perdida. Jesús había dicho a sus discípulos antes de irse: "No os digo que yo rogaré al Padre por vosotros, pues el Padre mismo os ama" (S. Juan 16: 26, 27). "Dios estaba en Cristo reconciliando consigo al mundo" (2 Corintios 5: 19). Y en el ministerio del santuario celestial, "el consejo de la paz estará entre los dos". *De tal manera amó* Dios al mundo, que ha dado a su Hijo unigénito, para que todo aquel que en él cree, no se pierda, mas tenga vida eterna" (S. Juan 3: 16).

Las Escrituras contestan con claridad a la pregunta: ¿Qué es el santuario? La palabra "santuario", tal cual la usa la Biblia, se refiere, en primer lugar, al tabernáculo que construyó Moisés, como figura o imagen de las cosas celestiales; y, en segundo lugar, al "verdadero tabernáculo" en el cielo, hacia el cual señalaba el santuario terrenal. Muerto Cristo, terminó el ritual típico. El "verdadero tabernáculo" en el cielo es el santuario del nuevo pacto. Y como la profecía de Daniel 8: 14 se cumple en esta dispensación, el santuario al cual se refiere debe ser el santuario del nuevo pacto. Cuando terminaron los 2.300 días, en 1844, hacía muchos siglos que no había santuario en la tierra. De manera que la profecía: "Hasta dos mil trescientas tardes y mañanas; luego el santuario será purificado", se refiere indudablemente al santuario que está en el cielo.

Pero queda aún la pregunta más importante por contestar: ¿Qué es la purificación del santuario? En el Antiguo Testamento se hace mención de un servicio tal con referencia al santuario terrenal. ¿Pero puede haber algo que purificar en el cielo? En el noveno capítulo de la Epístola a los Hebreos, se menciona claramente la purificación de ambos santuarios, el terrenal y el celestial. "Casi todo es purificado, según la ley, con sangre; y sin derramamiento de sangre no se hace remisión. Fue, pues, necesario que las figuras de las cosas celestiales fuesen purificadas así; pero las cosas celestiales mismas, con mejores sacrificios que estos" (Hebreos 9: 22, 23), a saber, la preciosa sangre de Cristo.

En ambos servicios, el típico y el real, la purificación debe efectuarse con sangre; en aquél con sangre de animales; en éste, con la sangre de Cristo. San Pablo dice que la razón por la cual esta purificación debe hacerse con sangre, es porque sin derramamiento de sangre no hay *remisión*. La remisión, o sea el acto de quitar los pecados, es la obra que debe realizarse. ¿Pero cómo podía relacionarse el pecado con el santuario del cielo o con el de la tierra? Puede saberse esto estudiando el servicio simbólico, pues los sacerdotes que oficiaban en la tierra, ministraban "lo que es figura y sombra de las cosas celestiales" (Hebreos 8: 5).

El servicio del santuario terrenal consistía en dos partes; los sacerdotes ministraban diariamente en el lugar santo, mientras que una vez al año el sumo sacerdote efectuaba un servicio especial de expiación en el lugar santísimo, para purificar el santuario. Día tras día el pecador arrepentido llevaba su ofrenda a la puerta del tabernáculo, y poniendo la mano sobre la cabeza de la víctima, confesaba sus pecados, transfiriéndolos así figurativamente de sí mismo a la víctima inocente. Luego se mataba el animal. "Sin derramamiento de sangre", dice el apóstol, no hay remisión de pecados. "La vida de la carne en la sangre está" (Levítico 17: 11). La ley de Dios quebrantada exigía la vida del transgresor. La sangre, que representaba la vida comprometida del pecador, cuya culpa cargaba la víctima, la llevaba el sacerdote al lugar santo y la salpicaba ante el velo, detrás del cual estaba el arca que contenía la ley que el pecador había transgredido. Mediante esta ceremonia, el pecado era transferido figurativamente, por intermedio de la sangre, al santuario. En ciertos casos, la sangre no era llevada al lugar santo; pero el sacerdote debía entonces comer la carne, como Moisés lo había mandado a los hijos de Aarón, diciendo: "La dio él a vosotros para llevar la iniquidad de la congregación" (Levítico 10: 17). Ambas ceremonias simbolizaban por igual la transferencia del pecado del penitente al santuario.

Tal era la obra que se llevaba a cabo día tras día durante todo el año. Los pecados de Israel eran transferidos así al santuario, y se hacía necesario un servicio especial para eliminarlos. Dios mandó que se hiciera una expiación por cada uno de los departamentos sagrados. "Así purificará el santuario, a causa de las impurezas de los hijos de Israel, de sus rebeliones y de todos sus pecados; de la misma manera hará también al tabernáculo de reunión, el cual reside entre ellos en medio de sus impurezas". Debía hacerse también una expiación por el altar: "Lo limpiará, y lo santificará de las inmundicias de los hijos de Israel" (Levítico 16: 16, 19).

Una vez al año, en el gran día de las expiaciones, el sacerdote entraba en el lugar santísimo para purificar el santuario. El servicio que se realizaba allí completaba la serie anual de los servicios. En el día de las expiaciones se llevaban dos machos cabríos a la entrada del tabernáculo y se echaban suertes sobre ellos, "una suerte por Jehová, y otra suerte por Azazel" (vers. 8). El macho cabrío sobre el cual caía la suerte por Jehová debía ser inmolado como ofrenda por el pecado del pueblo. Y el sacerdote debía llevar detrás del velo la sangre de aquél y rociarla sobre el propiciatorio y delante de él. También había que rociar con ella el altar del incienso, que se encontraba delante del velo.

"Y pondrá Aarón sus dos manos sobre la cabeza del macho cabrío vivo, y confesará sobre él todas las iniquidades de los hijos de Israel, todas sus rebeliones y todos sus pecados, poniéndolos así sobre la cabeza del macho cabrío, y lo enviará al desierto por mano de un hombre destinado para esto. Y aquel macho cabrío llevará sobre sí todas las iniquidades de ellos a tierra inhabitada" (Levítico 16: 21, 22). El macho cabrío emisario no volvía al real de Israel, y el hombre que lo había llevado afuera debía lavarse y lavar sus vestidos con agua antes de volver al campamento.

Toda la ceremonia estaba destinada a inculcar a los israelitas una idea de la santidad de Dios y de su odio al pecado; y además hacerles ver que no podían ponerse en contacto con el pecado sin contaminarse. Se requería de todos que afligiesen sus almas mientras se celebraba el servicio de expiación. Toda ocupación debía dejarse a un lado, y toda la congregación de Israel debía pasar el día en solemne humillación ante Dios, con oración, ayuno y examen profundo del corazón.

El servicio típico enseña importantes verdades respecto a la expiación. Se aceptaba un sustituto en lugar del pecador; pero la sangre de la víctima no borraba el pecado. Sólo proveía un medio para transferirlo al santuario. Con la ofrenda de sangre, el pecador reconocía la autoridad de la ley, confesaba su culpa, y expresaba su deseo de ser perdonado mediante la fe en un Redentor por venir; pero no estaba aún enteramente libre de la condenación de la ley. El día de la expiación, el sumo sacerdote, después de haber tomado una víctima ofrecida por la congregación, iba al lugar santísimo con la sangre de dicha víctima y rociaba con ella el propiciatorio, encima mismo de la ley, para dar satisfacción a sus exigencias. Luego, en calidad de mediador, tomaba los pecados sobre sí y los llevaba fuera del santuario. Poniendo sus manos sobre la cabeza del segundo macho cabrío, confesaba sobre él todos esos pecados, transfiriéndolos así figurativamente de él al macho cabrío emisario. Este los llevaba luego lejos y se los consideraba como si estuviesen para siempre quitados y echados lejos del pueblo.

Tal era el servicio que se efectuaba como "figura y sombra de las cosas celestiales". Y lo que se hacía típicamente en el santuario terrenal, se hace en realidad en el santuario celestial. Después de su ascensión, nuestro Salvador empezó a actuar como nuestro Sumo Sacerdote. San Pablo dice: "No entró

Cristo en el santuario hecho de mano, figura del verdadero, sino en el cielo mismo para presentarse ahora por nosotros ante Dios" (Hebreos 9: 24).

El servicio del sacerdote durante el año en el primer departamento del santuario, "detrás del velo" que formaba la entrada y separaba el lugar santo del atrio exterior, representa la obra y el servicio a que dio principio Cristo al ascender al cielo. La obra del sacerdote en el servicio diario consistía en presentar ante Dios la sangre del holocausto, como también el incienso que subía con las oraciones de Israel. Así es como Cristo ofrece su sangre ante el Padre en beneficio de los pecadores, y así es como presenta ante él, además, junto con el precioso perfume de su propia justicia, las oraciones de los creyentes arrepentidos. Tal era la obra desempeñada en el primer departamento del santuario en el cielo.

Hasta allí siguieron los discípulos a Cristo por la fe cuando se elevó de la presencia de ellos. Allí se concentraba su esperanza, "la cual —dice San Pablo—, tenemos como segura y firme ancla del alma, y que penetra hasta dentro del velo, donde Jesús entró por nosotros como precursor, hecho sumo sacerdote para siempre". "No por sangre de machos cabríos ni de becerros, sino por su propia sangre, entró una vez para siempre en el Lugar Santísimo, habiendo obtenido eterna redención" (Hebreos 6: 19, 20; 9: 12).

Este ministerio siguió efectuándose durante dieciocho siglos en el primer departamento del santuario. La sangre de Cristo, ofrecida en beneficio de los creyentes arrepentidos, les aseguraba perdón y aceptación cerca del Padre, pero no obstante sus pecados permanecían inscritos en los libros de registro. Como en el servicio típico había una obra de expiación al fin del año, así también, antes de que la obra de Cristo para la redención de los hombres se complete, queda por hacer una obra de expiación para quitar el pecado del santuario. Este es el servicio que empezó cuando terminaron los 2.300 días. Entonces, así como lo había anunciado Daniel el profeta, nuestro Sumo Sacerdote entró en el lugar santísimo, para cumplir la última parte de su solemne obra: la purificación del santuario.

Así como en la antigüedad los pecados del pueblo eran puestos por fe sobre la víctima ofrecida, y por la sangre de ésta se transferían figurativamente al santuario terrenal, así también, en el nuevo pacto, los pecados de los que se arrepienten son puestos por fe sobre Cristo, y transferidos, de hecho, al santuario celestial. Y así como la purificación típica de lo terrenal se efectuaba quitando los pecados con los cuales había sido contaminado, así también la purificación real de lo celestial debe efectuarse quitando o borrando los pecados registrados en el cielo. Pero antes de que esto pueda cumplirse deben examinarse los registros para determinar quiénes son los que, por su arrepentimiento del pecado y su fe en Cristo, tienen derecho a los beneficios de la expiación cumplida por él. La purificación del santuario implica por lo tanto una obra de investigación, una obra de juicio. Esta obra debe realizarse antes de que venga Cristo para redimir a su pueblo, pues cuando venga, su galardón está con él, para que pueda otorgar la recompensa a cada uno según haya sido su obra (Apocalipsis 22: 12).

Así que los que andaban en la luz de la palabra profética vieron que en lugar de venir a la tierra al fin de los 2.300 días, en 1844, Cristo entró entonces en el lugar santísimo del santuario celestial para cumplir la obra final de la expiación preparatoria para su venida.

Se vio además que, mientras que el holocausto señalaba a Cristo como sacrificio, y el sumo sacerdote representaba a Cristo como mediador, el macho cabrío simbolizaba a Satanás, autor del pecado, sobre quien serán colocados finalmente los pecados de los verdaderamente arrepentidos. Cuando el sumo sacerdote, en virtud de la sangre del holocausto, quitaba los pecados del santuario, los ponía sobre la cabeza del macho cabrío para Azazel. Cuando Cristo, en virtud de su propia sangre, quite del santuario celestial los pecados de su pueblo al fin de su ministerio, los pondrá sobre Satanás, el cual en la consumación del juicio debe cargar con la pena final. El macho cabrío era enviado lejos a un lugar desierto, para no volver jamás a la congregación de Israel. Así también Satanás será desterrado para siempre de la presencia de Dios y de su pueblo, y será aniquilado en la destrucción final del pecado y de los pecadores.

CAPITULO 25

Cuándo Empieza
el Juicio Divino

EL ASUNTO del santuario fue la clave que aclaró el misterio del desengaño de 1844. Reveló todo un sistema de verdades, que formaban un conjunto armonioso y demostraban que la mano de Dios había dirigido el gran movimiento adventista, y al poner de manifiesto la situación y la obra de su pueblo le indicaba cuál era su deber de allí en adelante. Como los discípulos de Jesús, después de la noche terrible de su angustia y desengaño, "se gozaron viendo al Señor", así también se regocijaron ahora los que habían esperado con fe su segunda venida. Habían esperado que vendría en gloria para recompensar a sus siervos. Como sus esperanzas fuesen chasqueadas, perdieron de vista a Jesús, y como María al lado del sepulcro, exclamaron: "Se han llevado a mi Señor, y no sé dónde le han puesto". Entonces, en el lugar santísimo, contemplaron otra vez a su compasivo Sumo Sacerdote que debía aparecer pronto como su rey y libertador. La luz del santuario iluminaba lo pasado, lo presente y lo porvenir. Supieron que Dios les había guiado por su providencia infalible. Aunque, como los primeros discípulos, ellos mismos no habían comprendido el mensaje que daban, éste había sido correcto en todo sentido. Al proclamarlo habían cumplido los designios de Dios, y su labor no había sido vana en el Señor. Reengendrados "en esperanza viva", se regocijaron "con gozo inefable y glorificado".

Tanto la profecía de Daniel 8: 14: "Hasta dos mil trescientas tardes y mañanas; luego el santuario será purificado", como el mensaje del primer ángel: "Temed a Dios y dadle gloria, porque la hora de su juicio ha llegado" señalaban al ministerio de Cristo en el lugar santísimo, al juicio investigador, y no a la venida de Cristo para la redención de su pueblo y la destrucción de los impíos. El error no estaba en el cómputo de los períodos proféticos, sino en el *aconteci-*

miento que debía verificarse al fin de los 2.300 días. Debido a este error los creyentes habían sufrido un desengaño; sin embargo se había realizado todo lo predicho por la profecía, y todo lo que alguna garantía bíblica permitía esperar. En el momento mismo en que estaban lamentando la defraudación de sus esperanzas, se había realizado el acontecimiento que estaba predicho por el mensaje, y que debía cumplirse antes de que el Señor pudiese aparecer para recompensar a sus siervos.

Cristo había venido, no a la tierra, como ellos lo esperaban, sino, como estaba simbolizado en el símbolo, al lugar santísimo del templo de Dios en el cielo. El profeta Daniel le representa como viniendo en ese tiempo al Anciano de días: "Miraba yo en la visión de la noche, y he aquí con las nubes del cielo venía uno como un hijo de hombre, que vino" —no a la tierra, sino— "hasta el Anciano de días, y le hicieron acercarse delante de él" (Daniel 7: 13).

Esta venida está predicha también por el profeta Malaquías: "Vendrá súbitamente a su templo el Señor a quien vosotros buscáis, y el ángel del pacto, a quien deseáis vosotros. He aquí viene, ha dicho Jehová de los ejércitos" (Malaquías 3: 1). La venida del Señor a su templo fue repentina, de modo inesperado, para su pueblo. Este no le esperaba *allí*. Esperaba que vendría a la tierra, "en llama de fuego, para dar retribución a los que no conocieron a Dios, ni obedecen al Evangelio" (2 Tesalonicenses 1: 8).

Pero el pueblo no estaba aún preparado para ir al encuentro de su Señor. Todavía le quedaba una obra de preparación que cumplir. Debía serle comunicada una luz que dirigiría su espíritu hacia el templo de Dios en el cielo; y mientras siguiera allí por fe a su Sumo Sacerdote en el desempeño de su ministerio se le revelarían nuevos deberes. Había de darse a la iglesia otro mensaje de aviso e instrucción.

El profeta dice: "¿Y quién podrá soportar el tiempo de su venida? ¿o quién podrá estar en pie cuando él se manifieste? Porque él es como fuego purificador, y como jabón de lavadores. Y se sentará para afinar y limpiar la plata; porque limpiará a los hijos de Leví, los afinará como a oro y como a plata, y traerán a Jehová ofrenda en justicia" (Malaquías 3: 2, 3). Los que vivan en la tierra cuando cese la intercesión de Cristo en el santuario celestial deberán estar en pie en la presencia del Dios santo sin mediador. Sus vestiduras deberán estar sin mácula; sus caracteres, purificados de todo pecado por la sangre de la aspersión. Por la gracia de Dios y sus propios y diligentes esfuerzos deberán ser vencedores en la lucha con el mal. Mientras se prosigue el juicio investigador en el cielo, mientras que los pecados de los creyentes arrepentidos son quitados del santuario debe llevarse a cabo una obra especial de purificación, de liberación del pecado, entre el pueblo de Dios en la tierra. Esta obra está presentada con mayor claridad en los mensajes del capítulo 14 del Apocalipsis.

Cuando esta obra haya quedado consumada, los discípulos de Cristo

En su ministerio intercesor en el
santuario celestial (Hebreos 9: 11, 24),
Cristo intercede ante Dios por los pecadores.

JOHN STEEL © PPPA

estarán listos para su venida. "Y será grata a Jehová la ofrenda de Judá y de Jerusalén, como en los días pasados, y como en los años antiguos" (Malaquías 3: 4). Entonces la iglesia que nuestro Señor recibirá para sí será una "iglesia gloriosa", no teniendo "mancha, ni arruga ni cosa semejante" (Efesios 5: 27). Entonces ella aparecerá "como el alba; hermosa como la luna, esclarecida como el sol, imponente como ejércitos en orden" (Cantares 6: 10).

Además de la venida del Señor a su templo, Malaquías predice también su segundo advenimiento, su venida para la ejecución del juicio, en estas palabras: "Y vendré a vosotros para juicio; y seré pronto testigo contra los hechiceros y adúlteros, contra los que juran mentira, y los que defraudan en su salario al jornalero, a la viuda y al huérfano, y los que hacen injusticia al extranjero, no teniendo temor de mí, dice Jehová de los ejércitos" (Malaquías 3: 5). San Judas se refiere a la misma escena cuando dice: "¡He aquí que viene el Señor, con las huestes innumerables de sus santos ángeles, para ejecutar juicio sobre todos, y para convencer a todos los impíos de todas las obras impías que han obrado impíamente!" (S. Judas 14, 15, VM). Esta venida y la del Señor a su templo son acontecimientos distintos que han de realizarse por separado.

La venida de Cristo como nuestro Sumo Sacerdote al lugar santísimo para la purificación del santuario, de la que se habla en Daniel 8: 14; la venida del Hijo del hombre al lugar donde está el Anciano de días, tal como está presentada en Daniel 7: 13; y la venida del Señor a su templo, predicha por Malaquías, son descripciones del mismo acontecimiento representado también por la venida del Esposo a las bodas, descrita por Cristo en la parábola de las diez vírgenes, según San Mateo 25.

En el verano y otoño de 1844 fue hecha esta proclamación: "¡He aquí que viene el Esposo!" Se conocieron entonces las dos clases de personas representadas por las vírgenes prudentes y fatuas: la una que esperaba con regocijo la aparición del Señor y se había estado preparando diligentemente para ir a su encuentro; la otra que, presa del temor y obrando por impulso, se había dado por satisfecha con una teoría de la verdad, pero estaba destituida de la gracia de Dios. En la parábola, cuando vino el Esposo, "las que estaban preparadas entraron con él a las bodas". La venida del Esposo, presentada aquí, se verifica antes de la boda. La boda representa el acto de ser investido Cristo de la dignidad de Rey. La ciudad santa, la nueva Jerusalén, que es la capital del reino y lo representa, se llama "la desposada, la esposa del Cordero". El ángel dijo a San Juan: "Ven acá, yo te mostraré la desposada, la esposa del Cordero". "Me llevó en el Espíritu", agrega el profeta, "y me mostró la gran ciudad santa de Jerusalén, que descendía del cielo, de Dios" (Apocalipsis 21: 9, 10). Salta pues a la vista que la Esposa representa la ciudad santa, y las vírgenes que van al encuentro del Esposo representan a la iglesia. En el Apocalipsis, el pueblo de Dios lo constituyen los invitados a la cena de las bodas (Apocalipsis 19: 9). Si son los *invitados*, no pueden representar también a la *esposa*. Cristo, según el profeta Daniel, recibirá del Anciano de días en el cielo "el dominio, y la gloria, y el reino", recibirá la nueva Jerusalén, la capital de su reino, "preparada como una novia engalanada para su esposo" (Daniel 7: 14; Apocalipsis 21: 2, VM). Después de recibir el reino, vendrá en su gloria, como Rey de reyes y Señor de señores, para redimir a los suyos, que "se sentarán con Abrahán e Isaac y Jacob", en su reino (S. Mateo 8: 11; S. Lucas 22: 30), para participar de la cena de las bodas del Cordero.

La proclamación: "¡He aquí que viene el Esposo!" en el verano de 1844, indujo a miles de personas a esperar el advenimiento inmediato del Señor. En el tiempo señalado, vino el Esposo, no a la tierra, como el pueblo lo esperaba, sino hasta donde estaba el Anciano de días en el cielo, a las bodas; es decir, a recibir su reino. "Las que estaban preparadas entraron con él a las bodas; y fue cerrada la puerta". No iban a asistir en persona a las bodas, ya que éstas se verifican en el cielo mientras que ellas están en la tierra. Los discípulos de Cristo han de esperar "a que su Señor regrese de las bodas" (S. Lucas 12: 36). Pero deben comprender su obra, y seguirle por fe mientras entra en la presencia de Dios. En este sentido es en el que se dice que ellos van con él a las bodas.

Según la parábola, fueron las que tenían aceite en sus vasos con sus lámparas quienes entraron a las bodas. Los que, junto con el conocimiento de la verdad de las Escrituras, tenían el Espíritu y la gracia de Dios, y que en la noche de su amarga prueba habían esperado con paciencia, escudriñando la Biblia en busca de más luz —fueron los que reconocieron la verdad referente al santuario en el cielo y al cambio de ministerio del Salvador, y por fe le siguieron en su obra en el santuario celestial. Y todos los que por el testimonio de las Escrituras aceptan las mismas verdades, siguiendo por fe a Cristo mientras se presenta ante Dios para efectuar la última obra de mediación y para recibir su reino a la conclusión de ésta —todos ésos están representados como si entraran en las bodas.

En la parábola del capítulo 22 de San Mateo, se emplea la misma figura de las bodas y se ve a las claras que el juicio investigador se realiza antes de las bodas. Antes de verificarse éstas entra el Rey para ver a los huéspedes, y cerciorarse de que todos llevan las vestiduras de boda, el manto inmaculado del carácter, lavado y emblanquecido de la sangre del Cordero (S. Mateo 22: 11; Apocalipsis 7: 14). Al que se le encuentra sin traje conveniente, se le expulsa, pero todos los que al ser examinados resultan tener las vestiduras de bodas, son aceptados por Dios y juzgados dignos de participar en su reino y de sentarse en su trono. Esta tarea de examinar los caracteres y de determinar quiénes están preparados para el reino de Dios es la del juicio investigador, la obra final que se lleva a cabo en el santuario celestial.

Cuando haya terminado este examen, cuando se haya fallado respecto de los que en todos los siglos han profesado ser discípulos de Cristo, entonces y no antes habrá terminado el tiempo de gracia, y será cerrada la puerta de misericordia. Así que las palabras: "Las que estaban preparadas entraron con él a las bodas, y fue cerrada la puerta", nos conducen a través del ministerio final del Salvador, hasta el momento en que quedará terminada la gran obra de la salvación del hombre.

En el servicio del santuario terrenal que, como ya lo vimos, es una figura del servicio que se efectúa en el santuario celestial, cuando el sumo sacerdote entraba el día de la expiación en el lugar santísimo, terminaba el servicio del primer departamento. Dios mandó: "Ningún hombre estará en el tabernáculo de reunión cuando él entre a hacer la expiación en el santuario, hasta que él salga" (Levítico 16: 17). Así que cuando Cristo entró en el lugar santísimo para consumar la obra final de la expiación, cesó su ministerio en el primer departamento. Pero cuando terminó el servicio que se realizaba en el primer departamento, se inició el ministerio en el segundo departamento. Cuando en el servicio típico el sumo sacerdote salía del lugar santo el día de la expiación, se presentaba ante Dios, para ofrecer la sangre de la víctima ofrecida por el pecado de todos los israelitas que se arrepentían verdaderamente. Así también Cristo sólo había terminado una parte de su obra como intercesor nuestro para empezar otra, y sigue aún ofreciendo su sangre ante el Padre en favor de los pecadores.

Este asunto no lo entendieron los adventistas de 1844. Después que transcurriera la fecha en que se esperaba al Salvador, siguieron creyendo que su venida estaba cercana; sostenían que habían llegado a una crisis importante y que había cesado la obra de Cristo como intercesor del hombre ante Dios. Les parecía que la Biblia enseñaba que el tiempo de gracia concedido al hombre terminaría poco antes de la venida misma del Señor en las nubes del cielo. Eso parecía desprenderse de los pasajes bíblicos que indican un tiempo en que los hombres buscarán, golpearán y llamarán a la puerta de la misericordia, sin que ésta se abra. Y se preguntaban si la fecha en que habían estado esperando la venida de Cristo no señalaba más bien el comienzo de ese período que debía preceder inmediatamente a su venida. Habiendo proclamado la proximidad del juicio, consideraban que habían terminado su labor para el mundo, y no sentían más la obligación de trabajar por la salvación de los pecadores, en tanto que las mofas atrevidas y blasfemas de los impíos les parecían una evidencia adicional de que el Espíritu de Dios se había retirado de los que rechazaran su misericordia. Todo esto les confirmaba en la creencia de que el tiempo de gracia había terminado, o, como decían ellos entonces, que "la puerta de la misericordia estaba cerrada".

Pero una luz más viva surgió del estudio de la cuestión del santuario. Vieron entonces que tenían razón al creer que el fin de los 2.300 días, en 1844, había marcado una crisis importante. Pero si bien era cierto que se había cerrado la puerta de esperanza y de gracia por la cual los hombres habían encontrado durante mil ochocientos años acceso a Dios, otra puerta se les abría, y el perdón de los pecados era ofrecido a los hombres por la intercesión de Cristo en el lugar santísimo. Una parte de su obra había terminado tan sólo para dar lugar a otra. Había aún una "puerta abierta" para entrar en el santuario celestial donde Cristo oficiaba en favor del pecador.

Entonces comprendieron la aplicación de las palabras que Cristo dirigió en el Apocalipsis a la iglesia correspondiente al tiempo en que ellos mismos vivían: "Esto dice el Santo, el Verdadero, el que tiene la llave de David, el que abre y ninguno cierra, y cierra y ninguno abre: Yo conozco tus obras; he aquí, he puesto delante de ti una puerta abierta, la cual nadie puede cerrar" (Apocalipsis 3: 7, 8).

Son los que por fe siguen a Jesús en su gran obra de expiación, quienes reciben los beneficios de su mediación por ellos, mientras que a los que rechazan la luz que pone a la vista este ministerio, no les beneficia. Los judíos que rechazaron la luz concedida en el tiempo del primer advenimiento de Cristo, y se negaron a creer en él como Salvador del mundo, no podían ser perdonados por intermedio de él. Cuando en la ascensión Jesús entró por su propia sangre en el santuario celestial para derramar sobre sus discípulos las bendiciones de su mediación, los judíos fueron dejados en oscuridad completa y siguieron con sus sacrificios y ofrendas inútiles. Había cesado el ministerio de símbolos y sombras. La puerta por la cual los hombres habían encontrado antes acceso cerca de Dios, no estaba más abierta. Los judíos se habían negado a buscarle de la sola manera en que podía ser encontrado entonces, por el sacerdocio en el santuario del cielo. No encontraban por consiguiente comunión con Dios. La puerta estaba cerrada para ellos. No conocían a Cristo como verdadero sacrificio y único mediador ante Dios; de ahí que no pudiesen recibir los beneficios de su mediación.

La condición de los judíos incrédulos ilustra el estado de los indiferentes e incrédulos entre los profesos cristianos, que desconocen voluntariamente la obra de nuestro misericordioso Sumo Sacerdote. En el servicio típico, cuando el

sumo sacerdote entraba en el lugar santísimo, todos los hijos de Israel debían reunirse cerca del santuario y humillar sus almas del modo más solemne ante Dios, a fin de recibir el perdón de sus pecados y no ser separados de la congregación. ¡Cuánto más esencial es que en nuestros días, que corresponden al antiguo día de la expiación, comprendamos la obra de nuestro Sumo Sacerdote, y sepamos qué deberes nos incumben!

Los hombres no pueden rechazar impunemente los avisos que Dios les envía en su misericordia. Un mensaje fue enviado del cielo al mundo en tiempo de Noé, y la salvación de los hombres dependía de la manera en que aceptaran ese mensaje. Por el hecho de que ella había rechazado la amonestación, el Espíritu de Dios se retiró de la raza pecadora que pereció en las aguas del diluvio. En tiempo de Abrahán la misericordia dejó de alegar con los culpables vecinos de Sodoma, y todos, excepto Lot con su mujer y dos hijas, fueron consumidos por el fuego que descendió del cielo. Otro tanto sucedió en días de Cristo. El Hijo de Dios declaró a los judíos incrédulos de aquella generación: "He aquí vuestra casa os es dejada desierta" (S. Mateo 23: 38). Considerando los últimos días, el mismo Poder Infinito declara respecto de los que "no recibieron el amor de la verdad para ser salvos. Por esto Dios les envía un poder engañoso, para que crean la mentira, a fin de que sean condenados todos los que no creyeron a la verdad, sino que se complacieron en la injusticia" (2 Tesalonicenses 2: 10-12). A medida que se rechazan las enseñanzas de su Palabra, Dios retira su Espíritu y deja a los hombres en brazos del engaño que tanto les gusta.

Pero Cristo intercede aún por el hombre, y se otorgará luz a los que la buscan. Aunque esto no lo comprendieron al principio los adventistas, les resultó claro después, a medida que los pasajes bíblicos que definen la verdadera posición de ellos empezaron a hacerse inteligibles.

Cuando pasó la fecha fijada para 1844, hubo un tiempo de gran prueba para los que conservaban aún la fe adventista. Su único alivio en lo concerniente a determinar su verdadera situación, fue la luz que dirigió su espíritu hacia el santuario celestial. Algunos dejaron de creer en la manera en que habían calculado antes los períodos proféticos, y atribuyeron a factores humanos o satánicos la poderosa influencia del Espíritu Santo que había acompañado al movimiento adventista. Otros creyeron firmemente que el Señor los había conducido en su vida pasada; y mientras esperaban, velaban y oraban para conocer la voluntad de Dios, llegaron a comprender que su gran Sumo Sacerdote había empezado a desempeñar otro ministerio y, siguiéndole con fe, fueron inducidos a ver además la obra final de la iglesia. Obtuvieron un conocimiento más claro de los mensajes de los primeros ángeles, y quedaron preparados para recibir y dar al mundo la solemne amonestación del tercer ángel de Apocalipsis 14.

CAPITULO 26

El Futuro de los Estados Unidos

"Y EL templo de Dios fue abierto en el cielo, y el arca de su pacto se veía en el templo" (Apocalipsis 11: 19). El arca del pacto de Dios está en el lugar santísimo, en el segundo departamento del santuario. En el servicio del tabernáculo terrenal, que servía de "figura y sombra de las cosas celestiales", este departamento sólo se abría en el gran día de las expiaciones para la purificación del santuario. Por consiguiente, la proclamación de que el templo de Dios fue abierto en el cielo y fue vista el arca de su pacto, indica que el lugar santísimo del santuario celestial fue abierto en 1844, cuando Cristo entró en él para consumar la obra final de la expiación. Los que por fe siguieron a su gran Sumo Sacerdote cuando dio principio a su ministerio en el lugar santísimo, contemplaron el arca de su pacto. Habiendo estudiado el asunto del santuario, llegaron a entender el cambio que se había realizado en el ministerio del Salvador, y vieron que éste estaba entonces oficiando como intercesor ante el arca de Dios, y ofrecía su sangre en favor de los pecadores.

El arca que estaba en el tabernáculo terrenal contenía las dos tablas de piedra, en que estaban inscritos los preceptos de la ley de Dios. El arca era un mero receptáculo de las tablas de la ley, y era esta ley divina la que le daba su valor y su carácter sagrado a aquélla. Cuando fue abierto el templo de Dios en el cielo, se vio el arca de su pacto. En el lugar santísimo, en el santuario celestial, es donde se encuentra inviolablemente encerrada la ley divina —la ley promulgada por el mismo Dios entre los truenos del Sinaí y escrita con su propio dedo en las tablas de piedra.

La ley de Dios que se encuentra en el santuario celestial es el gran original del que los preceptos grabados en las tablas de piedra y consignados por Moisés en el Pentateuco eran copia exacta. Los que llegaron a comprender este punto importante fueron inducidos a reconocer el carácter sagrado e invariable de la ley divina. Comprendieron mejor que nunca la fuerza de las palabras del Salvador: "Hasta que pasen el cielo y la tierra, ni una jota ni una tilde pasará de la ley" (S. Mateo 5: 18). Como la ley de Dios es una revelación de su voluntad, un trasunto de su carácter, debe permanecer para siempre "como testigo fiel en el cielo". Ni un mandamiento ha sido anulado; ni un punto ni una tilde han sido cambiados. Dice el salmista: "Para siempre, oh Jehová, permanece tu palabra en los cielos". "Fieles son todos sus mandamientos, afirmados eternamente y para siempre" (Salmos 119: 89; 111: 7, 8).

En el corazón mismo del Decálogo se encuentra el cuarto mandamiento, tal cual fue proclamado originalmente: "Acordarte has del día del Sábado, para santificarlo. Seis días trabajarás, harás toda tu obra; mas el séptimo día será Sábado a Jehová tu Dios: no hagas obra ninguna, tú, ni tu hijo, ni tu hija; ni tu siervo, ni tu criada; ni tu bestia, ni tu extranjero, que está dentro de tus puertas: porque en seis días hizo Jehová los cielos y la tierra, la mar y todas las cosas que en ellos hay; y en el día séptimo reposó: por tanto Jehová bendijo el día del Sábado, y lo santificó" (Exodo 20: 8-11, versión Valera de la S.B.A.).

El Espíritu de Dios obró en los corazones de esos cristianos que estudiaban su Palabra, y quedaron convencidos de que, sin saberlo, habían transgredido este precepto al despreciar el día de descanso del Creador. Empezaron a examinar las razones por las cuales se guardaba el primer día de la semana en lugar del día que Dios había santificado. No pudieron encontrar en las Sagradas Escrituras prueba alguna de que el cuarto mandamiento hubiese sido abolido o de que el día de reposo hubiese cambiado; la bendición que desde un principio santificaba el séptimo día no había sido nunca revocada. Habían procurado honradamente conocer y hacer la voluntad de Dios; al reconocerse entonces transgresores de la ley divina, sus corazones se llenaron de pena, y manifestaron su lealtad hacia Dios guardando su santo Sábado.

Se hizo cuanto se pudo por conmover su fe. Nadie podía dejar de ver que si el santuario terrenal era una figura o modelo del celestial, la ley depositada en el arca en la tierra era exacto trasunto de la ley encerrada en el arca del cielo; y que aceptar la verdad relativa al santuario celestial envolvía el reconocimiento de las exigencias de la ley de Dios y la obligación de guardar el sábado del cuarto mandamiento. En esto estribaba el secreto de la oposición violenta y resuelta que se le hizo a la exposición armoniosa de las Escrituras que revelaban el servicio desempeñado por Cristo en el santuario celestial. Los hombres trataron de cerrar la puerta que Dios había abierto y de abrir la que él había cerrado. Pero "el que abre y ninguno cierra, y cierra y ninguno abre", había declarado: "He aquí, he puesto delante de ti una puerta abierta, la cual nadie puede cerrar" (Apocalipsis 3: 7, 8). Cristo había abierto la puerta, o ministerio, del lugar santísimo, la luz brillaba desde la puerta abierta del santuario celestial, y se vio que el cuarto mandamiento estaba incluido en la ley allí encerrada; lo que Dios había establecido, nadie podía derribarlo.

Los que habían aceptado la luz referente a la mediación de Cristo y a la perpetuidad de la ley de Dios, encontraron que éstas eran las verdades presentadas en el capítulo 14 del Apocalipsis. Los mensajes de este capítulo constituyen una triple amonestación (véase el Apéndice), que debe servir para preparar a los habitantes de la tierra para la segunda venida del Señor. La declaración: "La hora de su juicio ha llegado", indica la obra final de la actuación de Cristo para la salvación de los hombres. Proclama una verdad que debe seguir siendo proclamada hasta el fin de la intercesión del Salvador y su regreso a la tierra para llevar a su pueblo consigo. La obra del juicio que empezó en 1844 debe proseguirse hasta que sean falladas las causas de todos los hombres, tanto de los vivos como de los muertos; de aquí que deba extenderse hasta el fin del tiempo de gracia concedido a la humanidad. Y para que los hombres estén debidamente preparados para subsistir en el juicio, el mensaje les manda: "Temed a Dios y dadle gloria", "y adorad a aquel que hizo el cielo y la tierra, el mar y las fuentes de las aguas". El resultado de la aceptación de estos mensajes está indicado en las palabras: "Aquí está la paciencia de los santos, los que guardan los mandamientos de Dios y la fe de Jesús". Para subsistir ante el juicio tiene el hombre que guardar la ley de Dios. Esta ley será la piedra de toque en el juicio. El apóstol Pablo declara: "Todos los que bajo la ley han pecado, por la ley serán juzgados;... en el día en que Dios juzgará por Jesucristo los secretos de los hombres". Y dice que "los hacedores de la ley serán justificados" (Romanos 2: 12-16). La fe es esencial para guardar la ley de Dios; pues "sin fe es imposible agradarle". Y "todo lo que no proviene de fe, es pecado" (Hebreos 11: 6, VM; Romanos 14: 23).

El primer ángel exhorta a los hombres a que teman al Señor y le den honra y a que le adoren como Creador del cielo y de la tierra. Para poder hacerlo, deben obedecer su ley. El sabio dice: "Teme a Dios, y guarda sus mandamientos; porque esto es la suma del deber humano" (Eclesiastés 12: 13, VM). Sin obediencia a sus mandamientos, ninguna adoración puede agradar a Dios. "Este es el amor a Dios, que guardemos sus mandamientos". "El que aparta su oído para no oír la ley, su oración también es abominable" (1 S. Juan 5: 3; Proverbios 28: 9).

El deber de adorar a Dios estriba en la circunstancia de que él es el Creador, y que a él es a quien todos los demás seres deben su existencia. Y cada vez que la Biblia presenta el derecho de Jehová a nuestra reverencia y adoración con preferencia a los dioses de los paganos, menciona las pruebas de su poder creador. "Todos los dioses de los pueblos son ídolos; pero Jehová hizo los cielos" (Salmo 96: 5). "¿A quién pues me compararéis, para que yo sea como él? dice el Santo. ¡Levantad hacia arriba vuestros ojos, y ved! ¿Quién creó aquellos cuerpos celestes?" "Así dice Jehová, Creador de los cielos (él solo es Dios), el que formó la tierra y la hizo…: ¡Yo soy Jehová, y no hay otro Dios" (Isaías 40: 25, 26; 45: 18, VM). Dice el salmista: "Reconoced que Jehová es Dios; él nos hizo, y no nosotros a nosotros mismos". "Venid, adoremos y postrémonos; arrodillémonos delante de Jehová nuestro Hacedor" (Salmos 100: 3; 95: 6). Y los santos que adoran a Dios en el cielo dan como razón del homenaje que le deben: "Señor, digno eres de recibir la gloria y la honra y el poder; porque tú creaste todas las cosas" (Apocalipsis 4: 11).

En el capítulo 14 del Apocalipsis se exhorta a los hombres a que adoren al Creador, y la profecía expone a la vista una clase de personas que, como resultado del triple mensaje, guardan los mandamientos de Dios. Uno de estos mandamientos señala directamente a Dios como Creador. El cuarto precepto declara: "El día séptimo es día de descanso para Yahveh (Jehová) tu Dios… Pues en seis días hizo Yahveh el cielo y la tierra, el mar y todo cuanto contienen, y el séptimo descansó; por eso bendijo Yahveh el día del sábado y lo hizo sagrado" (Exodo 20: 10, 11, versión católica de Jerusalén). Respecto al sábado, el Señor dice además, que es una señal… para que sepáis que yo soy Jehová vuestro Dios" (Ezequiel 20: 20). Y la razón aducida es: "Porque en seis días hizo Jehová los cielos y la tierra, y en el séptimo día cesó y reposó" (Exodo 31: 17).

"La importancia del sábado, como institución conmemorativa de la creación, consiste en que recuerda siempre la verdadera razón por la cual se debe adorar a Dios —porque él es el Creador, y nosotros somos sus criaturas—. Por consiguiente, el sábado forma parte del fundamento mismo del culto divino, pues enseña esta gran verdad del modo más contundente, como no lo hace ninguna otra institución. El verdadero motivo del culto divino, no tan sólo del que se tributa en el séptimo día, sino de toda adoración, reside en la distinción existente entre el Creador y sus criaturas. Este hecho capital no perderá nunca su importancia ni jamás debe caer en el olvido" (J. N. Andrews, *History of the Sabbath*, cap. 27). Por eso, para que esta verdad no se borrara nunca de la mente de los hombres, Dios instituyó el sábado en el Edén y mientras el ser él nuestro Creador siga siendo motivo para que le adoremos, el sábado seguirá siendo señal conmemorativa de ello. Si el sábado se hubiese observado universalmente, los pensamientos e inclinaciones de los hombres se habrían dirigido hacia el Creador como objeto de reverencia y adoración, y nunca habría habido un idólatra, un ateo, o un incrédulo. La observancia del sábado es señal de lealtad al verdadero Dios, "que hizo el cielo y la tierra, y el mar y las fuentes de agua". Resulta pues que el mensaje que manda a los hombres adorar a Dios y guardar sus mandamientos, los ha de invitar especialmente a observar el cuarto mandamiento.

En contraposición con los que guardan los mandamientos de Dios y tienen la fe de Jesús, el tercer ángel señala otra clase de seres humanos contra cuyos errores va dirigido solemne y terrible aviso: "Si alguno adora a la bestia y a su imagen, y recibe la marca en su frente o en su mano, él también beberá del vino de la ira de Dios" (Apocalipsis 14: 9, 10). Para comprender este mensaje hay que interpretar correctamente sus símbolos. ¿Qué representan la bestia, la imagen, la marca?

La ilación profética en la que se encuentran estos símbolos empieza en el capítulo 12 del Apocalipsis, con el dragón que trató de destruir a Cristo cuando nació. En dicho capítulo vemos que el dragón es Satanás (Apocalipsis 12: 9); fue él quien indujo a Herodes a procurar la muerte del Salvador. Pero el agente principal de Satanás al guerrear contra Cristo y su pueblo durante los primeros siglos de la era cristiana, fue el Imperio Romano, en el cual prevalecía la religión pagana. Así que si bien el dragón representa primero a Satanás, en sentido derivado es un símbolo de la Roma pagana.

En el capítulo 13 (versículos 1-10), se describe otra bestia, "semejante a un leopardo", a la cual el dragón dio "su poder y su trono, y grande autoridad". Este símbolo, como lo han creído la mayoría de los protestantes, representa al papado, el cual heredó el poder y la autoridad del antiguo Imperio Romano. Se dice de la bestia parecida a un leopardo: "También se le dio boca que hablaba grandes cosas y blasfemias... Y abrió su boca en blasfemias contra Dios, para blasfemar de su nombre, de su tabernáculo, y de los que moran en el cielo. Y se le permitió hacer guerra contra los santos, y vencerlos. También se le dio autoridad sobre toda tribu, pueblo, lengua y nación". Esta profecía, que es casi la misma que la del cuerno pequeño en Daniel 7, se refiere sin duda al papado.

"Se le dio autoridad para actuar cuarenta y dos meses". Y dice el profeta: "Vi una de sus cabezas como herida de muerte". Y además: "Si alguno lleva en cautividad, va en cautividad; si alguno mata a espada, a espada debe ser muerto". Los cuarenta y dos meses son lo mismo que "un tiempo, y dos tiempos, y la mitad de un tiempo", tres años y medio, o 1.260 días [años] de Daniel 7, el tiempo durante el cual el poder papal debía oprimir al pueblo de Dios. Este período, como fue indicado en capítulos anteriores, empezó con la supremacía del papado, en el año 538 DC, y terminó en 1798. Entonces, el papa fue hecho prisionero por el ejército francés, el poder papal recibió su golpe mortal y quedó cumplida la predicción: "Si alguno lleva en cautividad, en cautividad irá".

Y aquí se presenta otro símbolo. El profeta dice: "Vi otra bestia que subía de la tierra; y tenía dos cuernos semejantes a los de un cordero" (Apocalipsis 13: 11). Tanto el aspecto de esta bestia como el modo en que sube indican que la nación que representa difiere de las representadas en los símbolos anteriores. Los grandes reinos que han gobernado al mundo le fueron presentados al profeta Daniel en forma de fieras, que surgían mientras "los cuatro vientos del cielo combatían en el gran mar" (Daniel 7: 2). En Apocalipsis 17, un ángel explicó que las aguas representan "pueblos, muchedumbres, naciones y lenguas" (Apocalipsis 17: 15). Los vientos simbolizan luchas. Los cuatro vientos

EL TRIUNFO DEL AMOR DE DIOS

del cielo que combatían en el gran mar representan los terribles dramas de conquista y revolución por los cuales los reinos alcanzaron el poder.

Pero la bestia con cuernos semejantes a los de un cordero "subía de la tierra". En lugar de derribar a otras potencias para establecerse, la nación así representada debe subir en territorio hasta entonces desocupado, y crecer gradual y pacíficamente. No podía, pues, subir entre las naciones populosas y belicosas del viejo mundo, ese mar turbulento de "pueblos, muchedumbres, naciones y lenguas". Hay que buscarla en el continente occidental.

¿Cuál era en 1798 la nación del nuevo mundo cuyo poder estuviera entonces desarrollándose, de modo que se anunciara como nación fuerte y grande, capaz de llamar la atención del mundo? La aplicación del símbolo no admite duda alguna. Una nación, y sólo una, responde a los datos y rasgos característicos de esta profecía; no hay duda de que se trata aquí de los Estados Unidos de Norteamérica. Una y otra vez el pensamiento y los términos del autor sagrado han sido empleados inconscientemente por los oradores e historiadores al describir el nacimiento y crecimiento de esta nación. El profeta vio que la bestia "subía de la tierra"; y, según los traductores, la palabra dada aquí por "subía" significa literalmente "crecía o brotaba como una planta". Y, como ya lo vimos, la nación debe nacer en territorio hasta entonces desocupado. Un escritor notable, al describir el desarrollo de los Estados Unidos, habla del *"misterio de su desarrollo de la nada"*, y dice: "Como *silenciosa semilla* crecimos hasta llegar a ser un imperio" (G. A. Townsend, *The New Compared with the Old*, pág. 462). Un periódico europeo habló en 1850 de los Estados Unidos como de un imperio maravilloso, que surgía y que *"en el silencio de la tierra* crecía constantemente en poder y gloria" *(Dublin Nation)*. Eduardo Everett, en un discurso acerca de los peregrinos, fundadores de esta nación, dijo: "¿Buscaron un lugar retirado que por su oscuridad resultara inofensivo y seguro en su aislamiento, donde la pequeña iglesia de Leyden pudiese tener libertad de conciencia? ¡He aquí las *inmensas regiones* sobre las cuales, en *pacífica conquista...,* han plantado los estandartes de la cruz!" (Discurso pronunciado en Plymouth, Massachusetts, el 22 de diciembre de 1824).

"Y tenía dos cuernos semejantes a los de un cordero". Los cuernos semejantes a los de un cordero representan juventud, inocencia y mansedumbre, rasgos del carácter de los Estados Unidos cuando el profeta vio que esa nación "subía" en 1798. Entre los primeros expatriados cristianos que huyeron a América en busca de asilo contra la opresión real y la intolerancia sacerdotal, hubo muchos que resolvieron establecer un gobierno sobre el amplio fundamento de la libertad civil y religiosa. Sus convicciones hallaron cabida en la declaración de la independencia que hace resaltar la gran verdad de que "todos los hombres son creados iguales", y poseen derechos inalienables a la "vida, a la libertad y a la búsqueda de la felicidad". Y la Constitución garantiza al pueblo el

392

Muchos de los que huían de las tiranías para poder adorar a Dios con toda libertad, encontraron refugio en las hospitalarias tierras de los Estados Unidos de Norteamérica.

JOHN STEEL © PPPA

derecho de gobernarse a sí mismo, y establece que los representantes elegidos por el voto popular promulguen las leyes y las hagan cumplir. Además, fue otorgada la libertad religiosa, y a cada cual se le permitió adorar a Dios según los dictados de su conciencia. El republicanismo y el protestantismo vinieron a ser los principios fundamentales de la nación. Estos principios son el secreto de su poder y de su prosperidad. Los oprimidos y pisoteados de toda la cristiandad se han dirigido a este país con afán y esperanza. Millones han fondeado en sus playas, y los Estados Unidos han llegado a ocupar un puesto entre las naciones más poderosas de la tierra.

Pero la bestia que tenía cuernos como un cordero "hablaba como dragón. Y ejerce toda la autoridad de la primera bestia en presencia de ella. Y hace que la tierra y los moradores de ella adoren a la primera bestia, cuya herida mortal fue sanada... Mandando a los moradores de la tierra que le hagan imagen a la bestia que tiene la herida de espada y vivió" (Apocalipsis 13: 11-14).

Los cuernos como de cordero y la voz de dragón del símbolo indican una extraña contradicción entre lo que profesa ser y lo que practica la nación así representada. El "hablar" de la nación son los actos de sus autoridades legislativas y judiciales. Por esos actos la nación desmentirá los principios liberales y pacíficos que expresó como fundamento de su política. La predicción de que hablará "como dragón" y ejercerá "toda la autoridad de la primera bestia", anuncia claramente el desarrollo del espíritu de intolerancia y persecución de que tantas pruebas dieran las naciones representadas por el dragón y la bestia semejante al leopardo. Y la declaración de que la bestia con dos cuernos "hace que la tierra y los que en ella habitan, adoren a la bestia primera", indica que la autoridad de esta nación será empleada para imponer alguna observancia en homenaje al papado.

Semejante actitud sería abiertamente contraria a los principios de este gobierno, al genio de sus instituciones libres, a los claros y solemnes reconocimientos contenidos en la declaración de la independencia, y contrarios finalmente a la Constitución. Los fundadores de la nación procuraron con acierto que la iglesia no pudiera hacer uso del poder civil, con los consabidos e inevitables resultados: la intolerancia y la persecución. La Constitución garantiza que "el Congreso no legislará con respecto al establecimiento de una religión ni prohibirá el libre ejercicio de ella", y que "ninguna manifestación religiosa será jamás requerida como condición de aptitud para ninguna función o cargo público en los Estados Unidos". Sólo en flagrante violación de estas garantías de la libertad de la nación, es como se puede imponer por la autoridad civil la observancia de cualquier deber religioso. Pero la inconsecuencia de tal procedimiento no es mayor que lo representado por el símbolo. Es la bestia con cuernos semejantes a los de un cordero —que profesa ser pura, mansa, inofensiva— y que habla como un dragón.

"Diciendo a los que habitan sobre la tierra, que *hagan* una imagen de la bestia". Aquí tenemos presentada a las claras una forma de gobierno en el cual el poder legislativo descansa en el pueblo, y ello prueba que los Estados Unidos de Norteamérica constituyen la nación señalada por la profecía.

¿Pero qué es la "imagen de la bestia"? ¿Y cómo se la formará? La imagen es hecha por la bestia de dos cuernos y es una imagen de la primera bestia. Así que para saber a qué se asemeja la imagen y cómo será formada, debemos estudiar los rasgos característicos de la bestia misma: el papado.

Cuando la iglesia primitiva se corrompió al apartarse de la sencillez del Evangelio y al aceptar costumbres y ritos paganos, perdió el Espíritu y el poder de Dios; y para dominar las conciencias buscó el apoyo del poder civil. El resultado fue el papado, es decir, una iglesia que dominaba el poder del Estado y se servía de él para promover sus propios fines y especialmente para extirpar la "herejía". Para que los Estados Unidos formen una imagen de la bestia, el poder religioso debe dominar de tal manera al gobierno civil que la autoridad del Estado sea empleada también por la iglesia para cumplir sus fines.

Siempre que la iglesia alcanzó el poder civil, lo empleó para castigar a los que no admitían todas sus doctrinas. Las iglesias protestantes que siguieron las huellas de Roma al aliarse con los poderes mundanos, manifestaron el mismo deseo de restringir la libertad de conciencia. Ejemplo de esto lo tenemos en la larga persecución de los disidentes por la iglesia de Inglaterra. Durante los siglos XVI y XVII miles de ministros no conformistas fueron obligados a abandonar sus iglesias, y a muchos pastores y feligreses se les impusieron multas, encarcelamientos, torturas y el martirio.

Fue la apostasía lo que indujo a la iglesia primitiva a buscar la ayuda del gobierno civil, y esto preparó el camino para el desarrollo del papado, simbolizado por la bestia. San Pablo lo predijo al anunciar que vendría "la apostasía" y se manifestaría "el hombre de pecado" (2 Tesalonicenses 2: 3). De modo que la apostasía en la iglesia preparará el camino para la imagen de la bestia.

La Biblia declara que antes de la venida del Señor habrá un estado de decadencia religiosa análoga a la de los primeros siglos. "En los postreros días vendrán tiempos peligrosos. Porque habrá hombres *amadores de sí mismos*, avaros, vanagloriosos, soberbios, blasfemos, desobedientes a los padres, ingratos, impíos, sin afecto natural, implacables, calumniadores, intemperantes, crueles, aborrecedores de lo bueno, traidores, impetuosos, infatuados, *amadores de los deleites más que de Dios, que tendrán apariencia de piedad, pero negarán la eficacia de ella*" (2 Timoteo 3: 1-5). "Pero el Espíritu dice claramente que en los postreros tiempos algunos apostatarán de la fe, escuchando a espíritus engañadores y a doctrinas de demonios" (1 Timoteo 4: 1). Satanás obrará con "gran poder y señales y prodigios mentirosos, y con todo engaño de iniquidad". Y todos los que "no recibieron el amor de la verdad para ser salvos", serán dejados para que acepten "un poder engañoso, para que crean a la mentira" (2 Tesalonicenses 2: 9-11). Cuando se haya llegado a este estado de impiedad, se verán los mismos resultados que en los primeros siglos.

Muchos consideran la gran diversidad de creencias en las iglesias protestantes como prueba terminante de que nunca se procurará asegurar una uniformidad forzada. Pero desde hace años se viene notando entre las iglesias protestantes un poderoso y creciente sentimiento en favor de una unión basada en puntos comunes de doctrina. Para asegurar tal unión, debe necesariamente evitarse toda discusión de asuntos en los cuales no todos están de acuerdo, por importantes que sean desde el punto de vista bíblico.

Carlos Beecher, en un sermón predicado en 1846, declaró que el pastorado de "las denominaciones evangélicas protestantes no está formado sólo bajo la terrible presión del mero temor humano, sino que vive, y se mueve y respira en una atmósfera radicalmente corrompida y que apela a cada instante al elemento más bajo de su naturaleza para tapar la verdad y doblar la rodilla ante el poder de la apostasía. ¿No pasó así con la iglesia romana? ¿No estamos reviviendo su vida? ¿Y qué es lo que vemos por delante? ¡Otro concilio general! ¡Una convención mundial! ¡Alianza evangélica y credo universal!" (Sermón, "The Bible a Sufficient Creed", pronunciado en Fort Wayne, Indiana, el 22 de febrero de 1846). Cuando se haya logrado esto, en el esfuerzo para asegurar completa uniformidad, sólo faltará un paso para apelar a la fuerza.

Cuando las iglesias principales de los Estados Unidos, uniéndose en puntos comunes de doctrina, influyan sobre el Estado para que imponga los decretos y las instituciones de ellas, entonces la América protestante habrá formado una imagen de la jerarquía romana, y la inflicción de penas civiles contra los disidentes vendrá de por sí sola.

La bestia de dos cuernos "hacía [ordenaba] que a todos, pequeños y grandes, ricos y pobres, libres y esclavos, se les pusiese una marca en la mano derecha, o en la frente; y que ninguno pudiese comprar ni vender, sino el que tuviese la marca o el nombre de la bestia, o el número de su nombre" (Apocalipsis 13: 16, 17). La amonestación del tercer ángel es: "Si alguno adora a la bestia y a su imagen, y recibe la marca en su frente o en su mano, él también beberá del vino de la ira de Dios". "La bestia" mencionada en este mensaje, cuya adoración es impuesta por la bestia de dos cuernos, es la primera bestia, o sea la bestia semejante a un leopardo, de Apocalipsis 13, el papado. La "imagen de la bestia" representa la forma de protestantismo apóstata que se desarrollará cuando las iglesias protestantes busquen la ayuda del poder civil para la imposición de sus dogmas. Queda aún por definir lo que es "la marca de la bestia".

Después de amonestar contra la adoración de la bestia y de su imagen, la profecía dice: "Aquí está la paciencia de los santos, los que guardan los mandamientos de Dios y la fe de Jesús". En vista de que los que guardan los mandamientos de Dios están puestos así en contraste con los que adoran la bestia y su imagen y reciben su marca, se deduce que la observancia de la ley de Dios, por una parte, y su violación, por la otra, establecen la distinción entre los que adoran a Dios y los que adoran a la bestia.

El rasgo más característico de la bestia, y por consiguiente de su imagen, es la violación de los mandamientos de Dios. Daniel dice del cuerno pequeño, o sea del papado: "Pensará en cambiar los tiempos y la ley" (Daniel 7: 25). Y San Pablo llama al mismo poder el "hombre de pecado", que había de ensalzarse sobre Dios. Una profecía es complemento de la otra. Sólo adulterando la ley de Dios podía el papado elevarse sobre Dios; y quienquiera que guardase a sabiendas la ley así adulterada daría honor supremo al poder que introdujo el cambio. Tal acto de obediencia a las leyes papales sería señal de sumisión al papa en lugar de sumisión a Dios.

El papado intentó alterar la ley de Dios. El segundo mandamiento, que prohíbe el culto de las imágenes, ha sido borrado de la ley, y el cuarto mandamiento ha sido adulterado de manera que autorice la observancia del primer día en lugar del séptimo como día de reposo. Pero los papistas aducen para justificar la supresión del segundo mandamiento, que éste es la ley tal cual Dios tenía propuesto que fuese entendida. Este no puede ser el cambio predicho por el profeta. Se trata de un cambio intencional y deliberado: "Pensará en cambiar los tiempos y la ley". El cambio introducido en el cuarto mandamiento cumple exactamente la profecía. La única autoridad que se invoca para dicho cambio es la de la iglesia. Aquí el poder papal se ensalza abiertamente sobre Dios.

Mientras los que adoran a Dios se distinguirán especialmente por su respeto al cuarto mandamiento —ya que éste es el signo de su poder creador y el

testimonio de su derecho al respeto y homenaje de los hombres—, los adoradores de la bestia se distinguirán por sus esfuerzos para derribar el monumento recordativo del Creador y ensalzar lo instituido por Roma. Las primeras pretensiones arrogantes del papado fueron hechas en favor del domingo (véase el Apéndice); y la primera vez que recurrió al poder del Estado fue para imponer la observancia del domingo como "día del Señor". Pero la Biblia señala el séptimo día, y no el primero, como día del Señor. Cristo dijo: "El Hijo del hombre es Señor aun del sábado". El cuarto mandamiento declara que: "El día séptimo es día de descanso [margen, sábado], consagrado a Jehová". Y por boca del profeta Isaías el Señor lo llama: "Mi día santo" (S. Marcos 2: 28; Exodo 20: 10; Isaías 58: 13, VM).

El aserto, tantas veces repetido, de que Cristo cambió el día de reposo, está refutado por sus propias palabras. En su sermón sobre el monte, dijo: "No penséis que he venido para abrogar la ley o los profetas; no he venido para abrogar, sino para cumplir. Porque de cierto os digo que hasta que pasen el cielo y la tierra, ni una jota ni una tilde pasará de la ley, hasta que todo se haya cumplido. De manera que cualquiera que quebrante uno de estos mandamientos muy pequeños, y así enseñe a los hombres, muy pequeño será llamado en el reino de los cielos; mas cualquiera que los haga y los enseñe, éste será llamado grande en el reino de los cielos" (S. Mateo 5: 17-19).

Es un hecho generalmente admitido por los protestantes, que las Sagradas Escrituras no autorizan en ninguna parte el cambio del día de reposo. Esto se confirma en publicaciones de la Sociedad Americana de Tratados y la Unión Americana de Escuelas Dominicales. Una de estas obras reconoce "que el Nuevo Testamento no dice absolutamente nada en cuanto a un mandamiento explícito en favor del día de reposo, o a reglas definidas relativas a su observancia" (Jorge Elliott, *The Abiding Sabbath*, pág. 184).

Otra dice: "Hasta la época de la muerte de Cristo, ningún cambio se había hecho en cuanto al día"; y, "por lo que se desprende del relato bíblico, los apóstoles no dieron... mandamiento explícito alguno que ordenara el abandono del séptimo día, sábado, como día de reposo, ni que se lo observara en el primer día de la semana" (A. E. Waffle, *The Lord's Day*, págs. 186-188).

Los católicos romanos reconocen que el cambio del día de descanso fue hecho por su iglesia, y declaran que al observar el domingo los protestantes reconocen la autoridad de ella. En el *Catecismo Católico de la Religión Cristiana*, al contestar una pregunta relativa al día que se debe guardar en obediencia al cuarto mandamiento, se hace esta declaración: "Bajo la ley antigua, el sábado era el día santificado; pero *la iglesia*, instruida por Jesucristo y dirigida por el Espíritu de Dios, sustituyó el sábado por el domingo; de manera que ahora santificamos el primer día y no el séptimo. Domingo significa día del Señor, y es lo que ha venido a ser".

Como signo de la autoridad de la Iglesia Católica, los escritores católicos citan "el acto mismo de cambiar el sábado al domingo, cambio en que los protestantes consienten... porque al guardar estrictamente el domingo, ellos reconocen el poder de la iglesia para ordenar fiestas y para imponerlas so pena de incurrir en pecado" (H. Tuberville, *An Abridgment of the Christian Doctrine*, pág. 58). ¿Qué es, pues, el cambio del día de descanso, sino el signo o marca de la autoridad de la iglesia romana, "la marca de la bestia"?

La iglesia romana no ha renunciado a sus pretensiones a la supremacía; y cuando el mundo y las iglesias protestantes aceptan un día de descanso creado por ella, mientras rechazan el día de descanso de la Biblia, acatan en la práctica las tales pretensiones. Pueden apelar a la autoridad de la tradición y de los padres para apoyar el cambio; pero al hacerlo pasan por alto el principio mismo que los separa de Roma, es a saber, que "la Biblia, y la Biblia sola es la religión de los protestantes". Los papistas pueden ver que los protestantes se están engañando a sí mismos, al cerrar voluntariamente los ojos ante los hechos del caso. A medida que gana terreno el movimiento en pro de la observancia obligatoria del domingo, ellos se alegran en la seguridad de que ha de concluir por poner a todo el mundo protestante bajo el estandarte de Roma.

Los romanistas declaran que "la observancia del domingo por los protestantes es un homenaje que rinden, mal de su grado, a la autoridad de la iglesia [católica]" (Mons. de Segur, *Plain Talk About the Protestantism of Today*, page 213). La obligatoriedad de la observancia del domingo por parte de las iglesias protestantes es una imposición de que se adore al papado, o sea la bestia. Los que, comprendiendo las exigencias del cuarto mandamiento, prefieren observar el falso día de reposo en lugar del verdadero, rinden homenaje a aquel poder, el único que ordenó su observancia. Pero por el mismo hecho de imponer un deber religioso con ayuda del poder secular, las mismas iglesias estarían elevando una imagen a la bestia; de aquí que la imposición de la observancia del domingo en los Estados Unidos equivaldría a imponer la adoración de la bestia y de su imagen.

Pero los cristianos de las generaciones pasadas observaron el domingo creyendo guardar así el día de descanso bíblico; y ahora hay verdaderos cristianos en todas las iglesias, sin exceptuar la católica romana, que creen honradamente que el domingo es el día de reposo divinamente instituido. Dios acepta su sinceridad de propósito y su integridad. Pero cuando la observancia del domingo sea impuesta por la ley, y el mundo sea ilustrado respecto a la obligación del verdadero día de descanso, entonces el que transgrediere el mandamiento de Dios para obedecer un precepto que no tiene mayor autoridad que la de Roma, honrará con ello al papado por encima de Dios. Rendirá homenaje a Roma y al poder que impone la institución establecida por Roma. Adorará la bestia y a su imagen. Cuando los hombres rechacen entonces la institución que Dios declaró ser el signo de su autoridad, y honren en su lugar lo que Roma escogió como signo de su supremacía, ellos aceptarán de hecho el signo de la sumisión a Roma, "la marca de la bestia". Y sólo cuando la cuestión haya sido expuesta así a las claras ante los hombres, y ellos hayan sido llamados a escoger entre los mandamientos de Dios y los mandamientos de los hombres, será cuando los que perseveren en la transgresión recibirán "la marca de la bestia".

La más terrible amenaza que haya sido jamás dirigida a los mortales se encuentra contenida en el mensaje del tercer ángel. Debe ser un pecado horrendo el que atrae la ira de Dios sin mezcla de misericordia. Los hombres no deben ser dejados en la ignorancia tocante a esta importante cuestión; la amonestación contra este pecado debe ser dada al mundo antes que los juicios de Dios caigan sobre él, para que todos sepan por qué deben consumarse, y para que tengan oportunidad para librarse de ellos. La profecía declara que el primer ángel hará su proclamación "a toda nación, tribu, lengua y pueblo". El aviso del tercer ángel, que forma parte de ese triple mensaje, no tendrá menos alcance. La profecía dice de él que será proclamado en alta voz por un ángel que vuela por medio del cielo; y llamará la atención del mundo.

Al final de la lucha, toda la cristiandad quedará dividida en dos grandes categorías: la de los que guardan los mandamientos de Dios y la fe de Jesús, y la de los que adoran la bestia y su imagen y reciben su marca. Si bien la iglesia y el Estado se unirán para obligar a "todos, pequeños y grandes, ricos y pobres, libres y esclavos", a que tengan "la marca de la bestia" (Apocalipsis 13: 16), el pueblo de Dios no la tendrá. El profeta de Patmos vio "los que habían alcanzado la victoria sobre la bestia y su imagen, y su marca y el número de su nombre, en pie sobre el mar de vidrio, con las arpas de Dios", y cantaban el cántico de Moisés y del Cordero (Apocalipsis 15: 2, 3).

CAPITULO 27

Se Restaura la Verdad

LA OBRA de reforma tocante al sábado como día santificado de descanso que debía cumplirse en los últimos días, está predicha en la profecía de Isaías 56: "Así dijo Jehová: Guardad derecho, y haced justicia; porque cercana está mi salvación para venir, y mi justicia para manifestarse. Bienaventurado el hombre que hace esto, y el hijo de hombre que lo abraza; que guarda el día de reposo para no profanarlo, y que guarda su mano de hacer todo mal". "A los hijos de los extranjeros que sigan a Jehová para servirle, y que amen el nombre de Jehová para ser sus siervos; a todos los que guarden el día de reposo para no profanarlo, y abracen mi pacto, yo los llevaré a mi santo monte, y los recrearé en mi casa de oración" (Isaías 56: 1, 2, 6, 7).

Estas palabras se aplican a la dispensación cristiana, como se ve por el contexto: "Dice Jehová el Señor, el que recoge los dispersos de Israel. Juntaré a él otros todavía, además de los suyos que están ya recogidos" (Isaías 56: 8, VM). Aquí está anunciada de antemano la reunión de los gentiles por medio del Evangelio. Y una bendición se promete a aquellos que honren entonces el sábado. Así que la obligación del cuarto mandamiento se extiende más acá de la crucifixión, de la resurrección y ascensión de Cristo, hasta cuando sus siervos debían predicar a todas las naciones el mensaje de las buenas nuevas.

El Señor manda por el mismo profeta: "Ata el testimonio, sella la ley entre mis discípulos" (Isaías 8: 16). El sello de la ley de Dios se encuentra en el cuarto mandamiento. Este es el único de los diez mandamientos que contiene tanto el nombre como el título del Legislador. Declara que es el Creador del cielo y de la tierra, y revela así el derecho que tiene para ser reverenciado y adorado sobre todos los demás. Aparte de este precepto, no hay nada en el Decálogo que muestre qué autoridad fue la que promulgó la ley. Cuando el día de reposo fue

401

cambiado por el poder del papa, se le quitó el sello a la ley. Los discípulos de Jesús están llamados a restablecerlo elevando el sábado del cuarto mandamiento a su lugar legítimo como institución conmemorativa del Creador y signo de su autoridad.

La Ley de Dios o Decálogo

*Según la Versión Católica de las Sagradas Escrituras
llamada Biblia de Jerusalén*

I
No habrá para ti otros dioses delante de mí.

II
No te harás escultura ni imagen alguna ni de lo que hay arriba en los cielos, ni de lo que hay abajo en la tierra, ni de lo que hay en las aguas debajo de la tierra. No te postrarás ante ellas ni les darás culto, porque yo Yahveh, tu Dios, soy un Dios celoso, que castigo la iniquidad de los padres en los hijos hasta la tercera y cuarta generación de los que me odian, y tengo misericordia por millares con los que me aman y guardan mis mandamientos.

III
No tomarás en falso el nombre de Yahveh, tu Dios; porque Yahveh no dejará sin castigo a quien toma su nombre en falso.

IV
Recuerda el día del sábado para santificarlo. Seis días trabajarás y harás todos tus trabajos, pero el día séptimo es día de descanso para Yahveh, tu Dios. No harás ningún trabajo, ni tú, ni tu hijo, ni tu hija, ni tu siervo, ni tu sierva, ni tu ganado, ni el forastero que habita en tu ciudad. Pues en seis días hizo Yahveh el cielo y la tierra, el mar y todo cuanto contienen, y el séptimo descansó; por eso bendijo Yahveh el día del sábado y lo hizo sagrado.

V
Honra a tu padre y a tu madre, para que se prolonguen tus días sobre la tierra que Yahveh, tu Dios, te va a dar.

VI
No matarás.

VII
No cometerás adulterio.

VIII

No robarás.

IX

No darás testimonio falso contra tu prójimo.

X

No codiciarás la casa de tu prójimo, ni codiciarás la mujer de tu prójimo, ni su siervo, ni su sierva, ni su buey, ni su asno, ni nada que sea de tu prójimo.

La Ley de Dios o Decálogo

Según el "Catecismo de la Doctrina Cristiana"
(edición oficial)

I

Amar a Dios sobre todas las cosas.

II

No tomar su santo nombre en vano.

III

Santificar las fiestas.

IV

Honrar padre y madre.

V

No matar.

VI

No fornicar.

VII

No hurtar.

VIII

No levantar falso testimonio ni mentir.

IX

No desear la mujer de tu prójimo.

X

No codiciar los bienes ajenos.

"¡A la ley y al testimonio!" Aunque abundan las doctrinas y teorías contradictorias, la ley de Dios es la regla infalible por la cual debe probarse toda opinión, doctrina y teoría. El profeta dice: "Si no dijeren conforme a esto es porque no les ha amanecido" (Isaías 8: 20).

También se da la orden: "Clama a voz en cuello, no te detengas; alza tu voz como trompeta, y anuncia a mi pueblo su rebelión, y a la casa de Jacob su pecado". Los que deben ser reconvenidos a causa de sus transgresiones no son los que constituyen el mundo impío, sino aquellos a quienes el Señor designa como "mi pueblo". Dios dice además: "Me buscan cada día, y quieren saber mis caminos, como gente que hubiese hecho justicia, y que no hubiese dejado la ley de su Dios" (Isaías 58: 1, 2). Aquí se nos presenta a una clase de personas que se creen justas y parecen manifestar gran interés en el servicio de Dios; pero la severa y solemne censura del Escudriñador de corazones prueba que están pisoteando los preceptos divinos.

El profeta indica como sigue la ordenanza que ha sido olvidada: "Los cimientos de generación y generación levantarás: y serás llamado reparador de portillos, restaurador de calzadas para habitar. Si retrajeres del sábado tu pie, de hacer tu voluntad en mi día santo, y al sábado llamares delicia, santo, glorioso de Jehová; y lo veneres, no haciendo tus caminos, ni buscando tu voluntad, ni hablando tus palabras, entonces te deleitarás en Jehová" (vers. 12-14, VM). Esta profecía se aplica también a nuestro tiempo. La brecha fue hecha en la ley de Dios cuando el sábado fue cambiado por el poder romano. Pero ha llegado el tiempo en que esa institución divina debe ser restaurada. La brecha debe ser reparada, y levantados los cimientos de muchas generaciones.

Santificado por el reposo y la bendición del Creador, el sábado fue guardado por Adán en su inocencia en el santo Edén; por Adán, caído pero arrepentido, después que fuera arrojado de su feliz morada. Fue guardado por todos los patriarcas, desde Abel hasta el justo Noé, hasta Abrahán y Jacob. Cuando el pueblo escogido estaba en la esclavitud de Egipto, muchos, en medio de la idolatría imperante, perdieron el conocimiento de la ley de Dios, pero cuando el Señor libró a Israel, proclamó su ley con terrible majestad a la multitud reunida para que todos conociesen su voluntad y le temiesen y obedeciesen para siempre.

Desde aquel día hasta hoy, el conocimiento de la ley de Dios se ha conservado en la tierra, y se ha guardado el sábado del cuarto mandamiento. A pesar de que el "hombre de pecado" logró pisotear el día santo de Dios hubo, aun en la época de su supremacía, almas fieles escondidas en lugares secretos, que

supieron honrarlo. Desde la Reforma, hubo en cada generación algunas almas que mantuvieron viva su observancia. Aunque fue a menudo en medio de oprobios y persecuciones, nunca se dejó de rendir testimonio al carácter perpetuo de la ley de Dios y a la obligación sagrada del sábado de la creación.

Estas verdades, tal cual están presentadas en Apocalipsis 14, en relación con el "Evangelio eterno", serán lo que distinga a la iglesia de Cristo cuando él aparezca. Pues, como resultado del triple mensaje, se dice: "Aquí están los que guardan los mandamientos de Dios, y la fe de Jesús". Y éste es el último mensaje que se ha de dar antes que venga el Señor. Inmediatamente después de su proclamación, el profeta vio al Hijo del hombre venir en gloria para segar la mies de la tierra.

Los que recibieron la luz relativa al santuario y a la inmutabilidad de la ley de Dios, se llenaron de alegría y admiración al ver la belleza y armonía del conjunto de verdad que fue revelado a sus inteligencias. Deseaban que esa luz que tan preciosa les resultaba fuese comunicada a todos los cristianos, y no podían menos que creer que la aceptarían con alborozo. Pero las verdades que no podían sino ponerlos en desavenencia con el mundo no fueron bienvenidas para muchos que profesaban ser discípulos de Cristo. La obediencia al cuarto mandamiento exigía un sacrificio ante el cual la mayoría retrocedía.

Cuando se presentaban las exigencias del sábado, muchos argüían desde el punto de vista mundano, diciendo: "Siempre hemos guardado el domingo, nuestros padres lo guardaron, y muchos hombres buenos y piadosos han muerto felices observándolo. Si ellos tuvieron razón, nosotros también la tenemos. La observancia de este nuevo día de reposo nos haría discrepar con el mundo, y no tendríamos influencia sobre él. ¿Qué puede esperar hacer un pequeño grupo de observadores del séptimo día contra todo el mundo que guarda el domingo? Con argumentos semejantes procurarían los judíos justificar la manera en que rechazaron a Cristo. Sus padres habían agradado a Dios presentándole ofrendas y sacrificios, ¿por qué no alcanzarían los hijos salvación siguiendo el mismo camino? Así también, en días de Lutero, los papistas decían que cristianos verdaderos habían muerto en la fe católica, y que por consiguiente esa religión bastaba para salvarse. Este modo de argumentar iba a resultar en verdadero obstáculo para todo progreso en la fe y en la práctica de la religión.

Muchos insistían en que la observancia del domingo había sido una doctrina establecida y una costumbre muy general de la iglesia durante muchos siglos. Contra este argumento se adujo el de que el sábado y su observancia eran más antiguos y se habían generalizado más; que eran tan antiguos como el mismo mundo, y que llevaban la sanción de los ángeles y de Dios. Cuando fueron puestos los fundamentos de la tierra, cuando los astros de la mañana alababan a una, y se regocijaban todos los hijos de Dios, entonces fue puesto el fundamento del sábado (Job 38: 6, 7; Génesis 2: 1-3). Bien puede esta institución exigir nuestra reverencia: no fue ordenada por ninguna autoridad humana, ni descansa sobre ninguna tradición humana; fue establecida por el Anciano de días y ordenada por su Palabra eterna.

Cuando se llamó la atención de la gente a la reforma tocante al sábado, sus ministros torcieron la Palabra de Dios, interpretándola del modo que mejor tranquilizara los espíritus inquisitivos. Y los que no escudriñaban las Escrituras por sí mismos se contentaron con aceptar las conclusiones que estaban en conformidad con sus deseos. Mediante argumentos y sofismas, con las tradiciones de los padres y la autoridad de la iglesia, muchos trataron de echar abajo la verdad. Pero los defensores de ella recurrieron a la Biblia para defender la validez del cuarto mandamiento. Humildes cristianos, armados con sólo la Palabra de verdad, resistieron los ataques de hombres de saber, que, con sorpresa e ira, tuvieron que convencerse de la ineficacia de sus elocuentes sofismas ante los argumentos sencillos y contundentes de hombres versados en las Sagradas Escrituras más bien que en las sutilezas de las escuelas.

A falta de testimonio bíblico favorable, muchos, olvidando que el mismo modo de argumentar había sido empleado contra Cristo y sus apóstoles, decían con porfiado empeño: "¿Por qué nuestros prohombres no entienden esta cuestión del sábado? Pocos creen como vosotros. Es imposible que tengáis razón, y que todos los sabios del mundo estén equivocados".

Para refutar semejantes argumentos bastaba con citar las enseñanzas de las Santas Escrituras y la historia de las dispensaciones del Señor para con su pueblo en todas las edades. Dios obra por medio de los que oyen su voz y la obedecen, de aquellos que en caso necesario dirán verdades amargas, por medio de aquellos que no temen censurar los pecados de moda. La razón por la cual él no escoge más a menudo a hombres de saber y encumbrados para dirigir los movimientos de reforma, es porque confían en sus credos, teorías y sistemas teológicos, y no sienten la necesidad de ser enseñados por Dios. Sólo aquellos que están en unión personal con la Fuente de la sabiduría son capaces de comprender o explicar las Escrituras. Los hombres poco versados en conocimientos escolásticos son llamados a veces a declarar la verdad, no porque son ignorantes, sino porque no son demasiado pagados de sí mismos para dejarse enseñar por Dios. Ellos aprenden en la escuela de Cristo, y su humildad y obediencia los hace grandes. Al concederles el conocimiento de su verdad, Dios les confiere un honor en comparación con el cual los honores terrenales y la grandeza humana son insignificantes.

La mayoría de los que habían esperado el advenimiento de Cristo rechazaron las verdades relativas al santuario y a la ley de Dios, y muchos renunciaron además a la fe en el movimiento adventista para adoptar pareceres erróneos y contradictorios acerca de las profecías que se aplicaban a ese movimiento. Muchos incurrieron en el error de fijar por repetidas veces una fecha precisa para la venida de Cristo. La luz que brillaba entonces respecto del asunto del santuario les habría enseñado que ningún período profético se extiende hasta el segundo advenimiento; que el tiempo exacto de este acontecimiento no está predicho. Pero, habiéndose apartado de la luz, se empeñaron en fijar fecha tras fecha para la venida del Señor, y cada vez fueron chasqueados.

Cuando la iglesia de Tesalónica adoptó falsas creencias respecto a la venida de Cristo, el apóstol Pablo aconsejó a los cristianos de dicha iglesia que examinaran cuidadosamente sus esperanzas y sus deseos por la Palabra de Dios. Les citó profecías que revelaban los acontecimientos que debían realizarse antes de que Cristo viniese, y les hizo ver que no tenían razón alguna para esperarle en su propio tiempo. "Nadie os engañe en ninguna manera" (2 Tesalonicenses 2: 3), fueron sus palabras de amonestación. Si se entregaban a esperanzas no sancionadas por las Sagradas Escrituras, se verían inducidos a seguir una conducta errónea; el chasco los expondría a la mofa de los incrédulos, correrían peligro de ceder al desaliento, y estarían tentados a poner en duda las verdades esenciales para su salvación. La amonestación del apóstol a los tesalonicenses encierra una importante lección para los que viven en los últimos días. Muchos de los que esperaban la venida de Cristo pensaban que no podían ser celosos y diligentes en la obra de preparación, a menos que cimentaran su fe en una fecha definida para esa venida del Señor. Pero como sus esperanzas no fueron estimuladas una y otra vez sino para ser defraudadas, su fe recibió tales golpes que llegó a ser casi imposible que las grandes verdades de la profecía hiciesen impresión en ellos.

La mención de una fecha precisa para el juicio, en la proclamación del primer mensaje, fue ordenada por Dios. La computación de los períodos proféticos en que se basa ese mensaje, que colocan el término de los 2.300 días en el otoño de 1844, puede subsistir sin inconveniente. Los repetidos esfuerzos hechos con el objeto de encontrar nuevas fechas para el principio y fin de los períodos proféticos, y los argumentos para sostener este modo de ver, no sólo alejan de la verdad presente, sino que desacreditan todos los esfuerzos para explicar las profecías. Cuanto más a menudo se fije fecha para el segundo advenimiento, y cuanto mayor sea la difusión recibida por una enseñanza tal, tanto mejor responde a los propósitos de Satanás. Una vez transcurrida la fecha, él cubre de ridículo y desprecio a quienes la anunciaron y echa oprobio contra el gran movimiento adventista de 1843 y 1844. Los que persisten en este error llegarán al fin a fijar una fecha demasiado remota para la venida de Cristo. Ello los arrullará en una falsa seguridad, y muchos sólo se desengañarán cuando sea tarde.

La historia del antiguo Israel es un ejemplo patente de lo que experimentaron los adventistas. Dios dirigió a su pueblo en el movimiento adventista, así como sacó a los israelitas de Egipto. Cuando ocurrió el gran desengaño, su fe fue probada como lo fue la de los hebreos cerca del mar Rojo. Si hubiesen seguido confiando en la mano que los había guiado y que había estado con ellos hasta entonces, habrían visto la salvación de Dios. Si todos los que habían trabajado unidos en la obra de 1844 hubiesen recibido el mensaje del tercer ángel, y lo hubiesen proclamado en el poder del Espíritu Santo, el Señor habría actuado poderosamente por los esfuerzos de ellos. Raudales de luz habrían sido derramados sobre el mundo. Años haría que los habitantes de la tierra habrían sido avisados, la obra final se habría consumado, y Cristo habría venido para redimir a su pueblo.

No era voluntad de Dios que Israel peregrinase durante cuarenta años en el desierto; lo que él quería era conducirlo a la tierra de Canaán y establecerlo allí como pueblo santo y feliz. Pero "no pudieron entrar a causa de incredulidad" (Hebreos 3: 19). Perecieron en el desierto a causa de su apostasía, y otros fueron suscitados para entrar en la tierra prometida. Asimismo, no era la voluntad de Dios que la venida de Cristo se dilatara tanto, y que su pueblo permaneciese por tantos años en este mundo de pecado e infortunio. Pero la incredulidad lo separó de Dios. Como se negara a hacer la obra que le había señalado, otros fueron los llamados para proclamar el mensaje. Por misericordia para con el mundo, Jesús difiere su venida para que los pecadores tengan oportunidad de oír el aviso y de encontrar amparo en él antes que se desate la ira de Dios.

Hogaño como antaño, la predicación de una verdad que reprueba los pecados y los errores del tiempo, despertará oposición. "Porque todo aquel que hace lo malo, aborrece la luz, y no viene a la luz, para que sus obras no sean reprendidas" (S. Juan 3: 20). Cuando los hombres ven que no pueden sostener su actitud por las Sagradas Escrituras, muchos resuelven sostenerla a todo trance, y con espíritu malévolo atacan el carácter y los motivos de los que defienden las verdades que no son populares. Es la misma política que se siguió en todas las edades. Elías fue acusado de turbar a Israel, Jeremías lo fue de traidor, y San Pablo de profanador del templo. Desde entonces hasta ahora, los que quisieron ser leales a la verdad fueron denunciados como sediciosos, herejes o cismáticos. Multitudes que son demasiado descreídas para aceptar la palabra segura de la profecía, aceptarán con ilimitada credulidad la acusación dirigida contra los que se atreven a reprobar los pecados de moda. Esta tendencia irá desarrollándose más y más. Y la Biblia enseña a las claras que se va acercando el tiempo en que las leyes del Estado estarán en tal contradicción con la ley de Dios, que quien quiera obedecer a todos los preceptos divinos tendrá que arrostrar censuras y castigos como un malhechor.

En vista de esto, ¿cuál es el deber del mensajero de la verdad? ¿Llegará tal vez a la conclusión de que no se debe predicar la verdad, puesto que a menudo no produce otro efecto que el de empujar a los hombres a burlar o resistir sus exigencias? No; el hecho de que el testimonio de la Palabra de Dios despierte oposición no le da motivo para callarlo, como no se lo dio a los reformadores anteriores. La confesión de fe que hicieron los santos y los mártires fue registrada para beneficio de las generaciones venideras. Los ejemplos vivos de santidad y de perseverante integridad llegaron hasta nosotros para inspirar valor a los que son llamados ahora a actuar como testigos de Dios. Recibieron gracia y verdad, no para sí solos, sino para que, por intermedio de ellos, el conocimiento de Dios iluminase la tierra. ¿Ha dado Dios luz a sus siervos en esta generación? En tal caso deben dejarla brillar para el mundo.

Antiguamente el Señor declaró a uno que hablaba en su nombre: "Mas la casa de Israel no te querrá oír, porque no me quiere oír a mí". Sin embargo, dijo: "Les hablarás, pues, mis palabras, escuchen o dejen de escuchar" (Ezequiel 3: 7; 2: 7). Al siervo de Dios en nuestros días se dirige la orden: "Alza tu voz como trompeta, y anuncia a mi pueblo su rebelión, y a la casa de Jacob su pecado".

En la medida de sus oportunidades, pesa sobre todo aquel que recibió la verdad la misma solemne y terrible responsabilidad que pesara sobre el profeta a quien el Señor dijo: "Hijo de hombre, te he puesto por atalaya a la casa de Israel, y oirás la palabra de mi boca, y los amonestarás de mi parte. Cuando yo dijere al impío: Impío, de cierto morirás; si tú no hablares para que se guarde el impío de su camino, el impío morirá por su pecado, pero su sangre la demandaré de tu mano. Y si tú avisares al impío de su camino para que se aparte de él, y él no se apartare de su camino, él morirá por su pecado, pero tú libraste tu vida" (Ezequiel 33: 7-9).

El gran obstáculo que se opone a la aceptación y a la proclamación de la verdad, es la circunstancia de que ella acarrea inconvenientes y oprobio. Este es el único argumento contra la verdad que sus defensores no han podido nunca refutar. Pero esto no arredra a los verdaderos siervos de Cristo. Ellos no esperan hasta que la verdad se haga popular. Convencidos como lo están de su deber, aceptan resueltamente la cruz, confiados con el apóstol Pablo en que "esta leve tribulación momentánea produce en nosotros un cada vez más excelente y eterno peso de gloria", "teniendo —como antaño Moisés— por mayores riquezas el vituperio de Cristo que los tesoros de los egipcios" (2 Corintios 4: 17; Hebreos 11: 26).

Cualquiera que sea su profesión de fe, sólo los que son esclavos del mundo en sus corazones obran por política más bien que por principio en asuntos religiosos. Debemos escoger lo justo porque es justo, y dejar a Dios las consecuencias. El mundo debe sus grandes reformas a los hombres de principios, fe y arrojo. Esos son los hombres capaces de llevar adelante la obra de reforma para nuestra época.

Así dice el Señor: "Oídme, los que conocéis justicia, pueblo en cuyo corazón está mi ley. No temáis afrenta de hombre, ni desmayéis por sus ultrajes. Porque como a vestidura los comerá la polilla, como a lana los comerá gusano; pero mi justicia permanecerá perpetuamente, y mi salvación por siglos de siglos" (Isaías 51: 7, 8).

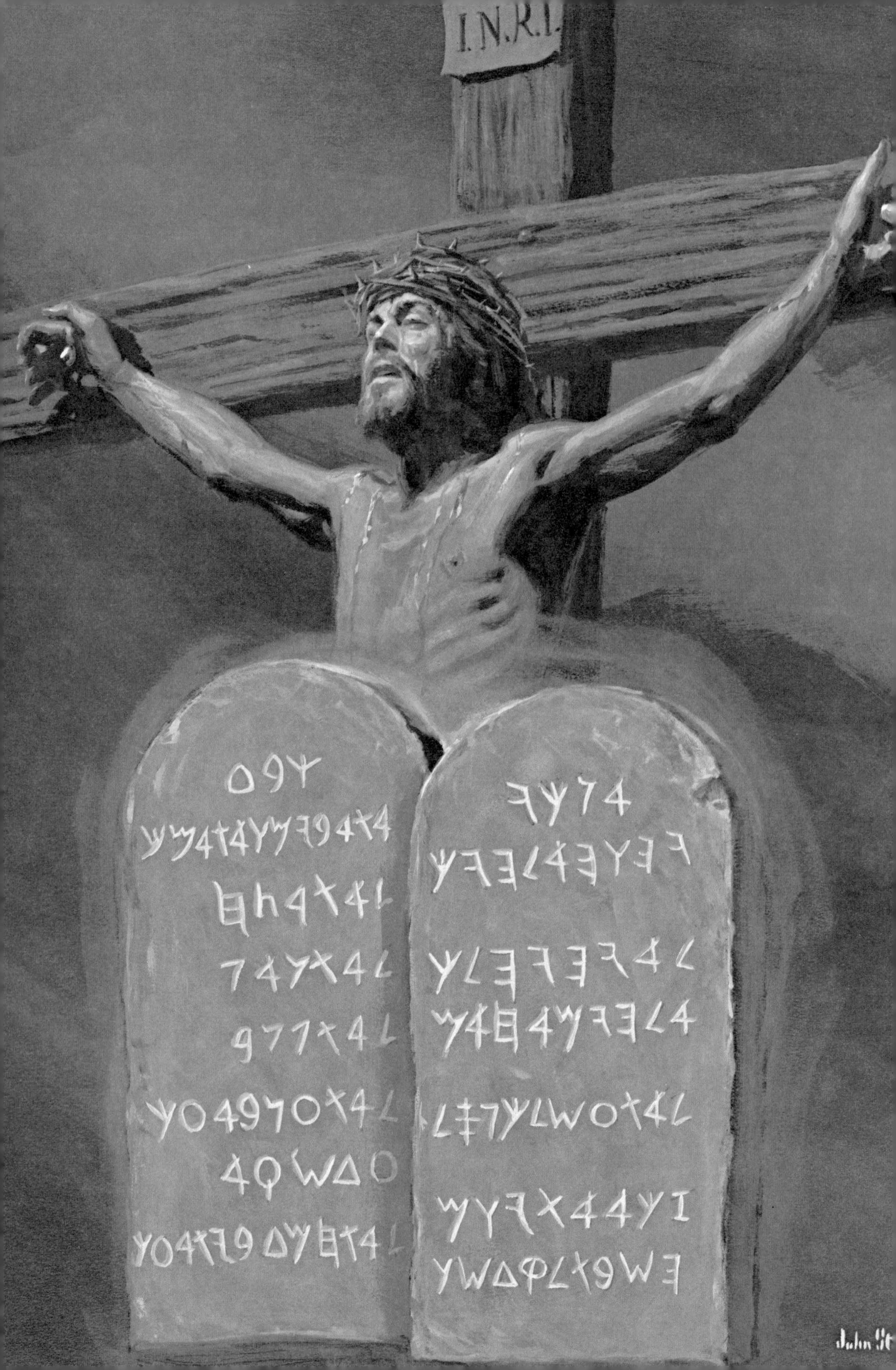
I.N.R.I.

CAPITULO 28

Cómo Alcanzar la Paz del Alma

DONDEQUIERA que la Palabra de Dios se predicara con fidelidad, los resultados atestiguaban su divino origen. El Espíritu de Dios acompañaba el mensaje de sus siervos, y su Palabra tenía poder. Los pecadores sentían despertarse sus conciencias. La luz "que alumbra a todo hombre que viene a este mundo", iluminaba los lugares más recónditos de sus almas, y las ocultas obras de las tinieblas eran puestas de manifiesto. Una profunda convicción se apoderaba de sus espíritus y corazones. Eran redargüidos de pecado, de justicia y del juicio por venir. Tenían conciencia de la justicia de Dios, y temían tener que comparecer con sus culpas e impurezas ante Aquel que escudriña los corazones. En su angustia, clamaban: "¿Quién me librará de este cuerpo de muerte?" Al serles revelada la cruz del Calvario, indicio del sacrificio infinito exigido por los pecados de los hombres, veían que sólo los méritos de Cristo bastaban para expiar sus transgresiones; eran lo único que podía reconciliar al hombre con Dios. Con fe y humildad aceptaban al Cordero de Dios, que quita los pecados del mundo. Por la sangre de Jesús alcanzaban "la remisión de los pecados cometidos anteriormente".

Estos creyentes hacían frutos dignos de su arrepentimiento. Creían y eran bautizados y se levantaban para andar en novedad de vida, como nuevas criaturas en Cristo Jesús; no para vivir conforme a sus antiguas concupiscencias, sino por la fe en el Hijo de Dios, para seguir sus pisadas, para reflejar su carácter y para purificarse a sí mismos, así como él es puro. Amaban lo que antes aborrecieran, y aborrecían lo que antes amaran. Los orgullosos y tercos se volvían mansos y humildes de corazón. Los vanidosos y arrogantes se volvían serios y discretos. Los profanos se volvían piadosos; los borrachos, sobrios; y los corrompidos, puros. Las vanas costumbres del mundo eran puestas a un lado. Los cristianos no buscaban el adorno "exterior del rizado de los cabellos, del

411

Todo esfuerzo sincero por llevar a hombres y mujeres a Cristo
para encontrar salvación en él, resulta también en
la exaltación de los mandamientos de la ley de Dios.

JOHN STEEL © PPPA

ataviarse con joyas de oro, o el de la compostura de los vestidos, sino el oculto en el corazón, que consiste en la incorrupción de un espíritu manso y tranquilo; ésa es la hermosura en la presencia de Dios" (1 S. Pedro 3: 3, 4, versión Nácar-Colunga).

Los reavivamientos producían en muchos profundo recogimiento y humildad. Eran caracterizados por llamamientos solemnes y fervientes hechos a los pecadores, por una ferviente compasión hacia aquellos a quienes Jesús compró por su sangre. Hombres y mujeres oraban y luchaban con Dios para conseguir la salvación de las almas. Los frutos de semejantes reavivamientos se echaban de ver en las almas que no vacilaban ante el desprendimiento y los sacrificios, sino que se regocijaban de ser tenidas por dignas de sufrir oprobios y pruebas por causa de Cristo. Se notaba una transformación en la vida de los que habían hecho profesión de seguir a Jesús; y la influencia de ellos beneficiaba a la sociedad. Recogían con Cristo y sembraban para el Espíritu, a fin de cosechar la vida eterna.

Se podía decir de ellos que fueron "contristados para arrepentimiento". "Porque la tristeza que es según Dios produce arrepentimiento para salvación, de que no hay que arrepentirse; pero la tristeza del mundo produce muerte. Porque he aquí, esto mismo de que hayáis sido contristados según Dios, ¡qué solicitud produjo en vosotros, qué defensa, qué indignación, qué temor, qué ardiente afecto, qué celo, y qué vindicación! En todo os habéis mostrado limpios en el asunto" (2 Corintios 7: 9-11).

Tal es el resultado de la acción del Espíritu de Dios. Una reforma en la vida es la única prueba segura de un verdadero arrepentimiento. Si restituye la prenda, si devuelve lo que robó, si confiesa sus pecados y ama a Dios y a sus semejantes, el pecador puede estar seguro de haber encontrado la paz con Dios. Tales eran los resultados que en otros tiempos acompañaban a los reavivamientos religiosos. Cuando se los juzgaba por sus frutos se veía que eran bendecidos de Dios para la salvación de los hombres y el mejoramiento de la humanidad.

Pero muchos de los reavivamientos de los tiempos modernos han presentado un notable contraste con aquellas manifestaciones de la gracia divina, que en épocas anteriores acompañaban los trabajos de los siervos de Dios. Es verdad que despiertan gran interés; que muchos se dan por convertidos y aumenta en gran manera el número de los miembros de las iglesias; no obstante los resultados no son tales que nos autoricen para creer que haya habido un aumento correspondiente de verdadera vida espiritual. La llama que alumbra un momento se apaga pronto y deja la oscuridad más densa que antes.

Los avivamientos populares son provocados demasiado a menudo por llamamientos a la imaginación, que excitan las emociones y satisfacen la inclinación por lo nuevo y extraordinario. Los conversos ganados de este modo manifiestan poco deseo de escuchar la verdad bíblica, y poco interés en el testimonio de los profetas y apóstoles. El servicio religioso que no revista un carácter un tanto sensacional no tiene atractivo para ellos. Un mensaje que apela a la fría razón no despierta eco alguno en ellos. No tienen en cuenta las claras amonestaciones de la Palabra de Dios que se refieren directamente a sus intereses eternos.

Para toda alma verdaderamente convertida la relación con Dios y las cosas eternas será el gran tema de la vida. ¿Pero dónde se nota, en las iglesias populares de nuestros días, el espíritu de consagración a Dios? Los conversos no renuncian a su orgullo ni al amor al mundo. No están más dispuestos a negarse a sí mismos, a llevar la cruz y a seguir al manso y humilde Jesús, que antes de su conversión. La religión se ha vuelto objeto de burla de los infieles y escépticos, debido a que tantos de los que la profesan ignoran sus principios. El poder de la piedad ha desaparecido casi enteramente de muchas de las iglesias. Las comidas campestres, las representaciones teatrales en las iglesias, los bazares, las casas elegantes y la ostentación personal han alejado de Dios los pensamientos de la gente. Tierras y bienes y ocupaciones mundanas llenan el espíritu, mientras que las cosas de interés eterno se consideran apenas dignas de atención.

A pesar del decaimiento general de la fe y de la piedad, hay en esas iglesias verdaderos discípulos de Cristo. Antes que los juicios de Dios caigan finalmente sobre la tierra, habrá entre el pueblo del Señor un avivamiento de la piedad primitiva, cual no se ha visto nunca desde los tiempos apostólicos. El Espíritu y el poder de Dios serán derramados sobre sus hijos. Entonces muchos se separarán de esas iglesias en las cuales el amor de este mundo ha suplantado al amor de Dios y de su Palabra. Muchos, tanto ministros como laicos, aceptarán gustosamente esas grandes verdades que Dios ha hecho proclamar en este tiempo a fin de preparar un pueblo para la segunda venida del Señor. El enemigo de las almas desea impedir esta obra, y antes que llegue el tiempo para que se produzca tal movimiento, tratará de evitarlo introduciendo una falsa imitación. Hará aparecer como que la bendición especial de Dios es derramada sobre las iglesia que pueda colocar bajo su poder seductor; allí se manifestará lo que se considerará como un gran interés por lo religioso. Multitudes se alegrarán de que Dios esté obrando maravillosamente en su favor, cuando, en realidad, la obra provendrá de otro espíritu. Bajo un disfraz religioso Satanás tratará de extender su influencia sobre el mundo cristiano.

En muchos de los despertamientos religiosos que se han producido durante el último medio siglo, se han dejado sentir, en mayor o menor grado, las mismas influencias que se ejercerán en los movimientos venideros más extensos. Hay una agitación emotiva, mezcla de lo verdadero con lo falso, muy apropiada para extraviar a uno. No obstante, nadie necesita ser seducido. A la luz de la Palabra de Dios no es difícil determinar la naturaleza de estos movimientos. Dondequiera que los hombres descuiden el testimonio de la

Biblia y se alejen de las verdades claras que sirven para probar el alma y que requieren abnegación y desprendimiento del mundo, podemos estar seguros de que Dios no dispensa allí sus bendiciones. Y al aplicar la regla que Cristo mismo dio: "Por sus frutos los conoceréis" (S. Mateo 7: 16), resulta evidente que estos movimientos no son obra del Espíritu de Dios.

En las verdades de su Palabra, Dios ha dado a los hombres una revelación de sí mismo, y a todos los que las aceptan les sirven de escudo contra los engaños de Satanás. El descuido en que se tuvieron estas verdades fue lo que abrió la puerta a los males que ahora se están propagando tanto en el mundo religioso. Se ha perdido de vista en sumo grado la naturaleza e importancia de la ley de Dios. Un concepto falso del carácter perpetuo y obligatorio de la ley divina ha hecho incurrir en errores respecto a la conversión y santificación, y como resultado se ha rebajado el nivel de la piedad en la iglesia. En esto reside el secreto de la ausencia del Espíritu y poder de Dios en los despertamientos religiosos de nuestros tiempos.

Hay en las diversas denominaciones hombres eminentes por su piedad, que reconocen y deploran este hecho. El profesor Eduardo A. Park, al exponer los peligros religiosos corrientes, dice acertadamente: "Una de las fuentes de peligros es el hecho de que los predicadores insisten muy poco en la ley divina. En otro tiempo el púlpito era eco de la voz de la conciencia... Nuestros más ilustres predicadores daban a sus discursos una amplitud majestuosa siguiendo el ejemplo del Maestro y recalcando la ley, sus preceptos y sus amenazas. Repetían las dos grandes máximas de que la ley es fiel trasunto de las perfecciones divinas, y de que un hombre que no tiene amor a la ley no lo tiene tampoco al Evangelio, pues la ley, tanto como el Evangelio, es un espejo que refleja el verdadero carácter de Dios. Este peligro arrastra a otro: el de desestimar la gravedad del pecado, su extensión y su horror. El grado de culpabilidad que acarrea la desobediencia a un mandamiento es proporcional al grado de justicia de ese mandamiento...

"A los peligros ya enumerados se une el que se corre al no reconocer plenamente la justicia de Dios. La tendencia del púlpito moderno consiste en hacer separación entre la justicia divina y la misericordia divina, en rebajar la misericordia al nivel de un sentimiento en lugar de elevarla a la altura de un principio. El nuevo prisma teológico separa lo que Dios unió. ¿Es la ley divina un bien o un mal? Es un bien. Luego la justicia es buena; pues es una disposición para cumplir la ley. De la costumbre de tener en poco la ley y justicia divinas, el alcance y demérito de la desobediencia humana, los hombres contraen fácilmente la costumbre de no apreciar la gracia que proveyó expiación por el pecado". Así pierde el Evangelio su valor e importancia en el concepto de los hombres, que no tardan en dejar a un lado la misma Biblia.

Muchos maestros en religión aseveran que Cristo abolió la ley por su muerte, y que desde entonces los hombres se ven libres de sus exigencias.

Algunos la representan como yugo enojoso, y en contraposición con la esclavitud de la ley, presentan la libertad de que se debe gozar bajo el Evangelio.

Pero no es así como los profetas y los apóstoles consideraron la santa ley de Dios. David dice: "Y andaré en libertad, porque busqué tus mandamientos" (Salmo 119: 45). El apóstol Santiago, que escribió después de la muerte de Cristo, habla del Decálogo como de la "ley real", y de la "perfecta ley, la de la libertad" (Santiago 2: 8; 1: 25). Y el vidente de Patmos, medio siglo después de la crucifixión, pronuncia una bendición sobre los "que guardan sus mandamientos, para que su potencia sea en el árbol de la vida, y que entren por las puertas en la ciudad" (Apocalipsis 22: 14, versión Reina-Valera, 1909).

El aserto de que Cristo abolió con su muerte la ley de su Padre no tiene fundamento. Si hubiese sido posible cambiar la ley o abolirla, entonces Cristo no habría tenido por qué morir para salvar al hombre de la penalidad del pecado. La muerte de Cristo, lejos de abolir la ley, prueba que es inmutable. El Hijo de Dios vino para engrandecer la ley, y hacerla honorable (Isaías 42: 21). El dijo: "No penséis que he venido para abrogar la ley... hasta que pasen el cielo y la tierra, ni una jota ni una tilde pasará de la ley" (S. Mateo 5: 17, 18). Y con respecto a sí mismo declara: "El hacer tu voluntad, Dios mío, me ha agradado, y tu ley está en medio de mi corazón" (Salmo 40: 8).

La ley de Dios, por su naturaleza misma, es inmutable. Es una revelación de la voluntad y del carácter de su Autor. Dios es amor, y su ley es amor. Sus dos grandes principios son el amor a Dios y al hombre. "El cumplimiento de la ley es el amor" (Romanos 13: 10). El carácter de Dios es justicia y verdad; tal es la naturaleza de su ley. Dice el salmista: "Tu ley [es] la verdad"; "todos tus mandamientos son justicia" (Salmo 119: 142, 172). Y el apóstol Pablo declara: "La ley a la verdad es santa, y el mandamiento santo, justo y bueno" (Romanos 7: 12). Semejante ley, expresión del pensamiento y de la voluntad de Dios, debe ser tan duradera como su Autor.

Es obra de la conversión y de la santificación reconciliar a los hombres con Dios, poniéndolos de acuerdo con los principios de su ley. Al principio el hombre fue creado a la imagen de Dios. Estaba en perfecta armonía con la naturaleza y la ley de Dios; los principios de justicia estaban grabados en su corazón. Pero el pecado le separó de su Hacedor. Ya no reflejaba más la imagen divina. Su corazón estaba en guerra con los principios de la ley de Dios. "Los designios de la carne son enemistad contra Dios; porque no se sujetan a la ley de Dios, ni tampoco pueden" (Romanos 8: 7). Mas "de tal manera amó Dios al mundo, que ha dado a su Hijo unigénito", para que el hombre fuese reconciliado con Dios. Por los méritos de Cristo puede restablecerse la armonía entre el hombre y su Creador. Su corazón debe ser renovado por la gracia divina; debe recibir nueva vida de lo alto. Este cambio es el nuevo nacimiento, sin el cual, según expuso Jesús, nadie "puede ver el reino de Dios".

El primer paso hacia la reconciliación con Dios, es la convicción del pecado. "El pecado es infracción de la ley". "Por medio de la ley es el conocimiento del pecado" (1 S. Juan 3: 4; Romanos 3: 20). Para reconocer su culpabilidad, el pecador debe medir su carácter por la gran norma de justicia que Dios dio al hombre. Es un espejo que le muestra la imagen de un carácter perfecto y justo, y le permite discernir los defectos de su propio carácter.

La ley revela al hombre sus pecados, pero no dispone ningún remedio. Mientras promete vida al que obedece, declara que la muerte es lo que le toca al transgresor. Sólo el Evangelio de Cristo puede librarle de la condenación o de la mancha del pecado. Debe arrepentirse ante Dios cuya ley transgredió, y tener fe en Cristo y en su sacrificio expiatorio. Así obtiene "remisión de los pecados cometidos anteriormente", y se hace partícipe de la naturaleza divina. Es un hijo de Dios, pues ha recibido el espíritu de adopción, por el cual exclama: "¡Abba, Padre!".

¿Está entonces libre para violar la ley de Dios? El apóstol Pablo dice: "¿Luego por la fe invalidamos la ley? En ninguna manera, sino que confirmamos la ley". "Los que hemos muerto al pecado, ¿cómo viviremos aún en él?" Y San Juan dice también: "Este es el amor a Dios, que guardemos sus mandamientos; y sus mandamientos no son gravosos" (Romanos 3: 31; 6: 2; 1 S. Juan 5: 3). En el nuevo nacimiento el corazón viene a quedar en armonía con Dios, al estarlo con su ley. Cuando se ha efectuado este gran cambio en el pecador, entonces ha pasado de la muerte a la vida, del pecado a la santidad, de la transgresión y rebelión a la obediencia y a la lealtad. Terminó su antigua vida de separación con Dios; y comenzó la nueva vida de reconciliación, fe y amor. Entonces "la justicia que requiere la ley" se cumplirá "en nosotros, los que no andamos según la carne, sino según el espíritu" (Romanos 8: 4, VM). Y el lenguaje del alma será "¡Oh, cuánto amo yo tu ley! Todo el día es ella mi meditación" (Salmo 119: 97).

"La ley de Jehová es perfecta, que convierte el alma" (Salmo 19: 7). Sin la ley, los hombres no pueden formarse un justo concepto de la pureza y santidad

de Dios ni de su propia culpabilidad e impureza. No tienen verdadera convicción del pecado, y no sienten necesidad de arrepentirse. Como no ven su condición perdida como violadores de la ley de Dios, no se dan cuenta tampoco de la necesidad que tienen de la sangre expiatoria de Cristo. Aceptan la esperanza de salvación sin que se realice un cambio radical en su corazón ni una reforma en su vida. Así abundan las conversiones superficiales, y multitudes se unen a la iglesia sin haberse unido jamás con Cristo.

Falsas teorías sobre la santificación, debidas a que no se hizo caso de la ley divina, o se la rechazó, desempeñan un papel importante en los movimientos religiosos de nuestros días. Esas teorías son falsas en cuanto a la doctrina y peligrosas en sus resultados prácticos, y el hecho de que hallen tan general aceptación hace doblemente necesario que todos tengan una clara comprensión de lo que las Sagradas Escrituras enseñan sobre este punto.

La doctrina de la santificación verdadera es bíblica. El apóstol Pablo, en su carta a la iglesia de Tesalónica, declara: "La voluntad de Dios, es vuestra santificación". Y ruega así: "El mismo Dios de paz os santifique por completo" (1 Tesalonicenses 4: 3; 5: 23). La Biblia enseña claramente lo que es la santificación, y cómo se la puede alcanzar. El Salvador oró por sus discípulos: "Santifícalos en tu verdad; tu Palabra es verdad" (S. Juan 17: 17, 19). Y San Pablo enseña que los creyentes deben ser santificados por el Espíritu Santo (Romanos 15: 16). ¿Cuál es la obra del Espíritu Santo? Jesús dijo a sus discípulos: "Cuando venga el Espíritu de verdad, él os guiará a toda la verdad" (S. Juan 16: 13). Y el salmista dice: "Tu ley es la verdad". Por la Palabra y el Espíritu de Dios quedan de manifiesto ante los hombres los grandes principios de justicia encerrados en la ley divina. Y ya que la ley de Dios es santa, justa y buena, un trasunto de la perfección divina, resulta que el carácter formado por la obediencia a esa ley será santo. Cristo es ejemplo perfecto de semejante carácter. El dice: "He guardado los mandamientos de mi Padre". "Hago siempre lo que le agrada" (S. Juan 15: 10; 8: 29). Los discípulos de Cristo han de volverse semejantes a él, es decir, adquirir por la gracia de Dios un carácter conforme a los principios de su santa ley. Esto es lo que la Biblia llama santificación.

Esta obra no se puede realizar sino por la fe en Cristo, por el poder del Espíritu de Dios que habite en el corazón. San Pablo amonesta a los creyentes: "Ocupaos en vuestra salvación con temor y temblor, porque Dios es el que en vosotros produce así el querer como el hacer, por su buena voluntad" (Filipenses 2: 12, 13). El cristiano sentirá las tentaciones del pecado, pero luchará continuamente contra él. Aquí es donde se necesita la ayuda de Cristo. La debilidad humana se une con la fuerza divina, y la fe exclama: "Mas gracias sean dadas a Dios, que nos da la victoria por medio de nuestro Señor Jesucristo" (1 Corintios 15: 57).

EL TRIUNFO DEL AMOR DE DIOS

Las Santas Escrituras enseñan claramente que la obra de santificación es progresiva. Cuando el pecador encuentra en la conversión la paz con Dios por la sangre expiatoria, la vida cristiana no ha hecho más que empezar. Ahora debe llegar "al estado de hombre perfecto"; crecer "a la medida de la estatura de la plenitud de Cristo". El apóstol San Pablo dice: "Una cosa hago: olvidando ciertamente lo que queda atrás, y extendiéndome a lo que está delante, prosigo a la meta, al premio del supremo llamamiento de Dios en Cristo Jesús" (Filipenses 3: 13, 14). Y San Pedro nos presenta los peldaños por los cuales se llega a la santificación de que habla la Biblia: "Poniendo toda diligencia por esto mismo, añadid a vuestra fe virtud; a la virtud, conocimiento; al conocimiento, dominio propio; al dominio propio, paciencia; a la paciencia, piedad; a la piedad, afecto fraternal; y al afecto fraternal, amor... Porque haciendo estas cosas, no caeréis jamás" (2 S. Pedro 1: 5-10).

Los que experimenten la santificación de que habla la Biblia, manifestarán un espíritu de humildad. Como Moisés, han contemplado la terrible majestad de la santidad y se dan cuenta de su propia indignidad en contraste con la pureza y excelsa perfección del Dios infinito.

El profeta Daniel fue ejemplo de verdadera santificación. Llenó su larga vida del noble servicio que rindió a su Maestro. Era un hombre "muy amado" (Daniel 10: 11) en el cielo. Sin embargo, en lugar de prevalerse de su pureza y santidad, este profeta tan honrado de Dios se identificó con los mayores pecadores de Israel cuando intercedió cerca de Dios en favor de su pueblo: "No elevamos nuestros ruegos ante ti confiados en nuestras justicias, sino en tus muchas misericordias". "Hemos pecado, hemos hecho impíamente". El declara: "Estaba hablando y orando, y confesando mi pecado y el pecado de mi pueblo". Y cuando más tarde el Hijo de Dios apareció para instruirle, Daniel dijo: "Mi fuerza se cambió en desfallecimiento, y no tuve vigor alguno" (Daniel 9: 18, 15, 20; 10: 8).

Cuando Job oyó la voz del Señor de entre el torbellino, exclamó: "Me aborrezco, y me arrepiento en polvo y ceniza" (Job 42: 6). Cuando Isaías contempló la gloria del Señor, y oyó a los querubines que clamaban: "Santo, santo, santo, Jehová de los ejércitos" dijo abrumado: "¡Ay de mí! que soy muerto" (Isaías 6: 3, 5). Después de haber sido arrebatado hasta el tercer cielo y haber oído cosas que no le es dado al hombre expresar, San Pablo habló de sí mismo como del "más pequeño de todos los santos" (2 Corintios 12: 2-4; Efesios 3: 8). Y el amado Juan, el que había descansado en el pecho de Jesús y contemplado su gloria, fue el que cayó como muerto a los pies del ángel (Apocalipsis 1: 17).

No puede haber glorificación de sí mismo, ni arrogantes pretensiones de estar libre de pecado, por parte de aquellos que andan a la sombra de la cruz del Calvario. Harta cuenta se dan de que fueron sus pecados los que causaron la agonía del Hijo de Dios y destrozaron su corazón; y este pensamiento les inspira profunda humildad. Los que viven más cerca de Jesús son también los que mejor ven la debilidad y culpabilidad de la humanidad, y su sola esperanza se cifra en los méritos de un Salvador crucificado y resucitado.

La santificación, tal cual la entiende ahora el mundo religioso en general, lleva en sí misma un germen de orgullo espiritual y de menosprecio de la ley de Dios que nos la presenta como del todo ajena a la religión de la Biblia. Sus defensores enseñan que la santificación es una obra instantánea, por la cual, mediante la fe solamente, alcanzan perfecta santidad. "Tan sólo creed —dicen— y la bendición es vuestra". Según ellos, no se necesita mayor esfuerzo de parte del que recibe la bendición. Al mismo tiempo niegan la autoridad de la ley de Dios y afirman que están dispensados de la obligación de guardar los mandamientos. ¿Pero será acaso posible que los hombres sean santos y concuerden con la voluntad y el modo de ser de Dios, sin ponerse en armonía con los principios que expresan su naturaleza y voluntad, y enseñan lo que le agrada?

El deseo de llevar una religión fácil, que no exija luchas, ni desprendimiento, ni ruptura con las locuras del mundo, ha hecho popular la doctrina de la fe, y de la fe sola; ¿pero qué dice la Palabra de Dios? El apóstol Santiago dice: "Hermanos míos, ¿de qué aprovechará si alguno dice que tiene fe, y no tiene obras? ¿Podrá la fe salvarle?... ¿Mas quieres saber, hombre vano, que la fe sin obras es muerta? ¿No fue justificado por las obras Abraham nuestro padre, cuando ofreció a su hijo Isaac sobre el altar? ¿No ves que la fe actuó juntamente con sus obras, y que la fe se perfeccionó por las obras?... Veis, pues, que el hombre es justificado por las obras, y no solamente por la fe" (Santiago 2: 14-24).

El testimonio de la Palabra de Dios se opone a esta doctrina seductora de la fe sin obras. No es fe pretender el favor del cielo sin cumplir las condiciones necesarias para que la gracia sea concedida. Es presunción, pues la fe verdadera se funda en las promesas y disposiciones de las Sagradas Escrituras.

Nadie se engañe a sí mismo creyendo que pueda volverse santo mientras viole premeditadamente uno de los preceptos divinos. Un pecado cometido deliberadamente acalla la voz atestiguadora del Espíritu y separa al alma de Dios. "El pecado es transgresión de la ley". Y "todo aquel que peca [transgrede la ley], no le ha visto, ni le ha conocido" (1 Juan 3: 6). Aunque San Juan habla mucho del amor en sus epístolas, no vacila en poner de manifiesto el verdadero carácter de esa clase de personas que pretenden ser santificadas y seguir transgrediendo la ley de Dios. "El que dice: Yo le conozco, y no guarda sus mandamientos, el tal es mentiroso, y la verdad no está en él; pero el que guarda su palabra, en éste verdaderamente el amor de Dios se ha perfeccionado" (1 S. Juan 2: 4, 5). Esta es la piedra de toque de toda profesión de fe. No podemos reconocer como santo a ningún hombre sin haberle comparado primero con la

La Ley

I

No habrá para ti otros dioses delante de mí.

II

No te harás escultura ni imagen alguna ni de lo que hay arriba en los cielos, ni de lo que hay abajo en la tierra, ni de lo que hay en las aguas debajo de la tierra. No te postrarás ante ellas ni les darás culto, porque yo Yahveh, tu Dios, soy un Dios celoso, que castigo la iniquidad de los padres en los hijos hasta la tercera y cuarta generación de los que me odian, y tengo misericordia por millares con los que me aman y guardan mis mandamientos.

III

No tomarás en falso el nombre de Yahveh, tu Dios; porque Yahveh no dejará sin castigo a quien toma su nombre en falso.

IV

Recuerda el día del sábado para santificarlo. Seis días trabajarás y harás todos tus trabajos, pero el día séptimo es día de descanso para Yahveh, tu Dios. No harás ningún trabajo, ni tú, ni tu hijo, ni tu hija, ni tu siervo, ni tu sierva, ni tu ganado, ni el forastero que habita en tu ciudad. Pues en seis días hizo Yahveh el cielo y la tierra, el mar y todo cuanto contienen, y el séptimo descansó; por eso bendijo Yahveh el día del sábado y lo hizo sagrado.

le Dios

V

Honra a tu padre y a tu madre, para que se prolonguen tus días sobre la tierra que Yahveh, tu Dios, te va a dar.

VI

No matarás.

VII

No cometerás adulterio.

VIII

No robarás.

IX

No darás testimonio falso contra tu prójimo.

X

No codiciarás la casa de tu prójimo, ni codiciarás la mujer de tu prójimo, ni su siervo, ni su sierva, ni su buey, ni su asno, ni nada que sea de tu prójimo.

Exodo 20: 3-17,
Biblia de Jerusalén

sola regla de santidad que Dios haya dado en el cielo y en la tierra. Si los hombres no sienten el peso de la ley moral, si empequeñecen y tienen en poco los preceptos de Dios, si violan el menor de estos mandamientos, y así enseñan a los hombres, no serán estimados ante el cielo, y podemos estar seguros de que sus pretensiones no tienen fundamento alguno.

Y la aserción de estar sin pecado constituye de por sí una prueba de que el que tal asevera dista mucho de ser santo. Es porque no tiene un verdadero concepto de lo que es la pureza y santidad infinita de Dios, ni de lo que deben ser los que han de armonizar con su carácter; es porque no tiene el verdadero concepto de la pureza y perfección supremas de Jesús ni de la maldad y horror del pecado, por lo que el hombre puede creerse santo. Cuanto más lejos esté de Cristo y más yerre acerca del carácter y los pedidos de Dios, más justo se cree.

La santificación expuesta en las Santas Escrituras abarca todo el ser: espíritu, cuerpo y alma. San Pablo rogaba por los tesalonicenses, que "todo vuestro ser, espíritu, alma y cuerpo, sea guardado irreprensible para la venida de nuestro Señor Jesucristo" (1 Tesalonicenses 5: 23). Y vuelve a escribir a los creyentes: "Así que, hermanos, os ruego por las misericordias de Dios, que presentéis vuestros cuerpos en sacrificio vivo, santo, agradable a Dios" (Romanos 12: 1). En tiempos del antiguo Israel, toda ofrenda que se traía a Dios era cuidadosamente examinada. Si se descubría un defecto cualquiera en el animal presentado, se lo rechazaba, pues Dios había mandado que las ofrendas fuesen "sin mancha". Así también se pide a los cristianos que presenten sus cuerpos en "sacrificio vivo, santo, agradable a Dios". Para ello, todas sus facultades deben conservarse en la mejor condición posible. Toda costumbre que tienda a debilitar la fuerza física o mental incapacita al hombre para el servicio de su Creador. ¿Y se complacerá Dios con menos de lo mejor que podamos ofrecerle? Cristo dijo: "Amarás al Señor tu Dios de todo tu corazón". Los que aman a Dios de todo corazón desearán darle el mejor servicio de su vida y tratarán siempre de poner todas las facultades de su ser en armonía con las leyes que aumentarán su aptitud para hacer su voluntad. No debilitarán ni mancharán la ofrenda que presentan a su Padre celestial abandonándose a sus apetitos o pasiones.

San Pedro dice: "Os ruego... que os abstengáis de los deseos carnales que batallan contra el alma" (1 S. Pedro 2: 11). Toda concesión hecha al pecado tiende a entorpecer las facultades y a destruir el poder de percepción mental y espiritual, de modo que la Palabra o el Espíritu de Dios ya no puedan impresionar sino débilmente el corazón. San Pablo escribe a los Corintios: "Limpiémonos de toda contaminación de carne y de espíritu, perfeccionando la santidad en el temor de Dios" (2 Corintios 7: 1). Y entre los frutos del Espíritu —"amor, gozo, paz, paciencia, benignidad, bondad, fe, mansedumbre"— clasifica la "templanza" (Gálatas 5: 22, 23).

A pesar de estas inspiradas declaraciones, ¡cuántos cristianos de profesión están debilitando sus facultades en la búsqueda de ganancias o en el culto que tributan a la moda; cuántos están envileciendo en su ser la imagen de Dios, con la glotonería, las bebidas espirituosas, los placeres ilícitos! Y la iglesia, en lugar de reprimir el mal, demasiado a menudo lo fomenta, apelando a los apetitos, al amor del lucro y de los placeres para llenar su tesoro, que el amor a Cristo es demasiado débil para colmar. Si Jesús entrase en las iglesias de nuestros días, y viese los festejos y el tráfico impío que se practica en nombre de la religión, ¿no arrojaría acaso a esos profanadores, como arrojó del templo a los cambiadores de moneda?

El apóstol Santiago declara que la sabiduría que desciende de arriba es "primeramente pura". Si se hubiese encontrado con aquellos que pronuncian el precioso nombre de Jesús con labios manchados por el tabaco, con aquellos cuyo aliento y persona están contaminados por sus fétidos olores y que infestan el aire del cielo y obligan a todos los que les rodean a aspirar el veneno, —si el apóstol hubiese entrado en contacto con un hábito tan opuesto a la pureza del Evangelio, ¿no lo habría acaso estigmatizado como, "terreno, animal, diabólico"? Los esclavos del tabaco, pretendiendo gozar de las bendiciones de la santificación completa, hablan de su esperanza de ir a la gloria; pero la Palabra de Dios declara positivamente que "no entrará en ella ninguna cosa inmunda" (Apocalipsis 21: 27).

"¿O ignoráis que vuestro cuerpo es templo del Espíritu Santo, el cual está en vosotros, el cual tenéis de Dios, y que no sois vuestros? Porque habéis sido comprados por precio; glorificad, pues, a Dios en vuestro cuerpo" (1 Corintios 6: 19, 20). Aquel cuyo cuerpo es el templo del Espíritu Santo no se dejará esclavizar por ningún hábito pernicioso. Sus facultades pertenecen a Cristo, que le compró con precio de sangre. Sus bienes son del Señor. ¿Cómo podrá quedar sin culpa si dilapida el capital que se le confió? Hay cristianos de profesión que gastan al año ingentes cantidades en goces inútiles y perniciosos, mientras muchas almas perecen por falta de la palabra de vida. Roban a Dios en los diezmos y ofrendas, mientras consumen en aras de la pasión destructora más de lo que dan para socorrer a los pobres o para el sostenimiento del Evangelio. Si todos los que hacen profesión de seguir a Cristo estuviesen verdaderamente santificados, en lugar de gastar sus recursos en placeres inútiles y hasta perjudiciales, los invirtieran en el tesoro del Señor, y los cristianos dieran un ejemplo de temperancia, abnegación y sacrificio de sí mismos, serían entonces la luz del mundo.

El mundo está entregado a la sensualidad. "La concupiscencia de la carne, y la concupiscencia de los ojos, y la soberbia de la vida" gobiernan las masas del pueblo. Pero los discípulos de Cristo son llamados a una vida santa. "Salid de en medio de ellos, y apartaos, dice el Señor, y no toquéis lo inmundo". A la luz de la Palabra de Dios, se justifica el aserto de que la santificación que no produce este completo desprendimiento de los deseos y placeres pecaminosos del mundo, no puede ser verdadera.

EL TRIUNFO DEL AMOR DE DIOS

A aquellos que cumplen con las condiciones: "Salid de en medio de ellos, y apartaos,... y no toquéis lo inmundo", se refiere la promesa de Dios: "Yo os recibiré, y seré para vosotros por Padre, y vosotros me seréis hijos e hijas, dice el Señor Todopoderoso" (2 Corintios 6: 17, 18). Es privilegio y deber de todo cristiano tener grande y bendita experiencia de las cosas de Dios. "Yo soy la luz del mundo —dice Jesús—; el que me sigue, no andará en tinieblas, sino que tendrá la luz de la vida" (S. Juan 8: 12). "La senda de los justos es como la luz de la aurora, que va en aumento hasta que el día es perfecto" (Proverbios 4: 18). Cada paso que se da en fe y obediencia pone al alma en relación más íntima con la luz del mundo, en quien "no hay ningunas tinieblas". Los rayos luminosos del Sol de Justicia brillan sobre los siervos de Dios, y éstos deben reflejarlos. Así como las estrellas nos hablan de una gran luz en el cielo, con cuya gloria resplandecen, así también los cristianos deben mostrar que hay en el trono del universo un Dios cuyo carácter es digno de alabanza e imitación. Las gracias de su Espíritu, su pureza y santidad, se manifestarán en sus testigos.

En su carta a los Colosenses, San Pablo enumera las abundantes bendiciones concedidas a los hijos de Dios. "No cesamos —dice— de orar por vosotros, y de pedir que seáis llenos del conocimiento de su voluntad en toda sabiduría e inteligencia espiritual, para que andéis como es digno del Señor, agradándole en todo, llevando fruto en toda buena obra, y creciendo en el conocimiento de Dios; fortalecidos con todo poder, conforme a la potencia de su gloria, para toda paciencia y longanimidad" (Colosenses 1: 9-11).

Escribe además respecto a su deseo de que los hermanos de Efeso logren comprender la grandeza de los privilegios del cristiano. Les expone en el lenguaje más claro el maravilloso conocimiento y poder que pueden poseer como hijos e hijas del Altísimo. De ellos estaba el que fueran "fortalecidos con poder en el hombre interior por su Espíritu", y "arraigados y cimentados en amor", para poder "comprender con todos los santos, cual sea la anchura, la longitud, la profundidad y la altura y de conocer el amor de Cristo, que excede a todo conocimiento". Pero la oración del apóstol alcanza al apogeo del privilegio cuando ruega que sean "llenos de toda la plenitud de Dios" (Efesios 3: 16-19).

Así se ponen de manifiesto las alturas de la perfección que podemos alcanzar por la fe en las promesas de nuestro Padre celestial, cuando cumplimos con lo que él requiere de nosotros. Por los méritos de Cristo tenemos acceso al trono del poder infinito. "El que no escatimó ni a su propio Hijo, sino que lo entregó por todos nosotros, ¿cómo no nos dará también con él todas las cosas?" (Romanos 8: 32). El Padre dio a su Hijo su Espíritu sin medida, y nosotros podemos participar también de su plenitud. Jesús dice: "Pues si vosotros, siendo malos, sabéis dar buenas dádivas a vuestro hijos, ¿cuánto más vuestro Padre celestial dará el Espíritu Santo a los que se lo pidan?" (S. Lucas 11: 13). "Si algo pidiereis en mi nombre, yo lo haré". "Pedid, y recibiréis, para que vuestro gozo sea cumplido" (S. Juan 14: 14; 16: 24).

COMO ALCANZAR LA PAZ DEL ALMA

Si bien la vida del cristiano ha de ser caracterizada por la humildad, no debe señalarse por la tristeza y la denigración de sí mismo. Todos tienen el privilegio de vivir de manera que Dios los apruebe y los bendiga. No es la voluntad de nuestro Padre celestial que estemos siempre en condenación y tinieblas. Marchar con la cabeza baja y el corazón lleno de preocupaciones relativas a uno mismo no es prueba de verdadera humildad. Podemos acudir a Jesús y ser purificados, y permanecer ante la ley sin avergonzarnos ni sentir remordimientos. "Ahora, pues, ninguna condenación hay para los que están en Cristo Jesús, los que no andan conforme a la carne, sino conforme al Espíritu" (Romanos 8: 1).

Por medio de Jesús, los hijos caídos de Adán son hechos "hijos de Dios". "Porque el que santifica y los que son santificados, de uno son todos; por lo cual no se avergüenza de llamarlos hermanos" (Hebreos 2: 11). La vida del cristiano debe ser una vida de fe, de victoria y de gozo en Dios. "Todo lo que es nacido de Dios vence al mundo; y esta es la victoria que ha vencido al mundo, nuestra fe" (1 S. Juan 5: 4). Con razón declaró Nehemías, el siervo de Dios: "El gozo de Jehová es vuestra fuerza" (Nehemías 8: 10). Y San Pablo dijo: "Regocijaos en el Señor siempre. Otra vez digo: ¡Regocijaos!" "Estad siempre gozosos. Orad sin cesar. Dad gracias en todo, porque esta es la voluntad de Dios para con vosotros en Cristo Jesús" (Filipenses 4: 4; 1 Tesalonicenses 5: 16-18).

Tales son los frutos de la conversión y de la santificación según la Biblia; y es porque el mundo cristiano mira con tanta indiferencia los grandes principios de justicia expuestos en la Palabra de Dios, por lo que se ven tan raramente estos frutos. Esta es la razón por la que se ve tan poco de esa obra profunda y duradera del Espíritu de Dios que caracterizaba los reavivamientos en tiempos pasados.

Por medio de la contemplación nos transformamos. Pero como esos sagrados preceptos en los cuales Dios reveló a los hombres su perfección y santidad son tenidos en poco y el espíritu del pueblo se deja atraer por las enseñanzas y teorías humanas, nada tiene de extraño que en consecuencia se vea un enfriamiento de la piedad viva en la iglesia. El Señor dice: "Me dejaron a mí, fuente de agua viva, y cavaron para sí cisternas, cisternas rotas que no retienen agua" (Jeremías 2: 13).

"Bienaventurado el varón que no anduvo en consejo de malos…; sino que en la ley de Jehová está su delicia, y en su ley medita de día y de noche. Será como el árbol plantado junto a corrientes de aguas, que da su fruto en su tiempo, y su hoja no cae; y todo lo que hace, prosperará" (Salmo 1: 1-3). Sólo en la medida en que la ley de Dios sea repuesta en el lugar que le corresponde habrá un avivamiento de la piedad y fe primitivas entre los que profesan ser su pueblo. "Así dijo Jehová: Paraos en los caminos, y mirad, y preguntad por las sendas antiguas, cuál sea el buen camino, y andad por él, y hallaréis descanso para vuestra alma" (Jeremías 6: 16).

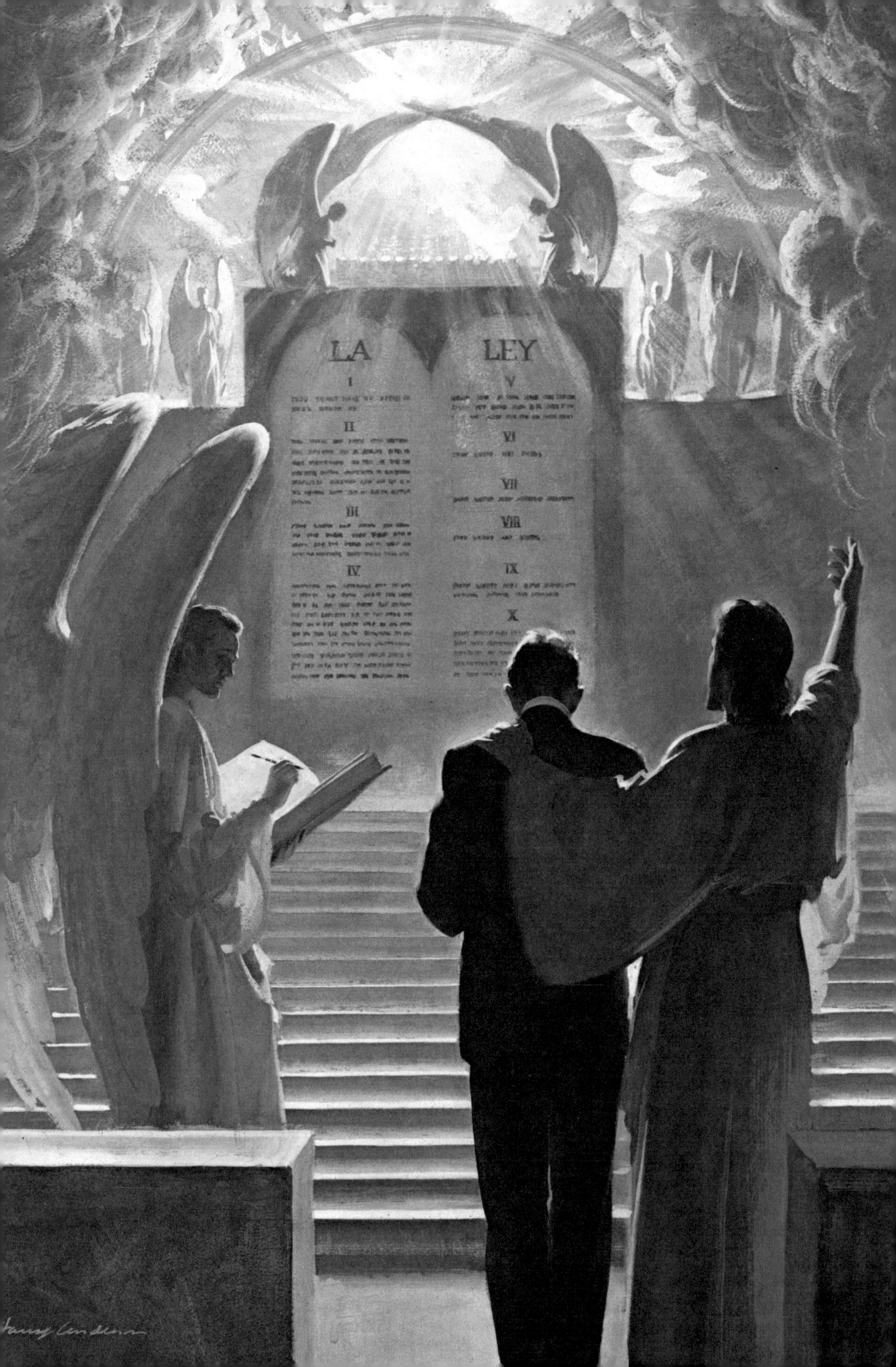
LA
LEY
I
II
III
IV
V
VI
VII
VIII
IX
X

CAPITULO 29

El Juicio Investigador

"ESTUVE mirando —dice el profeta Daniel—, hasta que fueron puestos tronos, y se sentó un Anciano de días, cuyo vestido era blanco como la nieve, y el pelo de su cabeza como lana limpia; su trono llama de fuego, y las ruedas del mismo, fuego ardiente. Un río de fuego procedía y salía de delante de él; millares de millares le servían, y millones de millones asistían delante de él; el Juez se sentó, y los libros fueron abiertos" (Daniel 7: 9, 10).

Así se presentó a la visión del profeta el día grande y solemne en que los caracteres y vidas de los hombres habrán de ser examinados ante el Juez de toda la tierra, y en que a todos los hombres se les dará "conforme a sus obras". El Anciano de días es Dios, el Padre. El salmista dice: "Antes que naciesen los montes y formases la tierra y el mundo, desde el siglo y hasta el siglo, tú eres Dios" (Salmo 90: 2). Es él, Autor de todo ser y de toda ley, quien debe presidir en el juicio. Y "millares de millares… y millones de millones" de santos ángeles, como ministros y testigos, están presentes en este gran tribunal.

"Y he aquí con las nubes del cielo venía uno como un hijo de hombre, que vino hasta el Anciano de días, y le hicieron acercarse delante de él. Y le fue dado dominio, gloria y reino, para que todos los pueblos, naciones y lenguas le sirvieran; su dominio es dominio eterno, que nunca pasará, y su reino uno que no será destruido" (Daniel 7: 13, 14). La venida de Cristo descrita aquí no es su segunda venida a la tierra. El viene hacia el Anciano de días en el cielo para recibir el dominio y la gloria, y un reino, que le será dado a la conclusión de su obra de mediador. Es esta venida, y no su segundo advenimiento a la tierra, la que la profecía predijo que había de realizarse al fin de los 2.300 días en 1844. Acompañado por ángeles celestiales, nuestro gran Sumo Sacerdote entra en el

427

La ley de Dios es la norma por
la cual todas las vidas son juzgadas
ante el tribunal celestial.

HARRY ANDERSON © PPPA

lugar santísimo, y allí, en la presencia de Dios, da principio a los últimos actos de su ministerio en beneficio del hombre, a saber, cumplir la obra del juicio y hacer expiación por todos aquellos que resulten tener derecho a ella.

En el rito típico, sólo aquellos que se habían presentado ante Dios arrepintiéndose y confesando sus pecados, y cuyas iniquidades eran llevadas al santuario por medio de la sangre del holocausto, tenían participación en el servicio del día de las expiaciones. Así en el gran día de la expiación final y del juicio, los únicos casos que se consideran son los de quienes hayan profesado ser hijos de Dios. El juicio de los impíos es obra distinta y se verificará en fecha posterior. "Es tiempo de que el juicio comience por la casa de Dios; y si primero comienza por nosotros, ¿cuál será el fin de aquellos que no obedecen al Evangelio?" (1 S. Pedro 4: 17).

Los libros del cielo, en los cuales están consignados los nombres y los actos de los hombres, determinarán los fallos del juicio. El profeta Daniel dice: "El Juez se sentó, y los libros fueron abiertos". San Juan, describiendo la misma escena en el Apocalipsis, agrega: "Y otro libro fue abierto, el cual es el libro de la vida; y fueron juzgados los muertos por las cosas que estaban escritas en los libros, según sus obras" (Apocalipsis 20: 12).

El libro de la vida contiene los nombres de todos los que entraron alguna vez en el servicio de Dios. Jesús dijo a sus discípulos: "Regocijaos de que vuestros nombres están escritos en los cielos" (S. Lucas 10: 20). San Pablo habla de sus fieles compañeros de trabajo, "cuyos nombres están en el libro de la vida" (Filipenses 4: 3). Daniel, vislumbrando un "tiempo de angustia, cual nunca fue", declara que el pueblo de Dios será librado, es decir, "todos los que se hallen escritos en el libro" (Daniel 12: 1). Y San Juan dice en el Apocalipsis que sólo entrarán en la ciudad de Dios aquellos cuyos nombres "están inscritos en el libro de la vida del Cordero" (Apocalipsis 21: 27).

Delante de Dios está escrito un "libro de memoria", en el cual quedan consignadas las buenas obras de "los que temen a Jehová", y de "los que piensan en su nombre" (Malaquías 3: 16). Sus palabras de fe, sus actos de amor, están registrados en el cielo. A esto se refiere Nehemías cuando dice: "Acuérdate de mí, oh Dios,... y no borres mis misericordias que hice en la casa de mi Dios" (Nehemías 13: 14). En el "libro de memoria" de Dios, todo acto de justicia está inmortalizado. Toda tentación resistida, todo pecado vencido, toda palabra de tierna compasión, están fielmente consignados, y apuntados también todo acto de sacrificio, todo padecimiento y todo pesar sufridos por causa de Cristo. El salmista dice: "Mis huidas tú has contado; pon mis lágrimas en tu redoma; ¿no están ellas en tu libro?" (Salmo 56: 8).

Hay además un registro en el cual figuran los pecados de los hombres. "Porque Dios traerá toda obra a juicio, juntamente con toda cosa encubierta, sea buena o sea mala" (Eclesiastés 12: 14). "De toda palabra ociosa que hablen los hombres, de ella darán cuenta en el día del juicio". Dice el Salvador: "Por tus palabras serás justificado, y por tus palabras serás condenado" (S. Mateo 12: 36, 37). Los propósitos y motivos secretos aparecen en el registro infalible, pues Dios "aclarará también lo oculto de las tinieblas, y manifestará las intenciones de los corazones" (1 Corintios 4: 5). "He aquí que escrito está delante de mí;... vuestras iniquidades, dice Jehová, y... las iniquidades de vuestros padres juntamente" (Isaías 65: 6, 7).

La obra de cada uno pasa bajo la mirada de Dios, y es registrada e imputada ya como señal de fidelidad ya de infidelidad. Frente a cada nombre, en los libros del cielo, aparecen, con terrible exactitud, cada mala palabra, cada acto egoísta, cada deber descuidado, y cada pecado secreto, con todas las tretas arteras. Las admoniciones o reconvenciones divinas despreciadas, los momentos perdidos, las oportunidades desperdiciadas, la influencia ejercida para bien o para mal, con sus abarcantes resultados, todo fue registrado por el ángel anotador.

La ley de Dios es la regla por la cual los caracteres y las vidas de los hombres serán probados en el juicio. Salomón dice: "Teme a Dios, y guarda sus mandamientos; porque esto es el todo del hombre. Porque Dios traerá toda obra a juicio" (Eclesiastés 12: 13, 14). El apóstol Santiago amonesta a sus hermanos diciéndoles: "Así hablad, y así haced, como los que habéis de ser juzgados por la ley de la libertad" (Santiago 2: 12).

Los que en el juicio "fueron tenidos por dignos", tendrán parte en la resurrección de los justos. Jesús dijo: "Los que fueron tenidos por dignos de alcanzar aquel siglo, y la resurrección de entre los muertos,... son iguales a los ángeles, y son hijos de Dios, al ser hijos de la resurrección" (S. Lucas 20: 35, 36). Y además declara que "los que hicieron lo bueno, saldrán a resurrección de vida" (S. Juan 5: 29). Los justos ya muertos no serán resucitados más que después del juicio en el cual habrán sido juzgados dignos de la "resurrección de vida". No estarán pues presentes ante el tribunal cuando sus registros sean examinados y sus causas falladas.

Jesús aparecerá como el abogado de ellos, para interceder en su favor ante Dios. "Si alguno hubiere pecado, abogado tenemos para con el Padre, a Jesucristo el justo" (1 S. Juan 2: 1). "Porque no entró Cristo en el santuario hecho de mano, figura del verdadero, sino en el cielo mismo para presentarse ahora por nosotros ante Dios". "Por lo cual puede también salvar perpetuamente a los que por él se acercan a Dios, viviendo siempre para interceder por ellos" (Hebreos 9: 24; 7: 25).

A medida que los libros de memoria se van abriendo en el juicio, las vidas de todos los que hayan creído en Jesús pasan ante Dios para ser examinadas por él. Empezando con los que vivieron los primeros en la tierra, nuestro Abogado presenta los casos de cada generación sucesiva, y termina con los vivos. Cada nombre es mencionado, cada caso cuidadosamente investigado. Habrá nombres que serán aceptados, y otros rechazados. En caso de que alguien tenga en los libros de memoria pecados de que no se haya arrepentido y que no hayan sido perdonados, su nombre será borrado del libro de la vida, y la mención de sus buenas obras será borrada de los registros de Dios. El Señor declaró a Moisés: "Al que pecare contra mí, a éste raeré yo de mi libro" (Exodo 32: 33). Y el profeta Ezequiel dice: "Si el justo se apartare de su justicia y cometiere maldad,... ninguna de las justicias que hizo le serán tenidas en cuenta" (Ezequiel 18: 24).

A todos los que se hayan arrepentido verdaderamente de su pecado, y que hayan aceptado con fe la sangre de Cristo como su sacrificio expiatorio, se les ha inscrito el perdón frente a sus nombres en los libros del cielo; como llegaron a ser partícipes de la justicia de Cristo y su carácter está en armonía con la ley de Dios, sus pecados serán borrados, y ellos mismos serán juzgados dignos de la vida eterna. El Señor declara por el profeta Isaías: "Yo, yo soy el que borro tus rebeliones por amor de mí mismo, y no me acordaré de tus pecados" (Isaías 43: 25). Jesús dijo: "El que venciere será vestido de vestiduras blancas; y no borraré su nombre del libro de la vida, y confesaré su nombre delante de mi Padre, y delante de sus ángeles". "A cualquiera, pues, que me confiese delante de los hombres, yo también le confesaré delante de mi Padre que está en los cielos. Y a cualquiera que me niegue delante de los hombres, yo también le negaré delante de mi Padre que está en los cielos" (Apocalipsis 3: 5; S. Mateo 10: 32, 33).

Todo el más profundo interés manifestado entre los hombres por los fallos de los tribunales terrenales no representa sino débilmente el interés manifestado en los atrios celestiales cuando los nombres inscritos en el libro de la vida desfilen ante el Juez de toda la tierra. El divino Intercesor aboga por que a todos los que han vencido por la fe en su sangre se les perdonen sus transgresiones, a fin de que sean restablecidos en su morada edénica y coronados con él coherederos del "señorío primero" (Miqueas 4: 8). Con sus esfuerzos para engañar y tentar a nuestra raza, Satanás había pensado frustrar el plan que Dios tenía al crear al hombre, pero Cristo pide ahora que este plan sea llevado a cabo como si el hombre no hubiese caído jamás. Pide para su pueblo, no sólo el perdón y la justificación, plenos y completos, sino además participación en su gloria y un asiento en su trono.

Mientras Jesús intercede por los súbditos de su gracia, Satanás los acusa ante Dios como transgresores. El gran seductor procuró arrastrarlos al escepticismo, hacerles perder la confianza en Dios, separarse de su amor y transgredir su ley. Ahora él señala la historia de sus vidas, los defectos de carácter, la falta de semejanza con Cristo, lo que deshonró a su Redentor, todos los pecados que les indujo a cometer, y a causa de éstos los reclama como sus súbditos.

Jesús no disculpa sus pecados, pero muestra su arrepentimiento y su fe, y, reclamando el perdón para ellos, levanta sus manos heridas ante el Padre y los santos ángeles, diciendo: Los conozco por sus nombres. Los he grabado en las palmas de mis manos. "Los sacrificios de Dios son el espíritu quebrantado; al corazón contrito y humillado no despreciarás tú, oh Dios" (Salmo 51: 17). Y al acusador de su pueblo le dice: "Jehová te reprenda, oh Satanás; Jehová que ha escogido a Jerusalén te reprenda. ¿No es éste un tizón arrebatado del incendio? (Zacarías 3: 2). Cristo revestirá a sus fieles con su propia justicia, para presentarlos a su Padre como una "Iglesia gloriosa, que no tuviese mancha ni arruga ni cosa semejante" (Efesios 5: 27). Sus nombres están inscritos en el libro de la vida, y de estos escogidos está escrito: "Andarán conmigo en vestiduras blancas, porque son dignas" (Apocalipsis 3: 4).

Así se cumplirá de un modo completo la promesa del nuevo pacto: "Perdonaré la maldad de ellos, y no me acordaré de sus pecados". "En aquellos días y en aquel tiempo, dice Jehová, la maldad de Israel será buscada, y no aparecerá". "En aquel tiempo el renuevo de Jehová será para hermosura y gloria, y el fruto de la tierra para grandeza y honra, a los sobrevivientes de Israel. Y acontecerá que el que quedare en Sion, y el que fuere dejado en Jerusalén, será llamado santo; todos los que en Jerusalén estén registrados entre los vivientes" (Jeremías 31: 34; 50: 20; Isaías 4: 2, 3).

La obra del juicio investigador y el acto de borrar los pecados deben realizarse antes del segundo advenimiento del Señor. En vista de que los muertos han de ser juzgados según las cosas escritas en los libros, es imposible que los pecados de los hombres sean borrados antes del fin del juicio en que sus vidas han de ser examinadas. Pero el apóstol Pedro dice terminantemente que los pecados de los creyentes serán borrados cuando "vengan de la presencia del Señor tiempos de refrigerio, y él envíe a Jesucristo" (Hechos 3: 19, 20). Cuando el juicio investigador haya concluido, Cristo vendrá con su recompensa para dar a cada cual según sus obras.

En el servicio ritual típico el sumo sacerdote, hecha la propiciación por Israel, salía y bendecía a la congregación. Así también Cristo, una vez terminada su obra de mediador, aparecerá "sin pecado... para la salvación" (Hebreos 9: 28, VM), para bendecir con el don de la vida eterna a su pueblo que le espera. Así como, al quitar los pecados del santuario, el sacerdote los confesaba sobre la cabeza del macho cabrío emisario, así también Cristo colocará todos estos pecados sobre Satanás, autor e instigador del pecado. El macho cabrío emisario, que cargaba con los pecados de Israel, era enviado "a tierra inhabitada" (Levítico 16: 22); así también Satanás, cargado con la responsabilidad de todos los pecados que ha hecho cometer al pueblo de Dios, será confinado durante mil años en la tierra entonces desolada y sin habitantes, y sufrirá finalmente la entera penalidad del pecado en el fuego que destruirá a todos los impíos. Así el gran plan de la redención alcanzará su cumplimiento en la extirpación final del pecado y la liberación de todos los que estuvieron dispuestos a renunciar al mal.

EL TRIUNFO DEL AMOR DE DIOS

En el tiempo señalado para el juicio —al fin de los 2.300 días, en 1844— empezó la obra de investigación y el acto de borrar los pecados. Todos los que hayan profesado el nombre de Cristo deben pasar por ese riguroso examen. Tanto los vivos como los muertos deben ser juzgados "de acuerdo con las cosas escritas en los libros, según sus obras".

Los pecados que no hayan inspirado arrepentimiento y que no hayan sido abandonados, no serán perdonados ni borrados de los libros de memoria, sino que permanecerán como testimonio contra el pecador en el día de Dios. Puede el pecador haber cometido sus malas acciones a la luz del día o en la oscuridad de la noche, eran conocidas y manifiestas para Aquel a quien tenemos que dar cuenta. Hubo siempre ángeles de Dios que fueron testigos de cada pecado, y lo registraron en los libros infalibles. El pecado puede ser ocultado, negado, encubierto para un padre, una madre, una esposa, o para los hijos y los amigos; nadie, fuera de los mismos culpables tendrá tal vez la más mínima sospecha del mal; pero no deja por eso de quedar al descubierto ante los seres celestiales. La oscuridad de la noche más sombría, el misterio de todas las artes engañosas, no alcanzan a velar un solo pensamiento para el conocimiento del Eterno. Dios lleva un registro exacto de todo acto injusto e ilícito. No se deja engañar por una apariencia de piedad. No se equivoca en su apreciación del carácter. Los hombres pueden ser engañados por los de corazón corrompido, pero Dios penetra todos los disfraces y lee la vida interior.

¡Qué pensamiento tan solemne! Cada día que transcurre lleva consigo su caudal de apuntes para los libros del cielo. Una palabra pronunciada, un acto cometido, no pueden ser jamás retirados. Los ángeles tomaron nota de lo bueno

como de lo malo. El más poderoso conquistador de este mundo no puede revocar el registro de un solo día siquiera. Nuestros actos, nuestras palabras, hasta nuestros más secretos motivos, todo tiene su peso en la decisión de nuestro destino para dicha o desdicha. Podremos olvidarlos, pero no por eso dejarán de testificar en nuestro favor o contra nosotros.

Así como los rasgos de la fisonomía son reproducidos con minuciosa exactitud sobre la pulida placa del artista, así también está el carácter fielmente delineado en los libros del cielo. No obstante ¡cuán poca preocupación se siente respecto a ese registro que debe ser examinado por los seres celestiales! Si se pudiese descorrer el velo que separa el mundo visible del invisible, y los hijos de los hombres pudiesen ver a un ángel apuntar cada palabra y cada acto que volverán a encontrar en el día del juicio, ¡cuántas palabras de las que se pronuncian cada día no se dejarían de pronunciar; cuántos actos no se dejarían sin realizar!

En el juicio se examinará el empleo que se haya hecho de cada talento. ¿Cómo hemos empleado el capital que el cielo nos concediera? A su venida ¿recibirá el Señor lo que es suyo con interés? ¿Hemos perfeccionado las facultades que fueran confiadas a nuestras manos, a nuestros corazones y a nuestros cerebros para la gloria de Dios y provecho del mundo? ¿Cómo hemos empleado nuestro tiempo, nuestra pluma, nuestra voz, nuestro dinero, nuestra influencia? ¿Qué hemos hecho por Cristo en la persona de los pobres, de los afligidos, de los huérfanos o de las viudas? Dios nos hizo depositarios de su santa Palabra; ¿qué hemos hecho con la luz y la verdad que se nos confió para hacer a los hombres sabios para la salvación? No se da ningún valor a una mera profesión de fe en Cristo; sólo se tiene por genuino el amor que se muestra en las obras. Con todo, el amor es lo único que ante los ojos del cielo da valor a un acto cualquiera. Todo lo que se hace por amor, por insignificante que aparezca en opinión de los hombres, es aceptado y recompensado por Dios.

El egoísmo escondido de los hombres aparece en los libros del cielo. Allí está el registro de los deberes que no cumplieron para con el prójimo, el de su olvido de las exigencias del Señor. Allí se verá cuán a menudo fueron dados a Satanás tiempo, pensamientos y energías que pertenecían a Cristo. Harto tristes son los apuntes que los ángeles llevan al cielo. Seres inteligentes que profesan ser discípulos de Cristo estan absorbidos por la adquisición de bienes mundanos, o por el goce de los placeres terrenales. El dinero, el tiempo y las energías son sacrificados a la ostentación y al egoísmo; pero pocos son los momentos dedicados a orar, a estudiar las Sagradas Escrituras, a humillar el alma y a confesar los pecados.

Satanás inventa innumerables medios de distraer nuestras mentes de la obra en que precisamente deberíamos estar más ocupados. El archiseductor aborrece las grandes verdades que hacen resaltar la importancia de un sacrificio

433

expiatorio y de un Mediador todopoderoso. Sabe que su éxito estriba en distraer las mentes de Jesús y de su obra.

Los que desean participar de los beneficios de la mediación del Salvador no deben permitir que cosa alguna les impida cumplir su deber de perfeccionarse en la santificación en el temor de Dios. En vez de dedicar horas preciosas a los placeres, a la ostentación o a la búsqueda de ganancias, las consagrarán a un estudio serio y con oración de la Palabra de verdad. El pueblo de Dios debería comprender claramente el asunto del santuario y del juicio investigador. Todos necesitan conocer por sí mismos el ministerio y la obra de su gran Sumo Sacerdote. De otro modo, les será imposible ejercitar la fe tan esencial en nuestros tiempos, o desempeñar el puesto al que Dios los llama. Cada cual tiene un alma que salvar o que perder. Todos tienen una causa pendiente ante el tribunal de Dios. Cada cual deberá encontrarse cara a cara con el gran Juez. ¡Cuán importante es, pues, que cada uno contemple a menudo de antemano la solemne escena del juicio en sesión, cuando serán abiertos los libros, cuando con Daniel, cada cual tendrá que estar en pie al fin de los días!

Todos los que han recibido la luz sobre estos asuntos deben dar testimonio de las grandes verdades que Dios les ha confiado. El santuario en el cielo es el centro mismo de la obra de Cristo en favor de los hombres. Concierne a toda alma que vive en la tierra. Nos revela el plan de la redención, nos conduce hasta el fin mismo del tiempo y anuncia el triunfo final de la lucha entre la justicia y el pecado. Es de la mayor importancia que todos investiguen a fondo estos asuntos, y que estén siempre prontos a dar respuesta a todo aquel que les pidiere razón de la esperanza que hay en ellos.

La intercesión de Cristo por el hombre en el santuario celestial es tan esencial para el plan de la salvación como lo fue su muerte en la cruz. Con su muerte dio principio a aquella obra para cuya conclusión ascendió al cielo después de su resurrección. Por la fe debemos entrar dentro del velo, "donde Jesús entró por nosotros como precursor" (Hebreos 6: 20). Allí se refleja la luz de la cruz del Calvario; y allí podemos obtener una comprensión más clara de los misterios de la redención. La salvación del hombre se cumple a un precio infinito para el cielo; el sacrificio hecho corresponde a las más amplias exigencias de la ley de Dios quebrantada. Jesús abrió el camino que lleva al trono del Padre, y por su mediación pueden ser presentados ante Dios los deseos sinceros de todos los que a él se allegan con fe.

"El que encubre sus pecados no prosperará; mas el que los confiesa y se aparta alcanzará misericordia" (Proverbios 28: 13). Si los que esconden y disculpan sus faltas pudiesen ver cómo Satanás se alegra de ello, y los usa para desafiar a Cristo y sus santos ángeles, se apresurarían a confesar sus pecados y a renunciar a ellos. De los defectos de carácter se vale Satanás para intentar dominar toda la mente, y sabe muy bien que si se conservan estos defectos, lo logrará. De ahí que trate constantemente de engañar a los discípulos de Cristo con su fatal sofisma de que les es imposible vencer. Pero Jesús aboga en su favor con sus manos heridas, su cuerpo quebrantado, y declara a todos los que quieran seguirle: "Bástate mi gracia" (2 Corintios 12: 9). "Llevad mi yugo sobre vosotros, y aprended de mí, que soy manso y humilde de corazón; y hallaréis descanso para vuestras almas; porque mi yugo es fácil, y ligera mi carga" (S. Mateo 11: 29, 30). Nadie considere, pues, sus defectos como incurables. Dios concederá fe y gracia para vencerlos.

Estamos viviendo ahora en el gran día de la expiación. Cuando en el servicio simbólico el sumo sacerdote hacía la propiciación por Israel, todos debían afligir sus almas arrepintiéndose de sus pecados y humillándose ante el Señor, si no querían verse separados del pueblo. De la misma manera, todos los que desean que sus nombres sean conservados en el libro de la vida, deben ahora, en los pocos días que les quedan de este tiempo de gracia, afligir sus almas ante Dios con verdadero arrepentimiento y dolor por sus pecados. Hay que escudriñar honda y sinceramente el corazón. Hay que deponer el espíritu liviano y frívolo al que se entregan tantos cristianos de profesión. Empeñada lucha espera a todos aquellos que quieran subyugar las malas inclinaciones que tratan de dominarlos. La obra de preparación es obra individual. No somos salvados en grupos. La pureza y la devoción de uno no suplirá la falta de estas cualidades en otro. Si bien todas las naciones deben pasar en juicio ante Dios, sin embargo él examinará el caso de cada individuo de un modo tan rígido y minucioso como si no hubiese otro ser en la tierra. Cada cual tiene que ser probado y encontrado sin mancha, ni arruga, ni cosa semejante.

Solemnes son las escenas relacionadas con la obra final de la expiación. Incalculables son los intereses que ésta envuelve. El juicio se lleva ahora adelante en el santuario celestial. Esta obra se viene realizando desde hace muchos años. Pronto —nadie sabe cuándo— les tocará ser juzgados a los vivos. En la augusta presencia de Dios nuestras vidas deben ser pasadas en revista. En éste más que en cualquier otro tiempo conviene que toda alma preste atención a la amonestación del Señor: "Velad y orad; porque no sabéis cuándo será el tiempo". "Pues si no velas, vendré sobre ti como ladrón, y no sabrás a qué hora vendré sobre ti" (S. Marcos 13: 33; Apocalipsis 3: 3).

Cuando quede concluida la obra del juicio investigador, quedará también decidida la suerte de todos para vida o para muerte. El tiempo de gracia terminará poco antes de que el Señor aparezca en las nubes del cielo. Al mirar hacia ese tiempo, Cristo declara en el Apocalipsis: "El que es injusto, sea injusto todavía; y el que es inmundo, sea inmundo todavía; y el que es justo, practique la justicia todavía; y el que es santo, santifíquese todavía. He aquí yo vengo pronto, y mi galardón conmigo, para recompensar a cada uno según sea su obra" (Apocalipsis 22: 11, 12).

EL TRIUNFO DEL AMOR DE DIOS

Los justos y los impíos continuarán viviendo en la tierra en su estado mortal, los hombres seguirán plantando y edificando, comiendo y bebiendo, inconscientes todos ellos de que la decisión final e irrevocable ha sido pronunciada en el santuario celestial. Antes del diluvio, después que Noé hubo entrado en el arca, Dios cerró la puerta tras él, dejando fuera a los impíos; pero por espacio de siete días el pueblo, no sabiendo que su suerte estaba decidida, continuó en su indiferente búsqueda de placeres y se mofó de las advertencias del juicio que le amenazaba. "Así —dice el Salvador— será también la venida del Hijo del hombre" (S. Mateo 24: 39). Inadvertida como ladrón a medianoche, llegará la hora decisiva que fija el destino de cada uno, cuando será retirado definitivamente el ofrecimiento de la gracia que se dirigiera a los culpables.

"Velad, pues,... para que cuando venga de repente, no os halle durmiendo" (S. Marcos 13: 35, 36). Peligroso es el estado de aquellos que cansados de velar, se vuelven a los atractivos del mundo. Mientras que el hombre de negocios está absorto en el afán de lucro, mientras el amigo de los placeres corre tras ellos, mientras la esclava de la moda está ataviándose, puede llegar el momento en que el Juez de toda la tierra pronuncie la sentencia: "Pesado has sido en la balanza, y fuiste hallado falto" (Daniel 5: 27).

CAPITULO 30

El Origen del Mal
y del Dolor

PARA muchos el origen del pecado y el porqué de su existencia es causa de gran perplejidad. Ven la obra del mal con sus terribles resultados de dolor y desolación, y se preguntan cómo puede existir todo eso bajo la soberanía de Aquel cuya sabiduría, poder y amor son infinitos. Es esto un misterio que no pueden explicarse. Y su incertidumbre y sus dudas los dejan ciegos ante las verdades plenamente reveladas en la Palabra de Dios y esenciales para la salvación. Hay quienes, en sus investigaciones acerca de la existencia del pecado, tratan de inquirir lo que Dios nunca reveló; de aquí que no encuentren solución a sus dificultades; y los que son dominados por una disposición a la duda y a la cavilación lo aducen como disculpa para rechazar las palabras de la Santa Escritura. Otros, sin embargo, no se pueden dar cuenta satisfactoria del gran problema del mal, debido a la circunstancia de que la tradición y las falsas interpretaciones han oscurecido las enseñanzas de la Biblia referentes al carácter de Dios, la naturaleza de su gobierno y los principios de su actitud hacia el pecado.

Es imposible explicar el origen del pecado y dar razón de su existencia. Sin embargo, se puede comprender suficientemente lo que atañe al origen y a la disposición final del pecado, para hacer enteramente manifiesta la justicia y benevolencia de Dios en su modo de proceder contra todo mal. Nada se enseña con mayor claridad en las Sagradas Escrituras que el hecho de que Dios no fue en nada responsable de la introducción del pecado en el mundo, y de que no hubo retención arbitraria de la gracia de Dios, ni error alguno en el gobierno divino que dieran lugar a la rebelión. El pecado es un intruso, y no hay razón que pueda explicar su presencia. Es algo misterioso e inexplicable; excusarlo equivaldría a defenderlo. Si se pudiera encontrar alguna excusa en su favor o

señalar la causa de su existencia, dejaría de ser pecado. La única definición del pecado es la que da la Palabra de Dios: "El pecado es infracción de la ley", es la manifestación exterior de un principio en pugna con la gran ley de amor que es el fundamento del gobierno divino.

Antes de la aparición del pecado había paz y gozo en todo el universo. Todo guardaba perfecta armonía con la voluntad del Creador. El amor a Dios estaba por encima de todo, y el amor de unos a otros era imparcial. Cristo el Verbo, el Unigénito de Dios, era uno con el Padre Eterno: uno en naturaleza, en carácter y en designios; era el único ser en todo el universo que podía entrar en todos los consejos y designios de Dios. Fue por intermedio de Cristo por quien el Padre efectuó la creación de todos los seres celestiales. "Por él fueron creadas todas las cosas, en los cielos,... ora sean tronos, o dominios, o principados, o poderes" (Colosenses 1: 16, VM); y todo el cielo rendía homenaje tanto a Cristo como al Padre.

Como la ley de amor era el fundamento del gobierno de Dios, la dicha de todos los seres creados dependía de su perfecta armonía con los grandes principios de justicia. Dios quiere que todas sus criaturas le rindan un servicio de amor y un homenaje que provenga de la apreciación inteligente de su carácter. No le agrada la sumisión forzosa, y da a todos libertad para que le sirvan voluntariamente.

Pero hubo un ser que prefirió pervertir esta libertad. El pecado nació en aquel que, después de Cristo, había sido el más honrado por Dios y el más exaltado en honor y en gloria entre los habitantes del cielo. Antes de su caída, Lucifer era el primero de los querubines que cubrían el propiciatorio santo y sin mácula. "Así ha dicho Jehová el Señor: Tú eras el sello de la perfección, lleno de sabiduría, y acabado de hermosura. En Edén, en el huerto de Dios estuviste; de toda piedra preciosa era tu vestidura... Tú, querubín grande, protector, yo te puse en el santo monte de Dios, allí estuviste; en medio de las piedras de fuego te paseabas. Perfecto eras en todos tus caminos desde el día que fuiste creado, hasta que se halló en ti maldad" (Ezequiel 28: 12-15).

Lucifer habría podido seguir gozando del favor de Dios, amado y honrado por toda la hueste angélica, empleando sus nobles facultades para beneficiar a los demás y para glorificar a su Hacedor. Pero el profeta dice: "Se enalteció tu corazón a causa de tu hermosura, corrompiste tu sabiduría a causa de tu esplendor" (vers. 17). Poco a poco, Lucifer se abandonó al deseo de la propia exaltación. "Pusiste tu corazón como corazón de Dios". "Tú que decías...: Subiré al cielo; en lo alto, junto a las estrellas de Dios, levantaré mi trono, y en el monte del testimonio me sentaré,... sobre las alturas de las nubes subiré, y seré semejante al Altísimo" (Ezequiel 28: 6; Isaías 14: 13, 14). En lugar de procurar que Dios fuese objeto principal de los afectos y de la obediencia de sus criaturas, Lucifer se esforzó por granjearse el servicio y el homenaje de ellas. Y,

439

El pecado se originó en el cielo cuando Lucifer, el ángel entonces más exaltado, empezó a sembrar el desafecto hacia Cristo entre los demás ángeles.

JOHN STEEL © PPPA

EL TRIUNFO DEL AMOR DE DIOS

codiciando los honores que el Padre Infinito había concedido a su Hijo, este príncipe de los ángeles aspiraba a un poder que sólo Cristo tenía derecho a ejercer.

El cielo entero se había regocijado en reflejar la gloria del Creador y entonar sus alabanzas. Y en tanto que Dios era así honrado, todo era paz y dicha. Pero una nota discordante vino a romper las armonías celestiales. El amor y la exaltación de sí mismo, contrarios al plan del Creador, despertaron presentimientos del mal en las mentes de aquellos entre quienes la gloria de Dios lo superaba todo. Los consejos celestiales alegaron con Lucifer. El Hijo de Dios le hizo presentes la grandeza, la bondad y la justicia del Creador, y la naturaleza sagrada e inmutable de su ley. Dios mismo había establecido el orden del cielo, y Lucifer al apartarse de él, iba a deshonrar a su Creador y a atraer la ruina sobre sí mismo. Pero la amonestación dada con un espíritu de amor y misericordia infinitos, sólo despertó espíritu de resistencia. Lucifer dejó prevalecer sus celos y su rivalidad con Cristo, y se volvió aún más obstinado.

El orgullo de su propia gloria le hizo desear la supremacía. Lucifer no apreció como don de su Creador los altos honores que Dios le había conferido, y no sintió gratitud alguna. Se glorificaba de su belleza y elevación, y aspiraba a ser igual a Dios. Era amado y reverenciado por la hueste celestial. Los ángeles se deleitaban en ejecutar sus órdenes, y estaba revestido de sabiduría y gloria sobre todos ellos. Sin embargo, el Hijo de Dios era el Soberano reconocido del cielo, y gozaba de la misma autoridad y poder que el Padre. Cristo tomaba parte en todos los consejos de Dios, mientras que a Lucifer no le era permitido entrar así en los designios divinos. Y este ángel poderoso se preguntaba por qué había de tener Cristo la supremacía y recibir más honra que él mismo.

Abandonando el lugar que ocupaba en la presencia inmediata del Padre, Lucifer salió a difundir el espíritu de descontento entre los ángeles. Obrando con misterioso sigilo y encubriendo durante algún tiempo sus verdaderos fines bajo una apariencia de respeto hacia Dios, se esforzó en despertar el descontento respecto a las leyes que gobernaban a los seres divinos, insinuando que ellas imponían restricciones innecesarias. Insistía en que siendo dotados de una naturaleza santa, los ángeles debían obedecer los dictados de su propia voluntad. Procuró ganarse la simpatía de ellos haciéndoles creer que Dios había obrado injustamente con él, concediendo a Cristo honor supremo. Dio a entender que al aspirar a mayor poder y honor, no trataba de exaltarse a sí mismo sino de asegurar libertad para todos los habitantes del cielo, a fin de que pudiesen así alcanzar a un nivel superior de existencia.

En su gran misericordia, Dios soportó por largo tiempo a Lucifer. Este no fue expulsado inmediatamente de su elevado puesto, cuando se dejó arrastrar por primera vez por el espíritu de descontento, ni tampoco cuando empezó a presentar sus falsos asertos a los ángeles leales. Fue retenido aún por mucho tiempo en el cielo. Varias y repetidas veces se le ofreció el perdón con tal de que

440

se arrepintiese y se sometiese. Para convencerlo de su error se hicieron esfuerzos de que sólo el amor y la sabiduría infinitos eran capaces. Hasta entonces no se había conocido el espíritu de descontento en el cielo. El mismo Lucifer no veía en un principio hasta dónde le llevaría este espíritu; no comprendía la verdadera naturaleza de sus sentimientos. Pero cuando se demostró que su descontento no tenía motivo, Lucifer se convenció de que no tenía razón, que lo que Dios pedía era justo, y que debía reconocerlo ante todo el cielo. De haberlo hecho así, se habría salvado a sí mismo y a muchos ángeles. En ese entonces no había él negado aún toda obediencia a Dios. Aunque había abandonado su puesto de querubín cubridor, habría sido no obstante restablecido en su oficio si, reconociendo la sabiduría del Creador, hubiese estado dispuesto a volver a Dios y si se hubiese contentado con ocupar el lugar que le correspondía en el plan de Dios. Pero el orgullo le impidió someterse. Se empeñó en defender su proceder insistiendo en que no necesitaba arrepentirse, y se entregó de lleno al gran conflicto con su Hacedor.

Desde entonces dedicó todo el poder de su gran inteligencia a la tarea de engañar, para asegurarse la simpatía de los ángeles que habían estado bajo sus órdenes. Hasta el hecho de que Cristo le había prevenido y aconsejado fue desnaturalizado para servir a sus pérfidos designios. A los que estaban más estrechamente ligados a él por el amor y la confianza, Satanás les hizo creer que había sido mal juzgado, que no se había respetado su posición y que se le quería coartar la libertad. Después de haber así desnaturalizado las palabras de Cristo, pasó a prevaricar y a mentir descaradamente, acusando al Hijo de Dios de querer humillarlo ante los habitantes del cielo. Además trató de crear una situación falsa entre sí mismo y los ángeles aún leales. Todos aquellos a quienes no pudo sobornar y atraer completamente a su lado, los acusó de indiferencia respecto a los intereses de los seres celestiales. Acusó a los que permanecían fieles a Dios, de aquello mismo que estaba haciendo. Y para sostener contra Dios la acusación de injusticia para con él, recurrió a una falsa presentación de las palabras y de los actos del Creador. Su política consistía en confundir a los ángeles con argumentos sutiles acerca de los designios de Dios. Todo lo sencillo lo envolvía en misterio, y valiéndose de artera perversión, hacía nacer dudas respecto a las declaraciones más terminantes de Jehová. Su posición elevada y su estrecha relación con la administración divina, daban mayor fuerza a sus representaciones, y muchos ángeles fueron inducidos a unirse con él en su rebelión contra la autoridad celestial.

Dios permitió en su sabiduría que Satanás prosiguiese su obra hasta que el espíritu de desafecto se convirtiese en activa rebeldía. Era necesario que sus planes se desarrollaran por completo para que su naturaleza y sus tendencias quedaran a la vista de todos. Lucifer, como querubín ungido, había sido grandemente exaltado; era muy amado de los seres celestiales y ejercía poderosa influencia sobre ellos. El gobierno de Dios no incluía sólo a los habitantes del

441

cielo sino también a los de todos los mundos que él había creado; y Satanás pensó que si podía arrastrar a los ángeles del cielo en su rebeldía, podría también arrastrar a los habitantes de los demás mundos. Había presentado arteramente su manera de ver la cuestión, valiéndose de sofismas y fraude para conseguir sus fines. Tenía gran poder para engañar, y al usar su disfraz de mentira había obtenido una ventaja. Ni aun los ángeles leales podían discernir plenamente su carácter ni ver adónde conducía su obra.

Satanás había sido tan altamente honrado, y todos sus actos estaban tan revestidos de misterio, que era difícil revelar a los ángeles la verdadera naturaleza de su obra. Antes de su completo desarrollo, el pecado no podía aparecer como el mal que era en realidad. Hasta entonces no había existido en el universo de Dios, y los seres santos no tenían idea de su naturaleza y malignidad. No podían ni entrever las terribles consecuencias que resultarían de poner a un lado la ley de Dios. Al principio, Satanás había ocultado su obra bajo una astuta profesión de lealtad para con Dios. Aseveraba que se desvelaba por honrar a Dios, afianzar su gobierno y asegurar el bien de todos los habitantes del cielo. Mientras difundía el descontento entre los ángeles que estaban bajo sus órdenes, aparentaba hacer cuanto le era posible por que desapareciera ese mismo descontento. Sostenía que los cambios que reclamaba en el orden y en las leyes del gobierno de Dios eran necesarios para conservar la armonía en el cielo.

En su actitud para con el pecado, Dios no podía sino obrar con justicia y verdad. Satanás podía hacer uso de armas de las cuales Dios no podía valerse: la lisonja y el engaño. Satanás había tratado de falsificar la Palabra de Dios y había representado de un modo falso su plan de gobierno ante los ángeles, sosteniendo que Dios no era justo al imponer leyes y reglas a los habitantes del cielo; que al exigir de sus criaturas sumisión y obediencia, sólo estaba buscando su propia gloria. Por eso debía ser puesto de manifiesto ante los habitantes del cielo y ante los de todos los mundos, que el gobierno de Dios era justo y su ley perfecta. Satanás había dado a entender que él mismo trataba de promover el bien del universo. Todos debían llegar a comprender el verdadero carácter del usurpador y el propósito que le animaba. Había que dejarle tiempo para que se diera a conocer por sus actos de maldad.

Satanás achacaba a la ley y al gobierno de Dios la discordia que su propia conducta había introducido en el cielo. Declaraba que todo el mal provenía de la administración divina. Aseveraba que lo que él mismo quería era perfeccionar los estatutos de Jehová. Era pues necesario que diera a conocer la naturaleza de sus pretensiones y los resultados de los cambios que él proponía introducir en la ley divina. Su propia obra debía condenarle. Satanás había declarado desde un principio que no estaba en rebelión. El universo entero debía ver al seductor desenmascarado.

Aun cuando quedó resuelto que Satanás no podría permanecer por más tiempo en el cielo, la Sabiduría Infinita no lo destruyó. En vista de que sólo un servicio de amor puede ser aceptable a Dios, la sumisión de sus criaturas debe proceder de una convicción de su justicia y benevolencia. Los habitantes del cielo y de los demás mundos, al no estar preparados para comprender la naturaleza ni las consecuencias del pecado, no podrían haber reconocido la justicia y misericordia de Dios en la destrucción de Satanás. De haber sido éste aniquilado inmediatamente, aquéllos habrían servido a Dios por miedo más bien que por amor. La influencia del seductor no habría quedado destruida del todo, ni el espíritu de rebelión habría sido extirpado por completo. Para bien del universo entero a través de las edades sin fin, era preciso dejar que el mal llegase a su madurez, y que Satanás desarrollase más completamente sus principios, a fin de que todos los seres creados reconociesen el verdadero carácter de los cargos que arrojara él contra el gobierno divino y a fin de que quedaran para siempre incontrovertibles la justicia y la misericordia de Dios, así como el carácter inmutable de su ley.

La rebeldía de Satanás, cual testimonio perpetuo de la naturaleza y de los resultados terribles del pecado, debía servir de lección al universo en todo el curso de las edades futuras. La obra del gobierno de Satanás, sus efectos sobre los hombres y los ángeles, harían patentes los resultados del desprecio de la autoridad divina. Demostrarían que de la existencia del gobierno de Dios y de su ley depende el bienestar de todas las criaturas que él ha formado. De este modo la historia del terrible experimento de la rebeldía, sería para todos los seres santos una salvaguardia eterna destinada a precaverlos contra todo engaño respecto a la índole de la transgresión, y a guardarlos de cometer pecado y de sufrir el castigo consiguiente.

EL TRIUNFO DEL AMOR DE DIOS

El gran usurpador siguió justificándose hasta el fin mismo de la controversia en el cielo. Cuando se dio a saber que, con todos sus secuaces, iba a ser expulsado de las moradas de la dicha, el jefe rebelde declaró audazmente su desprecio de la ley del Creador. Reiteró su aserto de que los ángeles no necesitaban sujeción, sino que debía dejárseles seguir su propia voluntad, que los dirigiría siempre bien. Denunció los estatutos divinos como restricción de su libertad y declaró que el objeto que él perseguía era asegurar la abolición de la ley para que, libres de esta traba, las huestes del cielo pudiesen alcanzar un grado de existencia más elevado y glorioso.

De común acuerdo Satanás y su hueste culparon a Cristo de su rebelión, declarando que si no hubiesen sido censurados, no se habrían rebelado. Así obstinados y arrogantes en su deslealtad, vanamente empeñados en trastornar el gobierno de Dios, al mismo tiempo que en son de blasfemia decían ser ellos mismos víctimas inocentes de un poder opresivo, el gran rebelde y todos sus secuaces fueron al fin echados del cielo.

El mismo espíritu que fomentara la rebelión en el cielo, continúa inspirándola en la tierra. Satanás ha seguido con los hombres la misma política que siguiera con los ángeles. Su espíritu impera ahora en los hijos de desobediencia. Como él, tratan éstos de romper el freno de la ley de Dios, y prometen a los hombres la libertad mediante la transgresión de los preceptos de aquélla. La reprensión del pecado despierta aún el espíritu de odio y resistencia. Cuando los mensajeros que Dios envía para amonestar tocan a la conciencia, Satanás induce a los hombres a que se justifiquen y a que busquen la simpatía de otros en su camino de pecado. En lugar de enmendar sus errores, despiertan la indignación contra el que los reprende, como si éste fuera la única causa de la dificultad. Desde los días del justo Abel hasta los nuestros, tal ha sido el espíritu que se ha manifestado contra quienes osaron condenar el pecado.

Mediante la misma falsa representación del carácter de Dios que empleó en el cielo, para hacerle parecer severo y tiránico, Satanás indujo al hombre a pecar. Y logrado esto, declaró que las restricciones injustas de Dios habían sido causa de la caída del hombre, como lo habían sido de su propia rebeldía.

Pero el mismo Dios eterno da a conocer así su carácter: "¡Jehová! ¡Jehová! fuerte, misericordioso y piadoso; tardo para la ira, y grande en misericordia y verdad; que guarda misericordia a millares, que perdona la iniquidad, la rebelión y el pecado, y que de ningún modo tendrá por inocente al malvado" (Exodo 34: 6, 7).

Al echar a Satanás del cielo, Dios hizo patente su justicia y mantuvo el honor de su trono. Pero cuando el hombre pecó cediendo a las seducciones del espíritu apóstata, Dios dio una prueba de su amor, consintiendo en que su Hijo unigénito muriese por la raza caída. El carácter de Dios se pone de manifiesto en el sacrificio expiatorio de Cristo. El poderoso argumento de la cruz demuestra a todo el universo que el gobierno de Dios no era de ninguna manera responsable del camino de pecado que Lucifer había escogido.

El carácter del gran engañador se mostró tal cual era en la lucha entre Cristo y Satanás, durante el ministerio terrenal del Salvador. Nada habría podido desarraigar tan completamente las simpatías que los ángeles celestiales y todo el universo leal pudieran sentir hacia Satanás, como su guerra cruel contra el Redentor del mundo. Su petición atrevida y blasfema de que Cristo le rindiese homenaje, su orgullosa presunción que le hizo transportarlo a la cúspide del monte y a las almenas del templo, la intención malévola que mostró al instarle a que se arrojara de aquella vertiginosa altura, la inquina implacable con la cual persiguió al Salvador por todas partes, e inspiró a los corazones de los sacerdotes y del pueblo a que rechazaran su amor y a que gritaran al fin: "¡Crucifícale! ¡Crucifícale!"—todo esto despertó el asombro y la indignación del universo.

Fue Satanás el que impulsó al mundo a rechazar a Cristo. El príncipe del mal hizo cuanto pudo y empleó toda su astucia para matar a Jesús, pues vio que la misericordia y el amor del Salvador, su compasión y su tierna piedad estaban representando ante el mundo el carácter de Dios. Satanás disputó todos los asertos del Hijo de Dios, y empleó a los hombres como agentes suyos para llenar la vida del Salvador de sufrimientos y penas. Los sofismas y las mentiras por medio de los cuales procuró obstaculizar la obra de Jesús, el odio manifestado por los hijos de rebelión, sus acusaciones crueles contra Aquel cuya vida se rigió por una bondad sin precedente, todo ello provenía de un sentimiento de venganza profundamente arraigado. Los fuegos concentrados de la envidia y de la malicia, del odio y de la venganza, estallaron en el Calvario contra el Hijo de Dios, mientras el cielo miraba con silencioso horror.

Consumado ya el gran sacrificio, Cristo subió al cielo, rehusando la adoración de los ángeles, mientras no hubiese presentado la petición: "Padre, aquellos que me has dado, quiero que donde yo estoy, también ellos estén conmigo" (S. Juan 17: 24). Entonces, con amor y poder indecibles, el Padre respondió desde su trono: "Adórenle todos los ángeles de Dios" (Hebreos 1: 6). No había ni una mancha en Jesús. Acabada su humillación, cumplido su sacrificio, le fue dado un nombre que está por encima de todo otro nombre.

Entonces fue cuando la culpabilidad de Satanás se destacó en toda su desnudez. Había dado a conocer su verdadero carácter de mentiroso y asesino. Se echó de ver que el mismo espíritu con el cual él gobernaba a los hijos de los hombres que estaban bajo su poder, lo habría manifestado en el cielo si hubiese podido gobernar a los habitantes de éste. Había aseverado que la transgresión de la ley de Dios traería consigo libertad y ensalzamiento; pero lo que trajo en realidad fue servidumbre y degradación.

Los falsos cargos de Satanás contra el carácter del gobierno divino aparecieron en su verdadera luz. El había acusado a Dios de buscar tan sólo su propia exaltación con las exigencias de sumisión y obediencia por parte de sus criaturas, y había declarado que mientras el Creador exigía que todos se negasen a sí mismos él mismo no practicaba la abnegación ni hacía sacrificio alguno. Entonces se vio que para salvar una raza caída y pecadora, el Legislador del universo había hecho el mayor sacrificio que el amor pudiera inspirar, pues "Dios estaba en Cristo reconciliando consigo al mundo" (2 Corintios 5: 19). Se vio además que mientras Lucifer había abierto la puerta al pecado debido a su sed de honores y supremacía, Cristo, para destruir el pecado, se había humillado y hecho obediente hasta la muerte.

Dios había manifestado cuánto aborrece los principios de rebelión. Todo el cielo vio su justicia revelada, tanto en la condenación de Satanás como en la redención del hombre. Lucifer había declarado que si la ley de Dios era inmutable y su penalidad irremisible, todo transgresor debía ser excluido para siempre de la gracia del Creador. El había sostenido que la raza pecaminosa se encontraba fuera del alcance de la redención, y era por consiguiente presa legítima suya. Pero la muerte de Cristo fue un argumento irrefutable en favor del hombre. La penalidad de la ley caía sobre él que era igual a Dios, y el hombre quedaba libre de aceptar la justicia de Dios y de triunfar del poder de Satanás mediante una vida de arrepentimiento y humillación, como el Hijo de Dios había triunfado. Así Dios es justo, al mismo tiempo que justifica a todos los que creen en Jesús.

Pero no fue tan sólo para realizar la redención del hombre para lo que Cristo vino a la tierra a sufrir y morir. Vino para engrandecer la ley y hacerla honorable. Ni fue tan sólo para que los habitantes de este mundo respetasen la ley cual debía ser respetada, sino también para demostrar a todos los mundos del universo que la ley de Dios es inmutable. Si las exigencias de ella hubiesen podido descartarse, el Hijo de Dios no habría necesitado dar su vida para expiar la transgresión de ella. La muerte de Cristo prueba que la ley es inmutable. Y el sacrificio al cual el amor infinito impelió al Padre y al Hijo a fin de que los pecadores pudiesen ser redimidos, demuestra a todo el universo —y nada que fuese inferior a este plan habría bastado para demostrarlo— que la justicia y la misericordia son el fundamento de la ley del gobierno de Dios.

En la ejecución final del juicio se verá que no existe causa para el pecado. Cuando el Juez de toda la tierra le pregunte a Satanás: "¿Por qué te rebelaste contra mí y arrebataste súbditos de mi reino?" el autor del mal no podrá ofrecer excusa alguna. Toda boca permanecerá cerrada, todas las huestes rebeldes quedarán mudas.

Mientras la cruz del Calvario proclama el carácter inmutable de la ley, declara al universo que la paga del pecado es muerte. El grito agonizante del Salvador: "Consumado es", fue el toque de agonía para Satanás. Fue entonces cuando quedó zanjado el gran conflicto que había durado tanto tiempo y asegurada la extirpación final del mal. El Hijo de Dios atravesó los umbrales de la tumba, "para destruir por medio de la muerte al que tenía el imperio de la muerte, esto es, al diablo" (Hebreos 2: 14). El deseo que Lucifer tenía de exaltarse a sí mismo le había hecho decir: "Junto a las estrellas de Dios, levantaré mi trono,… seré semejante al Altísimo" (Isaías 14: 13, 14). Dios declara: "Te torno en ceniza sobre la tierra,… y no existirás más para siempre" (Ezequiel 28: 18, 19, VM). Eso será cuando venga "el día ardiente como un horno, y todos los soberbios y todos los que hacen maldad serán estopa; aquel día que vendrá los abrasará, ha dicho Jehová de los ejércitos, y no les dejará ni raíz ni rama" (Malaquías 4: 1).

Todo el universo habrá visto la naturaleza y los resultados del pecado. Y su destrucción completa que en un principio hubiese atemorizado a los ángeles y deshonrado a Dios, justificará entonces el amor de Dios y establecerá su gloria ante un universo de seres que se deleitarán en hacer su voluntad, y en cuyos corazones se encontrará su ley. Nunca más se manifestará el mal. La Palabra de Dios dice: "No se levantará la aflicción segunda vez" (Nahum 1: 9, VM). La ley de Dios que Satanás vituperó como yugo de servidumbre, será honrada como ley de libertad. Después de haber pasado por tal prueba y experiencia, la creación no se desviará jamás de la sumisión a Aquel que se dio a conocer en sus obras como Dios de amor insondable y sabiduría infinita.

CAPITULO 31

El Peor Enemigo del Hombre

"PONDRE enemistad entre ti y la mujer, y entre tu simiente y la simiente suya; ésta te herirá en la cabeza, y tú le herirás en el calcañar" (Génesis 3: 15). La divina sentencia pronunciada contra Satanás después de la caída del hombre fue también una profecía que, abarcando las edades hasta los últimos tiempos, predecía el gran conflicto en que se verían empeñadas todas las razas humanas que hubiesen de vivir en la tierra.

Dios declara: "Pondré enemistad". Esta enemistad no es fomentada de un modo natural. Cuando el hombre quebrantó la ley divina, su naturaleza se hizo mala y llegó a estar en armonía y no en divergencia con Satanás. No puede decirse que haya enemistad natural entre el hombre pecador y el autor del pecado. Ambos se volvieron malos a consecuencia de la apostasía. El apóstata no descansa sino cuando obtiene simpatías y apoyo al inducir a otros a seguir su ejemplo. De aquí que los ángeles caídos y los hombres malos se unan en desesperado compañerismo. Si Dios no se hubiese interpuesto especialmente, Satanás y el hombre se habrían aliado contra el cielo; y en lugar de albergar enemistad contra Satanás, toda la familia humana se habría unido en oposición a Dios.

Satanás tentó al hombre a que pecase, como había inducido a los ángeles a rebelarse, a fin de asegurarse su cooperación en su lucha contra el cielo. No había disensión alguna entre él y los ángeles caídos en cuanto al odio que sentían contra Cristo; mientras que estaban en desacuerdo tocante a todos los demás puntos, era unánime su oposición a la autoridad del Legislador del universo. Pero al oír Satanás que habría enemistad entre él y la mujer, y entre sus linajes, comprendió que serían contrarrestados sus esfuerzos por corromper la naturaleza humana y que se capacitaría al hombre para resistirle.

448

EL PEOR ENEMIGO DEL HOMBRE

Lo que enciende la enemistad de Satanás contra la raza humana, es que ella, por intermedio de Cristo, es objeto del amor y de la misericordia de Dios. Lo que él quiere entonces es oponerse al plan divino de la redención del hombre, deshonrar a Dios mutilando y profanando sus obras, causar dolor en el cielo y llenar la tierra de miseria y desolación. Y luego señala todos estos males como resultado de la creación del hombre por Dios.

La gracia que Cristo derrama en el alma es la que crea en el hombre enemistad contra Satanás. Sin esta gracia transformadora y este poder renovador, el hombre seguiría siendo esclavo de Satanás, siempre listo para ejecutar sus órdenes. Pero el nuevo principio introducido en el alma crea un conflicto allí donde hasta entonces reinó la paz. El poder que Cristo comunica, habilita al hombre para resistir al tirano y usurpador. Cualquiera que aborrezca el pecado en vez de amarlo, que resista y venza las pasiones que hayan reinado en su corazón, prueba que en él obra un principio que viene enteramente de lo alto.

El antagonismo que existe entre el espíritu de Cristo y el espíritu de Satanás se hizo particularmente patente en la forma en que el mundo recibió a Jesús. No fue tanto porque apareció desprovisto de riquezas de este mundo, de pompa y de grandeza, por lo que los judíos le rechazaron. Vieron que poseía un poder más que capaz de compensar la falta de aquellas ventajas exteriores. Pero la pureza y santidad de Cristo atrajeron sobre él el odio de los impíos. Su vida de abnegación y de devoción sin pecado era una continua represión para aquel pueblo orgulloso y sensual. Eso fue lo que despertó enemistad contra el Hijo de Dios. Satanás y sus ángeles malvados se unieron con los hombres impíos. Todos los poderes de la apostasía conspiraron contra el Defensor de la verdad.

La misma enemistad que se manifestó contra el Maestro, se manifiesta contra los discípulos de Cristo. Cualquiera que se dé cuenta del carácter repulsivo del pecado y que con el poder de lo alto resista a la tentación, despertará seguramente la ira de Satanás y de sus súbditos. El odio a los principios puros de la verdad, las acusaciones y persecuciones contra sus defensores, existirán mientras existan el pecado y los pecadores. Los discípulos de Cristo y los siervos de Satanás no pueden congeniar. El oprobio de la cruz no ha desaparecido. "Todos los que quieren vivir piadosamente en Cristo Jesús padecerán persecución" (2 Timoteo 3: 12).

Los agentes de Satanás obran continuamente bajo su dirección para establecer su autoridad y para fortalecer su reino en oposición al gobierno de Dios. Con tal fin tratan de seducir a los discípulos de Cristo y retraerlos de la obediencia. Como su jefe, tuercen y pervierten las Escrituras para conseguir su objeto. Así como Satanás trató de acusar a Dios, sus agentes tratan de vituperar al pueblo de Dios. El espíritu que mató a Cristo mueve a los malos a destruir a sus discípulos. Pero ya lo había predicho la primera profecía: "Pondré enemis-

449

tad entre ti y la mujer, y entre tu simiente y la simiente suya". Y así acontecerá hasta el fin de los tiempos.

Satanás reúne todas sus fuerzas y lanza todo su poder al combate. ¿Cómo es que no encuentra mayor resistencia? ¿Por qué están tan adormecidos los soldados de Cristo? ¿Por qué revelan tanta indiferencia? Sencillamente porque tienen poca comunión verdadera con Cristo, porque están destituidos de su Espíritu. No sienten por el pecado la repulsión y el odio que sentía su Maestro. No lo rechazan como lo rechazó Cristo con decisión y energía. No se dan cuenta del inmenso mal y de la malignidad del pecado, y están ciegos en lo que respecta al carácter y al poder del príncipe de las tinieblas. Es poca la enemistad que se siente contra Satanás y sus obras, porque hay mucha ignorancia acerca de su poder y de su malicia, y no se echa de ver el inmenso alcance de su lucha contra Cristo y su iglesia. Multitudes están en el error a este respecto. No saben que su enemigo es un poderoso general que dirige las inteligencias de los ángeles malos y que, merced a planes bien combinados y a una sabia estrategia, guerrea contra Cristo para impedir la salvación de las almas. Entre los que profesan el cristianismo y hasta entre los ministros del Evangelio, apenas si se oye hablar de Satanás, a no ser tal vez de un modo incidental desde lo alto del púlpito. Nadie se fija en las manifestaciones de su actividad y éxito continuos. No se tienen en cuenta los muchos avisos que nos ponen en guardia contra su astucia; hasta parece ignorarse su existencia.

Mientras los hombres desconocen los artificios de tan vigilante enemigo, éste les sigue a cada momento las pisadas. Se introduce en todos los hogares, en todas las calles de nuestras ciudades, en las iglesias, en los consejos de la nación, en los tribunales, confundiendo, engañando, seduciendo, arruinando por todas partes las almas y los cuerpos de hombres, mujeres y niños, destruyendo la unión de las familias, sembrando odios, rivalidades, sediciones y muertes. Y el mundo cristiano parece mirar estas cosas como si Dios mismo las hubiese dispuesto y como si debiesen existir.

Satanás está tratando continuamente de vencer al pueblo de Dios, rompiendo las barreras que lo separan del mundo. Los antiguos israelitas fueron arrastrados al pecado cuando se arriesgaron a formar asociaciones ilícitas con los paganos. Del mismo modo se descarría el Israel moderno. "El dios de este siglo cegó el entendimiento de los incrédulos, para que no les resplandezca la luz del Evangelio de la gloria de Cristo, el cual es la imagen de Dios" (2 Corintios 4: 4). Todos los que no son fervientes discípulos de Cristo, son siervos de Satanás. El corazón aún no regenerado ama el pecado y tiende a conservarlo y paliarlo. El corazón renovado aborrece el pecado y está resuelto a resistirle. Cuando los cristianos escogen la sociedad de los impíos e incrédulos, se exponen a la tentación. Satanás se oculta a la vista y furtivamente les pone su venda engañosa sobre los ojos. No pueden ver que semejante compañía es la más

451

Esta ilustración alegórica representa
la contienda por el alma humana entre las
fuerzas del bien y las fuerzas del mal.

JOHN STEEL © PPPA

adecuada para perjudicarles; y mientras más se van asemejando al mundo en carácter, palabras y obras, más y más se van cegando.

Al conformarse la iglesia con las costumbres del mundo, se vuelve mundana, pero esa conformidad no convierte jamás al mundo a Cristo. A medida que uno se familiariza con el pecado, éste aparece inevitablemente menos repulsivo. El que prefiere asociarse con los siervos de Satanás dejará pronto de temer al señor de ellos. Cuando somos probados en el camino del deber, cual lo fue Daniel en la corte del rey, podemos estar seguros de la protección de Dios; pero si nos colocamos a merced de la tentación, caeremos tarde o temprano.

El tentador obra a menudo con el mayor éxito por intermedio de los menos sospechosos de estar bajo su influencia. Se admira y honra a las personas de talento y de educación, como si estas cualidades pudiesen suplir la falta del temor de Dios o hacernos dignos de su favor. Considerados en sí mismos, el talento y la cultura son dones de Dios; pero cuando se emplean para sustituir la piedad, cuando en lugar de atraer el alma a Dios la alejan de él, entonces se convierten en una maldición y un lazo. Es opinión común que todo lo que aparece amable y refinado debe ser, en cierto sentido, cristiano. No hubo nunca error más grande. Cierto es que la amabilidad y el refinamiento deberían adornar el carácter de todo cristiano, pues ambos ejercerían poderosa influencia en favor de la verdadera religión; pero deben ser consagrados a Dios, o de lo contrario son también una fuerza para el mal. Muchas personas cultas y de modales afables que no cederían a lo que suele llamarse actos inmorales, son brillantes instrumentos de Satanás. Lo insidioso de su influencia y ejemplo los convierte en enemigos de la causa de Dios más peligrosos que los ignorantes.

Por medio de férvida oración y de entera confianza en Dios, Salomón alcanzó un grado de sabiduría que despertó la admiración del mundo. Pero cuando se alejó de la Fuente de su fuerza y se apoyó en sí mismo, cayó presa de la tentación. Entonces las facultades maravillosas que habían sido concedidas al más sabio de los reyes, sólo lo convirtieron en agente tanto más eficaz del adversario de las almas.

Mientras que Satanás trata continuamente de cegar sus mentes para que no lo conozcan, los cristianos no deben olvidar nunca que no tienen que luchar "contra sangre y carne, sino contra principados, contra potestades, contra los gobernadores de las tinieblas de este siglo, contra huestes espirituales de maldad en las regiones celestes" (Efesios 6: 12). Esta inspirada advertencia resuena a través de los siglos hasta nuestros tiempos: "Sed sobrios, y velad; porque vuestro adversario el diablo, como león rugiente, anda alrededor buscando a quien devorar". "Vestíos de toda la armadura de Dios, para que podáis estar firmes contra las asechanzas del diablo" (1 S. Pedro 5: 8; Efesios 6: 11).

Desde los días de Adán hasta los nuestros, el gran enemigo ha ejercitado su poder para oprimir y destruir. Se está preparando actualmente para su última campaña contra la iglesia. Todos los que se esfuerzan en seguir a Jesús tendrán que entrar en lucha con este enemigo implacable. Cuanto más fielmente imite el cristiano al divino Modelo, tanto más seguramente será blanco de los ataques de Satanás. Todos los que están activamente empeñados en la obra de Dios, tratando de desenmascarar los engaños del enemigo y de presentar a Cristo ante el mundo, podrán unir su testimonio al que da San Pablo cuando habla de servir al Señor con toda humildad y con lágrimas y tentaciones.

Satanás asaltó a Cristo con sus tentaciones más violentas y sutiles; pero siempre fue rechazado. Esas batallas fueron libradas en nuestro favor; esas victorias nos dan la posibilidad de vencer. Cristo dará fuerza a todos los que se la pidan. Nadie, sin su propio consentimiento, puede ser vencido por Satanás. El tentador no tiene el poder de gobernar la voluntad o de obligar al alma a pecar. Puede angustiar, pero no contaminar. Puede causar agonía pero no corrupción. El hecho de que Cristo venció debería inspirar valor a sus discípulos para sostener denodadamente la lucha contra el pecado y Satanás.

CAPITULO 32

¿Quiénes Son los Angeles?

LA RELACION entre el mundo visible y el invisible, el ministerio de los ángeles de Dios y la influencia o intervención de los espíritus malos, son asuntos claramente revelados en las Sagradas Escrituras y como indisolublemente entretejidos con la historia humana. Se nota en nuestros días una tendencia creciente a no creer en la existencia de los malos espíritus, mientras que por otro lado muchas personas ven espíritus de seres humanos difuntos en los santos ángeles, que son "enviados para" servir a "los que serán herederos de la salvación" (Hebreos 1: 14). Pero las Escrituras no sólo enseñan la existencia de los ángeles, tanto buenos como malos, sino que contienen pruebas terminantes de que éstos no son espíritus desencarnados de hombres que hayan dejado de existir.

Antes de la creación del hombre, había ya ángeles; pues cuando los cimientos de la tierra fueron echados, a una "alababan todas las estrellas del alba, y se regocijaban todos los hijos de Dios" (Job 38: 7). Después de la caída del hombre, fueron enviados ángeles para guardar el árbol de la vida, y esto antes que ningún ser humano hubiese fallecido. Los ángeles son por naturaleza superiores al hombre, pues el salmista refiriéndose a éste, dice: "Algo menor lo hiciste que los ángeles" (Salmo 8: 6, versión Bover-Cantera, vers. 5 en versión Reina-Valera).

Las Santas Escrituras nos dan información acerca del número, del poder y de la gloria de los seres celestiales, de su relación con el gobierno de Dios y también con la obra de redención. "Jehová estableció en los cielos su trono, y su reino domina sobre todos". Y el profeta dice: "Oí la voz de muchos ángeles alrededor del trono". Ellos sirven en la sala del trono del Rey de los reyes

—"ángeles, poderosos en fortaleza", "ministros suyos", que hacen "su voluntad", "obedeciendo a la voz de su precepto" (Salmo 103: 19-21; Apocalipsis 5: 11). Millones de millones y millares de millares era el número de los mensajeros celestiales vistos por el profeta Daniel. El apóstol Pablo habla de "las huestes innumerables de ángeles" (Hebreos 12: 22, VM). Como mensajeros de Dios, iban y volvían "a semejanza de relámpagos" (Ezequiel 1: 14), tan deslumbradora es su gloria y tan veloz su vuelo. El ángel que apareció en la tumba del Señor, y cuyo "aspecto era como un relámpago, y su vestido blanco como la nieve", hizo que los guardias temblaran de miedo y quedaran "como muertos" (S. Mateo 28: 3, 4). Cuando Senaquerib, el insolente monarca asirio, blasfemó e insultó a Dios y amenazó destruir a Israel, "aconteció que aquella misma noche salió el ángel de Jehová, y mató en el campamento de los asirios a ciento ochenta y cinco mil". El ángel "destruyó a todo valiente y esforzado, y a los jefes y capitanes" del ejército de Senaquerib, quien "volvió..., avergonzado a su tierra" (2 Reyes 19: 35; 2 Crónicas 32: 21).

Los ángeles son enviados a los hijos de Dios con misiones de misericordia. Visitaron a Abrahán con promesas de bendición; al justo Lot, para rescatarlo de las llamas de Sodoma; a Elías, cuando estaba por morir de cansancio y hambre en el desierto; a Eliseo, con carros y caballos de fuego que circundaban la pequeña ciudad donde estaba encerrado por sus enemigos; a Daniel, cuando imploraba la sabiduría divina en la corte de un rey pagano, o en momentos en que iba a ser presa de los leones; a San Pedro, condenado a muerte en la cárcel de Herodes; a los presos de Filipos; a San Pablo y a sus compañeros, en la noche tempestuosa en el mar; a Cornelio, para hacerle comprender el Evangelio; a San Pedro, para mandarlo con el mensaje de salvación al extranjero gentil. Así fue como, en todas las edades, los santos ángeles ejercieron su ministerio en beneficio del pueblo de Dios.

Cada discípulo de Cristo tiene su ángel guardián respectivo. Estos centinelas celestiales protegen a los justos del poder del maligno. Así lo reconoció el mismo Satanás cuando dijo: "¿Teme Job a Dios de balde? ¿No le has cercado alrededor a él y a su casa y a todo lo que tiene?" (Job 1: 9, 10). El medio de que Dios se vale para proteger a su pueblo está indicado en las palabras del salmista: "El ángel de Jehová acampa alrededor de los que le temen, y los defiende" (Salmo 34: 7). Hablando de los que creen en él, el Salvador dijo: "Mirad que no menospreciéis a uno de estos pequeños; porque os digo que sus ángeles en los cielos ven siempre el rostro de mi Padre" (S. Mateo 18: 10). Los ángeles encargados de atender a los hijos de Dios tienen a toda hora acceso cerca de él.

Así que, aunque expuesto al poder engañoso y a la continua malicia del príncipe de las tinieblas y en conflicto con todas las fuerzas del mal, el pueblo de Dios tiene siempre asegurada la protección de los ángeles del cielo. Y esta protección no es superflua. Si Dios concedió a sus hijos su gracia y su amparo, es porque deben hacer frente a las temibles potestades del mal, potestades múltiples, audaces e incansables, cuya malignidad y poder nadie puede ignorar o despreciar impunemente.

Los espíritus malos, creados en un principio sin pecado, eran iguales, por naturaleza, poder y gloria, a los seres santos que son ahora mensajeros de Dios. Pero una vez caídos por el pecado, se coligaron para deshonrar a Dios y acabar con los hombres. Unidos con Satanás en su rebeldía y arrojados del cielo con él, han sido desde entonces, en el curso de los siglos, sus cómplices en la guerra empeñada contra la autoridad divina. Las Sagradas Escrituras nos hablan de su unión y de su gobierno, de sus diversas órdenes, de su inteligencia y astucia, como también de sus propósitos malévolos contra la paz y la felicidad de los hombres.

La historia del Antiguo Testamento menciona a veces su existencia y su actuación; pero fue durante el tiempo que Cristo estuvo en la tierra cuando los espíritus malos dieron las más sorprendentes pruebas de su poder. Cristo había venido para cumplir el plan ideado para la redención del hombre, y Satanás resolvió afirmar su derecho para gobernar al mundo. Había logrado implantar la idolatría en toda la tierra, menos en Palestina. Cristo vino a derramar la luz del cielo sobre el único país que no se había sometido al yugo del tentador. Dos poderes rivales pretendían la supremacía. Jesús extendía sus brazos de amor, invitando a todos los que querían encontrar en él perdón y paz. Las huestes de las tinieblas vieron que no poseían un poder ilimitado, y comprendieron que si la misión de Cristo tenía éxito, pronto terminaría su reinado. Satanás se enfureció como león encadenado y desplegó atrevidamente sus poderes tanto sobre los cuerpos como sobre las almas de los hombres.

Que ciertos hombres hayan sido poseídos por demonios está claramente expresado en el Nuevo Testamento. Las personas afligidas de tal suerte no sufrían únicamente de enfermedades cuyas causas eran naturales. Cristo tenía conocimiento perfecto de aquello con que tenía que habérselas, y reconocía la presencia y acción directas de los espíritus malos.

Ejemplo sorprendente de su número, poder y malignidad, como también del poder misericordioso de Cristo, lo encontramos en el relato de la curación de los endemoniados de Gadara. Aquellos pobres desaforados, que burlaban toda restricción y se retorcían, echando espumarajos por la boca, enfurecidos, llenaban el aire con sus gritos, se maltrataban y ponían en peligro a cuantos se acercaban a ellos. Sus cuerpos cubiertos de sangre y desfigurados, sus mentes extraviadas, presentaban un espectáculo de los más agradables para el príncipe de las tinieblas. Uno de los demonios que dominaba a los enfermos, declaró: "Legión me llamo; porque somos muchos" (S. Marcos 5: 9). En el ejército romano una legión se componía de tres a cinco mil hombres. Las huestes de Satanás están también organizadas en compañías, y la compañía a la cual pertenecían estos demonios correspondía ella sola en número por lo menos a una legión.

Al mandato de Jesús, los espíritus malignos abandonaron sus víctimas, dejándolas sentadas en calma a los pies del Señor, sumisas, inteligentes y afables. Pero a los demonios se les permitió despeñar una manada de cerdos en el mar; y los habitantes de Gadara, estimando de más valor sus puercos que las bendiciones que Dios había concedido, rogaron al divino Médico que se alejara. Tal era el resultado que Satanás deseaba conseguir. Echando la culpa de la pérdida sobre Jesús, despertó los temores egoístas del pueblo, y les impidió escuchar sus palabras. Satanás acusa continuamente a los cristianos de ser causa de pérdidas, desgracias y padecimientos, en lugar de dejar recaer el oprobio sobre quienes lo merecen, es decir, sobre sí mismo y sus agentes.

Pero los propósitos de Cristo no quedaron frustrados. Permitió a los espíritus malignos que destruyesen la manada de cerdos, como censura contra aquellos judíos que, por amor al lucro, criaban esos animales inmundos. Si Cristo no hubiese contenido a los demonios, habrían precipitado al mar no sólo los cerdos sino también a los dueños y porqueros. La inmunidad de éstos fue tan sólo debida a la intervención misericordiosa de Jesús. Por otra parte, el suceso fue permitido para que los discípulos viesen el poder malévolo de Satanás sobre hombres y animales, pues quería que sus discípulos conociesen al enemigo al que iban a afrontar, para que no fuesen engañados y vencidos por sus artificios. Quería, además, que el pueblo de aquella región viese que él, Jesús, tenía el poder de romper las ligaduras de Satanás y libertar a sus cautivos. Y aunque Jesús se alejó, los hombres tan milagrosamente libertados quedaron para proclamar la misericordia de su Bienhechor.

Las Escrituras encierran otros ejemplos semejantes. La hija de la mujer sirofenicia estaba atormentada de un demonio al que Jesús echó fuera por su palabra (S. Marcos 7: 26-30). "Un endemoniado, ciego y mudo" (S. Mateo 12: 22); un joven que tenía un espíritu mudo, que a menudo le arrojaba "en el fuego y en el agua, para matarle" (S. Marcos 9: 17-27); el maníaco que, atormentado por el "espíritu de demonio inmundo" (S. Lucas 4: 33-36), perturbaba la tranquilidad del sábado en la sinagoga de Capernaum —todos ellos fueron curados por el compasivo Salvador. En casi todos los casos Cristo se dirigía al demonio como a un ser inteligente, ordenándole salir de su víctima y no atormentarla más. Al ver su gran poder, los adoradores reunidos en Capernaum se asombraron, "y hablaban unos a otros, diciendo: ¿Qué palabra es esta, que con autoridad y poder manda a los espíritus inmundos, y salen?" (S. Lucas 4: 36).

Se representa uno generalmente aquellos endemoniados como sometidos a grandes padecimientos; sin embargo había excepciones a esta regla. Con el fin de obtener poder sobrenatural, algunas personas se sometían voluntariamente a la influencia satánica. Estas, por supuesto, no entraban en conflicto con los demonios. A esta categoría pertenecen los que poseían el espíritu de adivinación, como los magos Simón y Elimas y la joven adivina que siguió a Pablo y a Silas en Filipos.

Nadie está en mayor peligro de caer bajo la influencia de los espíritus malos que los que, a pesar del testimonio directo y positivo de las Sagradas Escrituras, niegan la existencia e intervención del diablo y de sus ángeles. Mientras ignoremos sus astucias, ellos nos llevan notable ventaja; y muchos obedecen a sus sugestiones creyendo seguir los dictados de su propia sabiduría. Esta es la razón por la cual a medida que nos acercamos al fin del tiempo, cuando Satanás obrará con la mayor energía para engañar y destruir, él mismo propaga por todas partes la creencia de que no existe. Su política consiste en esconderse y obrar solapadamente.

No hay nada que el gran seductor tema tanto como el que nos demos cuenta de sus artimañas. Para disfrazar mejor su carácter y encubrir sus verdaderos propósitos, se ha hecho representar de modo que no despierte emociones más poderosas que las del ridículo y del desprecio. Le gusta que lo pinten deforme o repugnante, mitad animal y mitad hombre. Le agrada oírse nombrar como objeto de diversión y de burla por personas que se creen inteligentes e instruidas.

Precisamente por haberse enmascarado con habilidad consumada es por lo que tan a menudo se oye preguntar: "¿Existe en realidad ente semejante?" Prueba evidente de su éxito es la aceptación general de que gozan entre el público religioso ciertas teorías que niegan los testimonios más positivos de las Sagradas Escrituras. Y es porque Satanás puede dominar tan fácilmente los

espíritus de las personas inconscientes de su influencia, por lo que la Palabra de Dios nos da tantos ejemplos de su obra maléfica, nos revela sus fuerzas ocultas y nos pone así en guardia contra sus ataques.

El poder y la malignidad de Satanás y de su hueste podrían alarmarnos con razón, si no fuera por el apoyo y salvación que podemos encontrar en el poder superior de nuestro Redentor. Proveemos cuidadosamente nuestras casas con cerrojos y candados para proteger nuestros bienes y nuestras vidas contra los malvados; pero rara vez pensamos en los ángeles malos que tratan continuamente de llegar hasta nosotros, y contra cuyos ataques no contamos en nuestras propias fuerzas con ningún medio eficaz de defensa. Si se les dejara, nos trastornarían la razón, nos desquiciarían y torturarían el cuerpo, destruirían nuestras propiedades y nuestras vidas. Sólo se deleitan en el mal y en la destrucción. Terrible es la condición de los que resisten a las exigencias de Dios y ceden a las tentaciones de Satanás, hasta que Dios los abandona al poder de los espíritus malignos. Pero los que siguen a Cristo están siempre seguros bajo su protección. Angeles de gran poder son enviados del cielo para ampararlos. El maligno no puede forzar la guardia con que Dios tiene rodeado a su pueblo.

CAPITULO 33

Las Asechanzas del Enemigo

LA GRAN controversia entre Cristo y Satanás, sostenida desde hace cerca de seis mil años, está por terminar; y Satanás redobla sus esfuerzos para hacer fracasar la obra de Cristo en beneficio del hombre y para sujetar las almas en sus lazos. Su objeto consiste en tener sumido al pueblo en las tinieblas y en la impenitencia hasta que termine la obra mediadora del Salvador y no haya más sacrificio por el pecado.

Cuando no se hace ningún esfuerzo especial para resistir a su poder, cuando la indiferencia predomina en la iglesia y en el mundo, Satanás está a su gusto, pues no corre peligro de perder a los que tiene cautivos y a merced suya. Pero cuando la atención de los hombres se fija en las cosas eternas y las almas se preguntan: "¿Qué debo yo hacer para ser salvo?" él está pronto para oponer su poder al de Cristo y para contrarrestar la influencia del Espíritu Santo.

Las Sagradas Escrituras declaran que en cierta ocasión, cuando los ángeles de Dios vinieron para presentarse ante el Señor, Satanás vino también con ellos (Job 1: 6), no para postrarse ante el Rey eterno, sino para mirar por sus propios y malévolos planes contra los justos. Con el mismo objeto está presente allí donde los hombres se reúnen para adorar a Dios. Aunque invisible, trabaja con gran diligencia, tratando de gobernar las mentes de los fieles. Como hábil general que es, fragua sus planes de antemano. Cuando ve al ministro de Dios escudriñar las Escrituras, toma nota del tema que va a ser presentado a la congregación, y hace uso de toda su astucia y pericia para arreglar las cosas de tal modo que el mensaje de vida no llegue a aquellos a quienes está engañando precisamente respecto del punto que se ha de tratar. Hará que la persona que más necesite la admonición se vea apurada por algún negocio que requiera su presencia, o impedida de algún otro modo de oír las palabras que hubiesen podido tener para ella sabor de vida para vida.

Otras veces, Satanás ve a los siervos del Señor agobiados al comprobar las tinieblas espirituales que envuelven a los hombres. Oye sus ardientes oraciones, en que piden a Dios gracia y poder para sacudir la indiferencia y la indolencia de las almas. Entonces despliega sus artes con nuevo ardor. Tienta a los hombres para que cedan a la glotonería o a cualquier otra forma de sensualidad, y adormece de tal modo su sensibilidad que dejan de oír precisamente las cosas que más necesitan saber.

Bien sabe Satanás que todos aquellos a quienes pueda inducir a descuidar la oración y el estudio de las Sagradas Escrituras serán vencidos por sus ataques. De aquí que invente cuanta estratagema le es posible para tener las mentes distraídas. Siempre ha habido una categoría de personas que profesan santidad, y que en lugar de procurar crecer en el conocimiento de la verdad, hacen consistir su religión en buscar alguna falta en el carácter de aquellos con quienes no están de acuerdo, o algún error en su credo. Son los mejores agentes de Satanás. Los acusadores de los hermanos no son pocos; siempre son diligentes cuando Dios está obrando y cuando sus hijos le rinden verdadero homenaje. Son ellos los que dan falsa interpretación a las palabras y acciones de los que aman la verdad y la obedecen. Hacen pasar a los más serios, celosos y desinteresados siervos de Cristo por engañados o engañadores. Su obra consiste en desnaturalizar los móviles de toda acción buena y noble, en hacer circular insinuaciones malévolas y despertar sospechas en las mentes poco experimentadas. Harán cuanto sea imaginable porque aparezca lo que es puro y recto como corrupto y de mala fe.

Pero nadie necesita dejarse engañar por ellos. Fácil es ver la filiación que tienen, el ejemplo que siguen y la obra que realizan. "Por sus frutos los conoceréis" (S. Mateo 7: 16). Su conducta se parece a la de Satanás, el odioso calumniador, "el acusador de nuestros hermanos" (Apocalipsis 12: 10).

El gran seductor dispone de muchos agentes listos para presentar cualquier error para engañar a las almas, herejías preparadas para adaptarse a todos los gustos y capacidades de aquellos a quienes quiere arruinar. Parte de su plan consiste en introducir en la iglesia elementos irregenerados y faltos de sinceridad, elementos que fomenten la duda y la incredulidad y sean un obstáculo para todos los que desean ver adelantar la obra de Dios y adelantar con ella. Muchas personas que no tienen verdadera fe en Dios ni en su Palabra, aceptan algún principio de verdad y pasan por cristianos; y así se hallan en condición de introducir sus errores como si fueran doctrinas de las Escrituras.

La teoría según la cual nada importa lo que los hombres creen, es uno de los engaños que más éxito da a Satanás. Bien sabe él que la verdad recibida con amor santifica el alma del que la recibe; de aquí que trate siempre de sustituirla con falsas teorías, con fábulas y con otro evangelio. Desde un principio los siervos de Dios han luchado contra los falsos maestros, no sólo porque eran

hombres viciosos, sino porque inculcaban errores fatales para el alma. Elías, Jeremías y Pablo se opusieron firme y valientemente a los que estaban apartando a los hombres de la Palabra de Dios. Ese género de liberalidad que mira como cosa de poca monta una fe religiosa clara y correcta, no encontró aceptación entre aquellos santos defensores de la verdad.

Las interpretaciones vagas y fantásticas de las Santas Escrituras, así como las muchas teorías contradictorias respecto a la fe religiosa, que se advierten en el mundo cristiano, son obra de nuestro gran adversario, que trata así de confundir las mentes de suerte que no puedan descubrir la verdad. Y la discordia y división que existen entre las iglesias de la cristiandad se deben en gran parte a la costumbre tan general de torcer el sentido de las Sagradas Escrituras con el fin de apoyar alguna doctrina favorita. En lugar de estudiar con esmero y con humildad de corazón la Palabra de Dios con el objeto de llegar al conocimiento de su voluntad, muchos procuran descubrir algo curioso y original.

Con el fin de sostener doctrinas erróneas o prácticas anticristianas, hay quienes toman pasajes de la Sagrada Escritura aislados del contexto, no citan tal vez más que la mitad de un versículo para probar su idea, y dejan la segunda mitad que quizá hubiese probado todo lo contrario. Con la astucia de la serpiente se encastillan tras declaraciones sin ilación, entretejidas de manera que favorezcan sus deseos carnales. Es así como gran número de personas pervierten con propósito deliberado la Palabra de Dios. Otros, dotados de viva imaginación, toman figuras y símbolos de las Sagradas Escrituras y los interpretan según su capricho, sin parar mientes en que la Escritura declara ser su propio intérprete; y luego presentan sus extravagancias como enseñanzas de la Biblia.

Siempre que uno se da al estudio de las Escrituras sin estar animado de un espíritu de oración y humildad, susceptible de recibir enseñanza, los pasajes más claros y sencillos, como los más difíciles, serán desviados de su verdadero sentido. Los dirigentes papales escogen en las Sagradas Escrituras los pasajes que mejor convienen a sus propósitos, los interpretan a su modo y los presentan luego al pueblo a quien rehúsan al mismo tiempo el privilegio de estudiar la Biblia y de entender por sí mismos sus santas verdades. Toda la Biblia debería serle dada al pueblo tal cual es. Más valiera que éste no tuviese ninguna instrucción religiosa antes que recibir las enseñanzas de las Santas Escrituras groseramente desnaturalizadas.

La Biblia estaba destinada a ser una guía para todos aquellos que deseasen conocer la voluntad de su Creador. Dios dio a los hombres la firme palabra profética; ángeles, y hasta el mismo Cristo, vinieron para dar a conocer a Daniel y a Juan las cosas que deben acontecer en breve. Las cosas importantes que conciernen a nuestra salvación no quedaron envueltas en el misterio. No

463

Siendo que el estudio cuidadoso de la Biblia produce cambios en la vida del hombre, Satanás crea medios para distraer la atención del hombre hacia otras cosas.

JOHN STEEL © PPPA

fueron reveladas de manera que confundan y extravíen al que busca sincera-mente la verdad. El Señor dijo al profeta Habacuc: "Escribe la visión,... para que corra el que leyere en ella" (Habacuc 2: 2). La Palabra de Dios es clara para todos aquellos que la estudian con espíritu de oración. Toda alma verdadera-mente sincera alcanzará la luz de la verdad. "Luz está sembrada para el justo" (Salmo 97: 11). Y ninguna iglesia puede progresar en santidad si sus miembros no buscan ardientemente la verdad como si fuera un tesoro escondido.

Los alardes de "liberalidad" ciegan a los hombres para que no vean las asechanzas de su adversario, mientras que éste sigue trabajando sin cesar y sin cansarse hasta cumplir sus designios. Conforme va consiguiendo suplantar la Biblia por las especulaciones humanas, la ley de Dios va quedando a un lado, y las iglesias caen en la esclavitud del pecado, mientras pretenden ser libres.

Para muchos, las investigaciones científicas se han vuelto maldición. Al permitir todo género de descubrimientos en las ciencias y en las artes, Dios ha derramado sobre el mundo raudales de luz; pero aun los espíritus más podero-sos, si no son guiados en sus investigaciones por la Palabra de Dios, se extravían en sus esfuerzos por encontrar las relaciones existentes entre la ciencia y la revelación.

Los conocimientos humanos, tanto en lo que se refiere a las cosas materia-les como a las espirituales, son limitados e imperfectos; de aquí que muchos sean incapaces de hacer armonizar sus nociones científicas con las declaracio-nes de las Sagradas Escrituras. Son muchos los que dan por hechos científicos lo que no pasa de ser meras teorías y elucubraciones, y piensan que la Palabra de Dios debe ser probada por las enseñanzas de "la falsamente llamada ciencia" (1 Timoteo 6: 20). El Creador y sus obras les resultan incomprensibles; y como no pueden explicarlos por las leyes naturales, consideran la historia bíblica como si no mereciese fe. Los que dudan de la verdad de las narraciones del Antiguo Testamento y del Nuevo, dan a menudo un paso más y dudan de la existencia de Dios y atribuyen poder infinito a la naturaleza. Habiendo perdido su ancla son arrastrados hacia las rocas de la incredulidad.

Es así como muchos se alejan de la fe y son seducidos por el diablo. Los hombres procuraron hacerse más sabios que su Creador; la filosofía intentó sondear y explicar misterios que no serán jamás revelados en el curso infinito de las edades. Si los hombres se limitasen a escudriñar y comprender tan sólo lo que Dios les ha revelado respecto de sí mismo y de sus propósitos, llegarían a tal concepto de la gloria, majestad y poder de Jehová, que se darían cuenta de su propia pequeñez y se contentarían con lo que fue revelado para ellos y sus hijos.

Una de las seducciones magistrales de Satanás consiste en mantener a los espíritus de los hombres investigando y haciendo conjeturas sobre las cosas que Dios no ha dado a conocer y que no quiere que entendamos. Así fue como Lucifer perdió su puesto en el cielo. Se indispuso porque no le fueron revelados todos los secretos de los designios de Dios, y no se fijó en lo que le había sido revelado respecto a su propia obra y al elevado puesto que le había sido asignado. Al provocar el mismo descontento entre los ángeles que estaban bajo sus órdenes, causó la caída de ellos. En nuestros días trata de llenar las mentes de los hombres con el mismo espíritu y de inducirlos además a despreciar los mandamientos directos de Dios.

Los que no quieren aceptar las verdades claras y contundentes de la Biblia están siempre buscando fábulas agradables que tranquilicen la conciencia. Mientras menos apelen a la espiritualidad, a la abnegación y a la humildad las doctrinas presentadas, mayor es la aceptación de que gozan. Esas personas degradan sus facultades intelectuales para servir sus deseos carnales. Demasiado sabias en su propia opinión para escudriñar las Santas Escrituras con contrición y pidiendo ardientemente a Dios que las guíe, no tienen escudo contra el error. Satanás está listo para satisfacer los deseos de sus corazones y poner las seducciones en lugar de la verdad. Fue así como el papado estableció su poder sobre los hombres; y al rechazar la verdad porque entraña una cruz, los protestantes siguen el mismo camino. Todos aquellos que descuiden la Palabra de Dios para procurar su comodidad y conveniencia, a fin de no estar en desacuerdo con el mundo, serán abandonados a su propia suerte y aceptarán herejías condenables que considerarán como verdad religiosa. Los que rechacen voluntariamente la verdad concluirán por aceptar todos los errores imaginables; y alguno que mire con horror cierto engaño aceptará gustosamente otro. El apóstol Pablo, hablando de una clase de hombres que "no admitieron el amor de la verdad, para que fuesen salvos", declara: "Por esto, Dios les envía la eficaz operación de error, a fin de que crean a la mentira; para que sean condenados todos aquellos que no creen a la verdad, sino que se complacen en la injusticia" (2 Tesalonicenses 2: 10-12, VM). En vista de semejante advertencia nos incumbe ponernos en guardia con respecto a las doctrinas que recibimos.

Entre las trampas más temibles del gran seductor figuran las enseñanzas engañosas y los fementidos milagros del espiritismo. Disfrazado como ángel de luz, el enemigo tiende sus redes donde menos se espera. Si tan sólo los hombres quisieran estudiar el Libro de Dios orando fervientemente por comprenderlo, no serían dejados en las tinieblas para recibir doctrinas falsas. Pero como rechazan la verdad, resultan presa fácil para la seducción.

Otro error peligroso es el de la doctrina que niega la divinidad de Cristo, y asevera que él no existió antes de su venida a este mundo. Esta teoría encuentra aceptación entre muchos que profesan creer en la Biblia; y sin embargo contradice las declaraciones más positivas de nuestro Salvador respecto a sus relaciones con el Padre, a su divino carácter y a su preexistencia. Esta teoría no puede ser sostenida sino violentando el sentido de las Sagradas Escrituras del modo más incalificable. No sólo rebaja nuestro concepto de la obra de reden-

465

ción, sino que también socava la fe en la Biblia como revelación de Dios. Al par que esto hace tanto más peligrosa dicha teoría la hace también más difícil de combatir. Si los hombres rechazan el testimonio que dan las Escrituras inspiradas acerca de la divinidad de Cristo, inútil es querer argumentar con ellos al respecto, pues ningún argumento, por convincente que fuese, podría hacer mella en ellos. "El hombre natural no percibe las cosas que son del Espíritu de Dios, porque para él son locura, y no las puede entender, porque se han de discernir espiritualmente" (1 Corintios 2: 14). Ninguna persona que haya aceptado este error, puede tener justo concepto del carácter o de la misión de Cristo, ni del gran plan de Dios para la redención del hombre.

Otro error sutil y perjudicial que se está difundiendo rápidamente, consiste en creer que Satanás no es un ser personal; que su nombre se emplea en las Sagradas Escrituras únicamente para representar los malos pensamientos y deseos de los hombres.

La enseñanza tan generalmente proclamada desde los púlpitos, de que el segundo advenimiento de Cristo se realiza a la muerte de cada individuo, es una estratagema que tiene por objeto distraer la atención de los hombres de la venida personal del Señor en las nubes del cielo. Hace años que Satanás ha estado diciendo: "Mirad, está en los aposentos" (S. Mateo 24: 23-26), y muchas almas se han perdido por haber aceptado este engaño.

Por otra parte la sabiduría mundana enseña que la oración no es de todo punto necesaria. Los hombres de ciencia declaran que no puede haber respuesta real a las oraciones; que esto equivaldría a una violación de las leyes naturales, a todo un milagro, y que los milagros no existen. Dicen que el universo está gobernado por leyes inmutables y que Dios mismo no hace nada contrario a esas leyes. De suerte que representan a Dios ligado por sus propias leyes; como si la operación de las leyes divinas excluyese la libertad divina. Tal enseñanza se opone al testimonio de las Sagradas Escrituras. ¿Acaso Cristo y sus apóstoles no hicieron milagros? El mismo Salvador compasivo vive en nuestros días, y está tan dispuesto a escuchar la oración de fe como cuando andaba en forma visible entre los hombres. Lo natural coopera con lo sobrenatural. Forma parte del plan de Dios concedernos, en respuesta a la oración hecha con fe, lo que no nos daría si no se lo pidiésemos así.

Innumerables son las doctrinas erróneas y las ideas fantásticas que imperan en el seno de las iglesias de la cristiandad. Es imposible calcular los resultados deplorables que acarrea la eliminación de una sola verdad de la Palabra de Dios. Pocos son los que, habiéndose aventurado a hacer cosa semejante, se contentan con rechazar lisa y llanamente una sencilla verdad. Los más siguen rechazando uno tras otro los principios de la verdad, hasta que se convierten en verdaderos incrédulos.

Los errores de la teología hoy de moda han lanzado al escepticismo muchas almas que de otro modo habrían creído en las Escrituras. Es imposible para ellas aceptar doctrinas que hieren sus sentimientos de justicia, misericordia y benevolencia; y como tales doctrinas les son presentadas como enseñadas por la Biblia, rehúsan recibirla como Palabra de Dios.

Y ése es el objeto que Satanás trata de conseguir. Nada desea él tanto como destruir la confianza en Dios y en su Palabra. Satanás se encuentra al frente de los grandes ejércitos de los que dudan, y trabaja con inconcebible energía para seducir a las almas y atraerlas a sus filas. La duda está de moda hoy. Una clase muy numerosa de personas mira la Palabra de Dios con la misma desconfianza con que fue mirado su Autor: porque ella reprueba y condena el pecado. Los que no desean obedecer a las exigencias de ella tratan de echar por tierra su autoridad. Si leen la Biblia o escuchan sus enseñanzas proclamadas desde el púlpito es tan sólo para encontrar errores en las Santas Escrituras o en el sermón. No son pocos los que se vuelven incrédulos para justificarse o para disculpar su descuido del deber. Otros adoptan principios escépticos por orgullo e indolencia. Por demás amigos de su comodidad para distinguirse ejecutando cosa alguna digna de honor, lo cual exige esfuerzo y abnegación, aspiran a hacerse una reputación de sabiduría superior criticando la Biblia. Hay muchas cosas que el espíritu limitado del hombre que no ha sido alumbrado por la sabiduría divina, es incapaz de comprender; y así encuentran motivo para criticar. Son muchos los que parecen creer que es una virtud colocarse del lado de la duda, del escepticismo y de la incredulidad. Pero no dejará de advertirse que bajo una apariencia de candor y humildad, los móviles de estas personas son la confianza en sí mismas y el orgullo. Muchos se deleitan en buscar en las Sagradas Escrituras algo que confunda las mentes de los demás. Y hasta hay quienes empiezan a criticar y a argumentar contra la verdad por el mero gusto de discutir. No se dan cuenta de que al obrar así se están enredando a sí mismos en el lazo del cazador. Efectivamente, habiendo expresado abiertamente sentimientos de incredulidad, consideran que deben conservar sus posiciones. Y así es como se unen con los impíos y se cierran las puertas del paraíso.

Dios ha dado en su Palabra pruebas suficientes del divino origen de ella. Las grandes verdades que se relacionan con nuestra redención están presentadas en ella con claridad. Con la ayuda del Espíritu Santo que se promete a todos los que lo pidan con sinceridad, cada cual puede comprender estas verdades por sí mismo. Dios ha dado a los hombres un fundamento firme en que cimentar su fe.

Con todo, la inteligencia limitada de los hombres resulta inadecuada para comprender los planes del Dios infinito. Nuestras investigaciones no nos harán descubrir jamás las profundidades de Dios. No debemos intentar con mano presuntuosa levantar el velo que encubre su majestad. El apóstol exclama: "¡Cuán insondables son sus juicios, e inescrutables sus caminos!" (Romanos

11: 33). No obstante podemos comprender lo bastante su modo de tratar con nosotros y los motivos que le hacen obrar como obra, para reconocer un amor y una misericordia infinitos unidos a un poder sin límites. Nuestro Padre celestial dirige todas las cosas con sabiduría y justicia, y no debemos vivir descontentos ni desconfiados, sino inclinarnos en reverente sumisión. El nos revelará sus designios en la medida en que su conocimiento sea para nuestro bien, y en cuanto a lo demás debemos confiar en Aquel cuya mano es omnipotente y cuyo corazón rebosa de amor.

Si bien es cierto que Dios ha dado pruebas evidentes para la fe, él no quitará jamás todas las excusas que pueda haber para la incredulidad. Todos los que buscan motivos de duda los encontrarán. Y todos los que rehúsan aceptar la Palabra de Dios y obedecerla antes que toda objeción haya sido apartada y que no se encuentre más motivo de duda, no llegarán jamás a la luz.

La desconfianza hacia Dios es producto natural del corazón irregenerado, que está en enemistad con él. Pero la fe es inspirada por el Espíritu Santo y no florecerá más que a medida que se la fomente. Nadie puede robustecer su fe sin un esfuerzo determinado. La incredulidad también se robustece a medida que se la estimula; y si los hombres, en lugar de meditar en las evidencias que Dios les ha dado para sostener su fe, se permiten ponerlo todo en tela de juicio y entregarse a cavilaciones, verán confirmarse más y más sus dudas.

Pero los que dudan de las promesas de Dios y desconfían de las seguridades de su gracia, le deshonran; y su influencia, en lugar de atraer a otros hacia Cristo, tiende a apartarlos de él; son como los árboles estériles que extienden a lo lejos sus tupidas ramas, las cuales privan de la luz del sol a otras plantas y

hacen que éstas languidezcan y mueran bajo la fría sombra. La carrera de esas personas resultará como un acto continuo de acusación contra ellas. Las semillas de duda y escepticismo que están propagando producirán infaliblemente su cosecha.

No hay más que una línea de conducta que puedan seguir los que desean sinceramente librarse de las dudas. En lugar de ponerlo todo en tela de juicio y de entregarse a cavilaciones acerca de cosas que no entienden, presten atención a la luz que ya está brillando en ellos y recibirán aún más luz. Cumplan todo deber que su inteligencia ha entendido y así se pondrán en condición de comprender y realizar también los deberes respecto a los cuales les quedan dudas.

Satanás puede presentar una impostura tan parecida a la verdad, que engañe a todos los que están dispuestos a ser engañados y que retroceden ante la abnegación y los sacrificios reclamados por la verdad; pero no puede de ningún modo retener en su poder una sola alma que desee sinceramente y a todo trance conocer la verdad. Cristo es la verdad y la "luz verdadera, que alumbra a todo hombre" que viene "a este mundo" (S. Juan 1: 9). El espíritu de verdad ha sido enviado para guiar a los hombres en toda verdad. Y la siguiente declaración ha sido hecha bajo la autoridad del Hijo de Dios: "Buscad, y hallaréis". "El que quiera hacer la voluntad de Dios, conocerá si la doctrina es de Dios" (S. Mateo 7: 7; S. Juan 7: 17).

Los discípulos de Cristo saben muy poco de las tramas que Satanás y sus huestes urden contra ellos. Pero el que está sentado en los cielos hará servir todas esas maquinaciones para el cumplimiento de sus altos designios. Si el Señor permite que su pueblo pase por el fuego de la tentación, no es porque se goce en sus penas y aflicciones, sino porque esas pruebas son necesarias para su victoria final. El no podría, en conformidad con su propia gloria, preservarlo de la tentación; pues el objeto de la prueba es precisamente prepararlo para resistir a todas las seducciones del mal.

Ni los impíos ni los demonios pueden oponerse a la obra de Dios o privar de su presencia a su pueblo, siempre que éste quiera con corazón sumiso y contrito confesar y abandonar sus pecados y aferrarse con fe a las promesas divinas. Toda tentación, toda influencia contraria, ya manifiesta o secreta, puede ser resistida victoriosamente: "No con ejército, ni con fuerza, sino con mi Espíritu, ha dicho Jehová de los ejércitos" (Zacarías 4: 6).

"Los ojos del Señor están sobre los justos, y sus oídos atentos a sus oraciones... ¿Y quién es aquel que os podrá hacer daño, si vosotros seguís el bien?" (1 S. Pedro 3: 12, 13). Cuando Balaam, tentado por la promesa de ricos regalos, recurrió a encantamientos contra Israel, y quiso por medio de sacrificios ofrecidos al Señor, invocar una maldición sobre su pueblo, el Espíritu de Dios se opuso a la maldición que el profeta apóstata trataba de pronunciar y éste

469

se vio obligado a exclamar: "¿Por qué maldeciré yo al que Dios no maldijo? ¿Y por qué he de execrar al que Jehová no ha execrado?" "Muera yo la muerte de los rectos, y mi postrimería sea como suya". Después de haber ofrecido otro sacrificio, el profeta impío dijo: "He aquí, he recibido orden de bendecir; el dio bendición, y no podré revocarla. No ha notado iniquidad en Jacob, ni ha visto perversidad en Israel, Jehová su Dios está con él, y júbilo de rey en él". "Porque contra Jacob no hay agüero, ni adivinación contra Israel. Como ahora, será dicho de Jacob y de Israel: ¡Lo que ha hecho Dios!" No obstante se levantaron altares por tercera vez, y Balaam volvió a hacer un nuevo esfuerzo para maldecir a Israel. Pero, por los labios rebeldes del profeta, el Espíritu de Dios anunció la prosperidad de su pueblo escogido y censuró la locura y maldad de sus enemigos: "Benditos los que te bendijeren, y malditos los que te maldijeren" (Números 23: 8, 10, 20, 21, 23; 24: 9).

En aquel tiempo el pueblo de Israel era fiel a Dios; y mientras siguiera obedeciendo a su ley, ningún poder de la tierra o del infierno había de prevalecer contra él. Pero la maldición que no se le permitió a Balaam pronunciar contra el pueblo de Dios, él al fin consiguió atraerla sobre dicho pueblo arrastrándolo al pecado. Al quebrantar Israel los mandamientos de Dios, se separó de él y fue abandonado al poder del destructor.

Satanás sabe muy bien que el alma más débil pero que permanece en Jesús puede más que todas las huestes de las tinieblas, y que si se presentase abiertamente se le haría frente y se le resistiría. Por esto trata de atraer a los soldados de la cruz fuera de su baluarte, mientras que él mismo permanece con sus fuerzas en emboscada, listo para destruir a todos aquellos que se aventuren a entrar en su territorio. Sólo podemos estar seguros cuando confiamos humildemente en Dios y obedecemos todos sus mandamientos.

Nadie que no ore puede estar seguro un solo día o una sola hora. Debemos sobre todo pedir al Señor que nos dé sabiduría para comprender su Palabra. En ella es donde están puestos de manifiesto los artificios del tentador y las armas que se le pueden oponer con éxito. Satanás es muy hábil para citar las Santas Escrituras e interpretar pasajes a su modo, con lo que espera hacernos tropezar. Debemos estudiar la Biblia con humildad de corazón, sin perder jamás de vista nuestra dependencia de Dios. Y mientras estemos en guardia contra los engaños de Satanás debemos orar con fe diciendo: "No nos dejes caer en tentación".

CAPITULO 34

El Misterio de la Inmortalidad

DESDE los tiempos más remotos de la historia del hombre, Satanás se esforzó por engañar a nuestra raza. El que había promovido la rebelión en el cielo deseaba inducir a los habitantes de la tierra a que se uniesen con él en su lucha contra el gobierno de Dios. Adán y Eva habían sido perfectamente felices mientras obedecieron a la ley de Dios, y esto constituía un testimonio permanente contra el aserto que Satanás había hecho en el cielo, de que la ley de Dios era un instrumento de opresión y contraria al bien de sus criaturas. Además, la envidia de Satanás se despertó al ver la hermosísima morada preparada para la inocente pareja. Resolvió hacer caer a ésta para que, una vez separada de Dios y arrastrada bajo su propio poder, pudiese él apoderarse de la tierra y establecer allí su reino en oposición al Altísimo.

Si Satanás se hubiese presentado en su verdadero carácter, habría sido rechazado en el acto, pues Adán y Eva habían sido prevenidos contra este enemigo peligroso; pero Satanás trabajó en la oscuridad, encubriendo su propósito a fin de poder realizar mejor sus fines. Valiéndose de la serpiente, que era entonces un ser de fascinadora apariencia, se dirigió a Eva, diciéndole: "¿Conque Dios os ha dicho: No comáis de todo árbol del huerto?" (Génesis 3: 1). Si Eva hubiese rehusado entrar en discusión con el tentador, se habría salvado; pero ella se aventuró a alegar con él y entonces fue víctima de sus artificios. Así es como muchas personas son aún vencidas. Dudan y discuten respecto a la voluntad de Dios, y en lugar de obedecer sus mandamientos, aceptan teorías humanas que no sirven más que para encubrir los engaños de Satanás.

"Y la mujer respondió a la serpiente: Del fruto de los árboles del huerto podemos comer; pero del fruto del árbol que está en medio del huerto dijo Dios:

EL MISTERIO DE LA INMORTALIDAD

No comeréis de él, ni le tocaréis, para que no muráis. Entonces la serpiente dijo a la mujer: No moriréis; sino que sabe Dios que el día que comáis de él, serán abiertos vuestros ojos, y seréis como Dios, sabiendo el bien y el mal" (Génesis 3: 2-5). La serpiente declaró que se volverían como Dios, que tendrían más sabiduría que antes y que serían capaces de entrar en un estado superior de existencia. Eva cedió a la tentación, y por influjo suyo Adán fue inducido a pecar. Ambos aceptaron la declaración de la serpiente de que Dios no había querido decir lo que había dicho; desconfiaron de su Creador y se imaginaron que les estaba coartando la libertad y que podían ganar gran caudal de sabiduría y mayor elevación quebrantando su ley.

Pero ¿cómo comprendió Adán, después de su pecado, el sentido de las siguientes palabras: "En el día que comieres de él de seguro morirás"? ¿Comprendió que significaban lo que Satanás le había inducido a creer, que iba a ascender a un grado más alto de existencia? De haber sido así, habría salido ganando con la transgresión, y Satanás habría resultado en bienhechor de la raza. Pero Adán comprobó que no era tal el sentido de la declaración divina. Dios sentenció al hombre, en castigo por su pecado, a volver a la tierra de donde había sido tomado: "Polvo eres, y al polvo volverás" (vers. 19). Las palabras de Satanás: "Serán abiertos vuestros ojos" resultaron ser verdad pero sólo del modo siguiente: después de que Adán y Eva hubieron desobedecido a Dios, sus ojos fueron abiertos y pudieron discernir su locura; conocieron entonces lo que era el mal y probaron el amargo fruto de la transgresión.

En medio del Edén crecía el árbol de la vida, cuyo fruto tenía el poder de perpetuar la vida. Si Adán hubiese permanecido obediente a Dios, habría seguido gozando de libre acceso a aquel árbol y habría vivido eternamente. Pero en cuanto hubo pecado, quedó privado de comer del árbol de la vida y sujeto a la muerte. La sentencia divina: "Polvo eres, y al polvo serás tornado", entraña la extinción completa de la vida.

La inmortalidad prometida al hombre a condición de que obedeciera, se había perdido por la transgresión. Adán no podía transmitir a su posteridad lo que ya no poseía; y no habría quedado esperanza para la raza caída, si Dios, por el sacrificio de su Hijo, no hubiese puesto la inmortalidad a su alcance. Como "la muerte pasó a todos los hombres, por cuanto todos pecaron", Cristo "sacó a luz la vida y la inmortalidad por el Evangelio" (Romanos 5: 12; 2 Timoteo 1: 10). Y sólo por Cristo puede obtenerse la inmortalidad. Jesús dijo: "El que cree en el Hijo tiene vida eterna; pero el que rehúsa creer en el Hijo no verá la vida" (S. Juan 3: 36). Todo hombre puede adquirir un bien tan inestimable si consiente en someterse a las condiciones necesarias. Todos "los que, perseverando en bien hacer, buscan gloria y honra e inmortalidad", recibirán la "vida eterna" (Romanos 2: 7).

El único que prometió a Adán la vida en la desobediencia fue el gran

473

Cuando Adán y Eva pecaron, perdieron el acceso al árbol de la vida y se convirtieron en personas sujetas a la muerte.

CLYDE N. PROVONSHA © PPPA

seductor. Y la declaración de la serpiente a Eva en Edén —"De seguro que no moriréis"— fue el primer sermón que haya sido jamás predicado sobre la inmortalidad del alma. Y sin embargo, esta misma declaración, fundada únicamente en la autoridad de Satanás, repercute desde los púlpitos de la cristiandad, y es recibida por la mayoría de los hombres con tanta prontitud como lo fue por nuestros primeros padres. A la divina sentencia: "El alma que pecare, ésa morirá" (Ezequiel 18: 20), se le da el sentido siguiente: El alma que pecare, ésa no morirá, sino que vivirá eternamente. No puede uno menos que extrañar la rara infatuación con que los hombres creen sin más ni más las palabras de Satanás y se muestran tan incrédulos a las palabras de Dios.

Si al hombre, después de su caída, se le hubiese permitido tener libre acceso al árbol de la vida, habría vivido para siempre, y así el pecado se habría inmortalizado. Pero un querubín y una espada que arrojaba llamas guardaban "el camino del árbol de la vida" (Génesis 3: 24), y a ningún miembro de la familia de Adán le ha sido permitido salvar esta raya y participar de esa fruta de la vida. Por consiguiente no hay ni un solo pecador inmortal.

Pero después de la caída, Satanás ordenó a sus ángeles que hicieran un esfuerzo especial para inculcar la creencia de la inmortalidad natural del hombre; y después de haber inducido a la gente a aceptar este error, debían llevarla a la conclusión de que el pecador viviría en penas eternas. Ahora el príncipe de las tinieblas, obrando por conducto de sus agentes, representa a Dios como un tirano vengativo, y declara que arroja al infierno a todos aquellos que no le agradan, que les hace sentir eternamente los efectos de su ira, y que mientras ellos sufren tormentos indecibles y se retuercen en las llamas eternas, su Creador los mira satisfecho.

Así es como el gran enemigo reviste con sus propios atributos al Creador y Bienhechor de la humanidad. La crueldad es satánica. Dios es amor, y todo lo que él creó era puro, santo, y amable, hasta que el pecado fue introducido por el primer gran rebelde. Satanás mismo es el enemigo que tienta al hombre y lo destruye luego si puede; y cuando se ha adueñado de su víctima se alaba de la ruina que ha causado. Si ello le fuese permitido prendería a toda la raza humana en sus redes. Si no fuese por la intervención del poder divino, ni hijo ni hija de Adán escaparían.

Hoy día Satanás está tratando de vencer a los hombres, como venció a nuestros primeros padres, debilitando su confianza en el Creador e induciéndoles a dudar de la sabiduría de su gobierno y de la justicia de sus leyes. Satanás y sus emisarios representan a Dios como peor que ellos, para justificar su propia perversidad y su rebeldía. El gran seductor se esfuerza en atribuir su propia crueldad a nuestro Padre celestial, a fin de darse por muy perjudicado con su expulsión del cielo por no haber querido someterse a un soberano tan injusto. Presenta al mundo la libertad de que gozaría bajo su dulce cetro, en contraposición con la esclavitud impuesta por los severos decretos de Jehová. Es así como logra sustraer a las almas de la sumisión a Dios.

¡Cuán repugnante a todo sentimiento de amor y de misericordia y hasta a nuestro sentido de justicia es la doctrina según la cual después de muertos los impíos son atormentados con fuego y azufre en un infierno que arde eternamente, y por los pecados de una corta vida terrenal deben sufrir tormentos por tanto tiempo como Dios viva! Sin embargo, esta doctrina ha sido enseñada muy generalmente y se encuentra aún incorporada en muchos de los credos de la cristiandad. Un sabio teólogo sostuvo: "El espectáculo de los tormentos del infierno aumentará para siempre la dicha de los santos. Cuando vean a otros seres de la misma naturaleza que ellos y que nacieron en las mismas circunstancias, cuando los vean sumidos en semejante desdicha, mientras que ellos estén en tan diferente situación, sentirán en mayor grado el goce de su felicidad". Otro dijo lo siguiente: "Mientras que la sentencia de reprobación se esté llevando a efecto por toda la eternidad sobre los desgraciados que sean objeto de la ira, el humo de sus tormentos subirá eternamente también a la vista de los que sean objeto de misericordia, y que, en lugar de compadecerse de aquéllos, exclamarán: ¡Amén! ¡Aleluya! ¡Alabad al Señor!"

¿En qué página de la Palabra de Dios se puede encontrar semejante enseñanza? ¿Los rescatados no sentirán acaso en el cielo ninguna compasión y ni siquiera un leve asomo de humanidad? ¿Habrán quedado esos sentimientos por ventura sustituidos por la indiferencia del estoico o la crueldad del salvaje? —No, mil veces no. No es ésa la enseñanza del Libro de Dios. Los que presentan opiniones como las expresadas en las citas anteriores pueden ser sabios y aun hombres honrados; pero han sido engañados por los sofismas de Satanás. El es quien los induce a desnaturalizar las enérgicas expresiones de las Sagradas Escrituras, dando al lenguaje bíblico un tinte de amargura y malignidad que es propio de él, Satanás, pero no de nuestro Creador. "Vivo yo, dice Jehová el Señor, que no quiero la muerte del impío, sino que se vuelva el impío de su camino, y que viva. Volveos, volveos de vuestros malos caminos; ¿por qué moriréis?" (Ezequiel 33: 11).

¿Qué ganaría Dios con que creyéramos que él se goza en contemplar los tormentos eternos, que se deleita en oír los gemidos, los gritos de dolor y las imprecaciones de las criaturas a quienes mantiene sufriendo en las llamas del infierno? ¿Pueden acaso esas horrendas disonancias ser música para los oídos de Aquel que es amor infinito? Se alega que esas penas sin fin que sufren los malos demuestran el odio de Dios hacia el pecado, ese mal tan funesto a la paz y al orden del universo. ¡Oh, qué horrible blasfemia! ¡Como si el odio que Dios tiene al pecado fuese motivo para eternizar el pecado! Pues según las enseñanzas de esos mismos teólogos, los tormentos continuos y sin esperanza de misericordia enfurecen sus miserables víctimas, que al manifestar su ira con juramentos y blasfemias, aumentan continuamente el peso de su culpabilidad. La gloria de Dios no obtiene realce con que se perpetúe el pecado al través de los siglos sin fin.

Es incalculable para el espíritu humano el daño que ha producido la herejía de los tormentos eternos. La religión de la Biblia, llena de amor y de bondad, y que abunda en compasión, resulta empañada por la superstición y revestida de terror. Cuando consideramos con cuán falsos colores Satanás pintó el carácter de Dios, ¿podemos admirarnos de que se tema, y hasta se aborrezca a nuestro Creador misericordioso? Las ideas espantosas que respecto de Dios han sido propagadas por el mundo desde el púlpito, han hecho miles y hasta millones de escépticos e incrédulos. La teoría de las penas eternas es una de las falsas doctrinas que constituyen el vino de las abominaciones de Babilonia, del cual ella da de beber a todas las naciones (Apocalipsis 14: 8; 17: 2). Es verdaderamente inexplicable que los ministros de Cristo hayan aceptado esta herejía y la hayan proclamado desde el púlpito. La recibieron de Roma, como de Roma también recibieron el falso día de reposo. Es cierto que dicha herejía ha sido enseñada por hombres piadosos y eminentes, pero la luz sobre este asunto no les había sido dada como a nosotros. Eran responsables tan sólo por la luz que brillaba en su tiempo; nosotros tenemos que responder por la que brilla en nuestros días. Si nos alejamos del testimonio de la Palabra de Dios y aceptamos falsas doctrinas porque nuestros padres las enseñaron, caemos bajo la condenación pronunciada contra Babilonia; estamos bebiendo del vino de sus abominaciones.

Muchos a quienes subleva la doctrina de los tormentos eternos se lanzan al error opuesto. Ven que las Santas Escrituras representan a Dios como un ser lleno de amor y compasión, y no pueden creer que haya de entregar sus criaturas a las llamas de un infierno eterno. Pero, como creen que el alma es de por sí inmortal, no ven otra alternativa que sacar la conclusión de que toda la humanidad será finalmente salvada. Muchos son los que consideran las amenazas de la Biblia como destinadas tan sólo a amedrentar a los hombres para que obedezcan y no como debiendo cumplirse literalmente. Así el pecador puede vivir en placeres egoístas, sin prestar atención alguna a lo que Dios exige de él, y esperar sin embargo que será recibido finalmente en su gracia. Semejante doctrina que así especula con la misericordia divina, pero ignora su justicia, agrada al corazón carnal y alienta a los malos en su iniquidad.

Para muestra de cómo los que creen en la salvación universal tuercen el sentido de las Escrituras para sostener sus dogmas deletéreos para las almas, basta citar sus propias declaraciones. En los funerales de un joven irreligioso, muerto instantáneamente en una desgracia, un ministro universalista escogió por texto de su discurso las siguientes palabras que se refieren a David: "Ya estaba consolado acerca de Amnón, que había muerto" (2 Samuel 13: 39).

EL MISTERIO DE LA INMORTALIDAD

"A menudo me preguntan —dijo el orador— cuál será la suerte de los que mueren en el pecado, tal vez en estado de embriaguez, o que mueren sin haber lavado sus vestiduras de las manchas ensangrentadas del crimen, o como este joven. sin haber hecho profesión religiosa ni tenido experiencia alguna en asuntos de religión. Nos contentamos con citar las Sagradas Escrituras; la contestación que nos dan al respecto ha de resolver tan tremendo problema. Amnón era pecador en extremo; era impenitente, se embriagó y fue muerto en ese estado. David era profeta de Dios; debía saber si Amnón se encontraba bien o mal en el otro mundo. ¿Cuáles fueron las expresiones de su corazón? —'El rey David deseaba ver a Absalón; pues ya estaba consolado acerca de Amnón, que había muerto'.

"¿Y qué debemos deducir de estas palabras? ¿No es acaso que los sufrimientos sin fin no formaban parte de su creencia religiosa? Así lo entendemos nosotros; y aquí encontramos un argumento triunfante en apoyo de la hipótesis más agradable, más luminosa y más benévola de la pureza y de la paz finales y universales. Se había consolado de la muerte de su hijo. ¿Y por qué? Porque podía con su ojo de profeta echar una mirada hacia el glorioso estado, ver a su hijo muy alejado de todas las tentaciones, libertado y purificado de la esclavitud y corrupciones del pecado, y, después de haber sido suficientemente santificado e iluminado, admitido a la asamblea de espíritus superiores y dichosos. Su solo consuelo consistía en que su hijo amado al ser recogido del presente estado de pecado y padecimiento, había ido adonde el soplo sublime del Espíritu Santo sería derramado sobre su alma oscurecida; adonde su espíritu se desarrollaría con la sabiduría del cielo y con los dulces transportes del amor eterno, a fin de ser así preparado para gozar con una naturaleza santificada del descanso y de las glorias de la herencia eterna.

"Con esto queremos dar a entender que creemos que la salvación del cielo no depende en nada de lo que podamos hacer en esta vida, ni de un cambio actual de corazón, ni de una creencia actual ni de una profesión de fe religiosa".

Así es como este profeso ministro de Cristo reitera la mentira ya dicha por la serpiente en Edén: "De seguro que no moriréis". "En el día que comiereis de él, vuestros ojos serán abiertos, y seréis como Dios". Afirma que los más viles pecadores —el homicida, el ladrón y el adúltero— serán preparados después de la muerte para gozar de la eterna bienaventuranza.

¿Y de dónde saca sus conclusiones este falseador de las Sagradas Escrituras? De una simple frase que expresa la sumisión de David a la dispensación de la Providencia. Su alma "deseaba ver a Absalón; pues ya estaba consolado acerca de Amnón, que había muerto". Al mitigarse con el andar del tiempo la acrimonia de su aflicción, sus pensamientos se volvieron del hijo muerto al hijo vivo que se había desterrado voluntariamente por temor al justo castigo de su crimen. ¡Y esto es una evidencia de que el incestuoso y ebrio Amnón fue al morir llevado inmediatamente a la morada de los bienaventurados, para ser purificado y preparado allí para la sociedad de los ángeles inmaculados! ¡Fábula amena, por cierto, muy apropiada para satisfacer el corazón carnal! Es la doctrina del mismo Satanás y produce el efecto que él desea. ¿Es entonces de extrañar que con tales enseñanzas la iniquidad abunde?

La conducta de este falso maestro ilustra la de otros muchos. Desprenden de sus contextos unas cuantas palabras de las Sagradas Escrituras, por más que en muchos casos aquéllos encierren un significado contrario al que se les presta; y esos pasajes así aislados se tuercen y se emplean para probar doctrinas que no tienen ningún fundamento en la Palabra de Dios. El pasaje citado para probar que el borracho Amnón está en el cielo, no pasa de ser una mera conjetura, a la que contradice terminantemente la declaración llana y positiva de las Santas Escrituras de que los dados a la embriaguez no poseerán el reino de Dios (1 Corintios 6: 10). Y así es como los que dudan, los incrédulos y los escépticos convierten la verdad en mentira. Y con tales sofismas se engaña a muchos y se los arrulla en la cuna de una seguridad carnal.

Si fuese cierto que las almas de todos los hombres van directamente al cielo en la hora de la disolución, entonces bien podríamos anhelar la muerte antes que la vida. Esta creencia ha inducido a muchas personas a poner fin a su existencia. Cuando está uno anonadado por los cuidados, por las perplejidades y los desengaños, parece cosa fácil romper el delgado hilo de la vida y lanzarse hacia la bienaventuranza del mundo eterno.

Dios declara positivamente en su Palabra que castigará a los transgresores de su ley. Los que se lisonjean con la idea de que es demasiado misericordioso para ejecutar su justicia contra los pecadores, no tienen más que mirar a la cruz del Calvario. La muerte del inmaculado Hijo de Dios testifica que "la paga del pecado es muerte", que toda violación de la ley de Dios debe recibir su justa retribución. Cristo, que era sin pecado, se hizo pecado a causa del hombre. Cargó con la culpabilidad de la transgresión y sufrió tanto, cuando su Padre apartó su faz de él, que su corazón fue destrozado y su vida aniquilada. Hizo todos esos sacrificios a fin de redimir al pecador. De ningún otro modo habría podido el hombre libertarse de la penalidad del pecado. Y toda alma que se niegue a participar de la expiación conseguida a tal precio, debe cargar en su propia persona con la culpabilidad y con el castigo por la transgresión.

Consideremos lo que la Biblia enseña además respecto a los impíos y a los que no se han arrepentido, y a quienes los universalistas colocan en el cielo como santos y bienaventurados ángeles.

"Al que tuviere sed, yo le daré gratuitamente de la fuente de agua de la vida" (Apocalipsis 21: 6). Esta promesa es sólo para aquellos que tuvieren sed. Sólo aquellos que sienten la necesidad del agua de la vida y que la buscan a cualquier precio, la recibirán. "El que venciere heredará todas las cosas, y yo

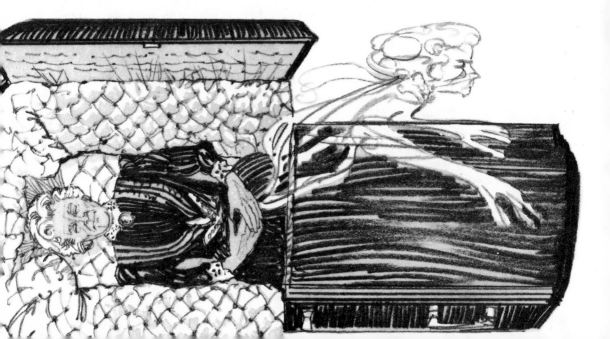

seré su Dios, y él será mi hijo" (vers. 7). Aquí también, las condiciones están especificadas. Para heredar todas las cosas, debemos resistir al pecado y vencerlo.

El Señor declara por el profeta Isaías: "Decid al justo que le irá bien". "¡Ay del impío! Mal le irá, porque según las obras de sus manos le será pagado" (Isaías 3: 10, 11). "Aunque el pecador haga mal cien veces —dice el sabio—, y prolongue sus días, con todo yo también sé que les irá bien a los que a Dios temen, los que temen ante su presencia; y que no le irá bien al impío" (Eclesiastés 8: 12, 13). Y San Pablo declara que el pecador se atesora "ira para el día de la ira y de la revelación del justo juicio de Dios; el cual pagará a cada uno conforme a sus obras": "tribulación y angustia sobre todo ser humano que hace lo malo" (Romanos 2: 5, 6, 9).

"Ningún fornicario, o inmundo, o avaro, que es idólatra, tiene herencia en el reino de Cristo y de Dios" (Efesios 5: 5). "Seguid la paz con todos, y la santidad, sin la cual nadie verá al Señor" (Hebreos 12: 14). "Bienaventurados los que lavan sus ropas, para tener derecho al árbol de la vida, y para entrar por las puertas en la ciudad. Mas los perros estarán fuera, y los hechiceros, los fornicarios, los homicidas, los idólatras, y todo aquel que ama y hace mentira" (Apocalipsis 22: 14, 15).

Dios ha hecho a los hombres una declaración respecto de su carácter y de su modo de proceder con el pecador: "¡Jehová! ¡Jehová! fuerte, misericordioso y piadoso; tardo para la ira, y grande en misericordia y verdad; que guarda misericordia a millares, que perdona la iniquidad, la rebelión y el pecado, y que de ningún modo tendrá por inocente al malvado" (Exodo 34: 6, 7). "Destruirá a todos los impíos". "Mas los transgresores serán todos a una destruidos; la posteridad de los impíos será extinguida" (Salmos 145: 20; 37: 38). El poder y la autoridad del gobierno de Dios serán empleados para vencer la rebelión; sin embargo, todas las manifestaciones de su justicia retributiva estarán perfectamente en armonía con el carácter de Dios, de un Dios misericordioso, paciente y benévolo.

Dios no fuerza la voluntad ni el juicio de nadie. No se complace en la obediencia servil. Quiere que las criaturas salidas de sus manos le amen porque es digno de amor. Quiere que le obedezcan porque aprecian debidamente su sabiduría, su justicia y su bondad. Y todos los que tienen justo concepto de estos atributos lo amarán porque serán atraídos a él por la admiración de sus atributos.

Los principios de bondad, misericordia y amor enseñados y puestos en práctica por nuestro Salvador son fiel trasunto de la voluntad y del carácter de Dios. Cristo declaró que no enseñaba nada que no hubiese recibido de su Padre. Los principios del gobierno divino se armonizan perfectamente con el precepto del Salvador: "Amad a vuestros enemigos". Dios ejecuta su justicia sobre los malos para el bien del universo, y hasta para el bien de aquellos sobre quienes recaen sus juicios. El quisiera hacerlos felices, si pudiera hacerlo de acuerdo con las leyes de su gobierno y la justicia de su carácter. Extiende hasta ellos las manifestaciones de su amor, les concede el conocimiento de su ley y los persigue con las ofertas de su misericordia; pero ellos desprecian su amor, invalidan su ley y rechazan su misericordia. Por más que reciben continuamente sus dones, deshonran al Dador; aborrecen a Dios porque saben que aborrece sus pecados. El Señor soporta mucho tiempo sus perversidades; pero la hora decisiva llegará al fin y entonces su suerte quedará resuelta. ¿Encadenará él entonces estos rebeldes a su lado? ¿Los obligará a hacer su voluntad?

Los que han escogido a Satanás por jefe, y que se han puesto bajo su poder, no están preparados para entrar en la presencia de Dios. El orgullo, el engaño, la impureza, la crueldad se han arraigado en sus caracteres. ¿Pueden entonces entrar en el cielo para morar eternamente con aquellos a quienes despreciaron y odiaron en la tierra? La verdad no agradará nunca al mentiroso; la mansedumbre no satisfará jamás a la vanidad y al orgullo; la pureza no puede ser aceptada por el disoluto; el amor desinteresado no tiene atractivo para el egoísta. ¿Qué goces podría ofrecer el cielo a los que están completamente absorbidos en los intereses egoístas de la tierra?

¿Acaso podrían aquellos que han pasado su vida en rebelión contra Dios ser transportados de pronto al cielo y contemplar el alto y santo estado de perfección que allí se ve, donde toda alma rebosa de amor, todo semblante irradia alegría, la música arrobadora se eleva en acordes melodiosos en honor a Dios y al Cordero, y brotan raudales de luz del rostro de Aquel que está sentado en el trono e inundan a los redimidos? ¿Podrían acaso aquellos cuyos corazones están llenos de odio hacia Dios y a la verdad y a la santidad alternar con los ejércitos celestiales y unirse a sus cantos de alabanza? ¿Podrían soportar la gloria de Dios y del Cordero? No, no; años de prueba les fueron concedidos para que pudiesen formar caracteres para el cielo; pero nunca se acostumbraron a amar lo que es puro; nunca aprendieron el lenguaje del cielo, y ya es demasiado tarde. Una vida de rebelión contra Dios los ha inhabilitado para el cielo. La pureza, la santidad y la paz que reinan allí serían para ellos un tormento; la gloria de Dios, un fuego consumidor. Ansiarían huir de aquel santo lugar. Desearían que la destrucción los cubriese de la faz de Aquel que murió para redimirlos. La suerte de los malos queda determinada por la propia elección de ellos. Su exclusión del cielo es un acto de su propia voluntad y un acto de justicia y misericordia por parte de Dios.

Del mismo modo que las aguas del diluvio, las llamas del gran día proclamarán el veredicto de Dios de que los malos son incurables. Ellos no tienen ninguna disposición para someterse a la autoridad divina. Han ejercitado su voluntad en la rebeldía; y cuando termine la vida será demasiado tarde para desviar la corriente de sus pensamientos en sentido opuesto, demasiado tarde para volverse de la transgresión hacia la obediencia, del odio hacia el amor.

Al perdonarle la vida a Caín el homicida, Dios dio al mundo un ejemplo de lo que sucedería si le fuese permitido al pecador seguir llevando una vida de iniquidad sin freno. La influencia de las enseñanzas y de la conducta de Caín arrastraron al pecado a multitudes de sus descendientes, hasta "que la maldad de los hombres era mucha en la tierra, y que todo designio de los pensamientos del corazón de ellos era de continuo solamente el mal". "Y se corrompió la tierra delante de Dios, y estaba la tierra llena de violencia" (Génesis 6: 5, 11).

Fue por misericordia para con el mundo por lo que Dios barrió los habitantes de él en tiempo de Noé. Fue también por misericordia por lo que destruyó a los habitantes corrompidos de Sodoma. Debido al poder engañador de Satanás, los obreros de iniquidad se granjean simpatía y admiración y arrastran a otros a la rebelión. Así sucedió en días de Caín y de Noé, como también en tiempo de Abrahán y de Lot; y así sucede en nuestros días. Por misericordia para con el universo destruirá Dios finalmente a los que rechazan su gracia.

"Porque la paga del pecado es muerte, mas la dádiva de Dios es vida eterna en Cristo Jesús Señor nuestro" (Romanos 6: 23). Mientras la vida es la heredad de los justos, la muerte es la porción de los impíos. Moisés declaró a Israel: "Mira, yo he puesto delante de ti hoy la vida y el bien, la muerte y el mal" (Deuteronomio 30: 15). La muerte de la cual se habla en este pasaje no es aquella a la que fue condenado Adán, pues toda la humanidad sufre la penalidad de su transgresión. Es "la muerte segunda", puesta en contraste con la vida eterna.

A consecuencia del pecado de Adán, la muerte pasó a toda la raza humana. Todos descienden igualmente a la tumba. Y debido a las disposiciones del plan de salvación, todos saldrán de los sepulcros. "Ha de haber resurrección de los muertos, así de justos como de injustos" (Hechos 24: 15). "Porque así como en Adán todos mueren, también en Cristo todos serán vivificados" (1 Corintios 15: 22). Pero queda sentada una distinción entre las dos clases que serán resucitadas. "Todos los que están en los sepulcros oirán su voz [del Hijo del hombre]; y los que hicieron lo bueno, saldrán a resurrección de vida; mas los que hicieron lo malo, a resurrección de condenación" (S. Juan 5: 28, 29). Los que hayan sido "tenidos por dignos" de resucitar para la vida son llamados "dichosos y santos". "Sobre los tales la segunda muerte no tiene poder" (Apocalipsis 20: 6, VM). Pero los que no hayan asegurado para sí el perdón, por medio del arrepentimiento y de la fe, recibirán el castigo señalado a la transgresión: "la paga del pecado". Sufrirán un castigo de duración e intensidad diversas "según sus obras", pero que terminará finalmente en la segunda muerte. Como, en conformidad con su justicia y con su misericordia, Dios no puede salvar al pecador en sus pecados, le priva de la existencia misma que sus transgresiones tenían ya comprometida y de la que se ha mostrado indigno. Un escritor inspirado dice: "Pues de aquí a poco no existirá el malo; observarás su lugar, y no estará allí". Y otro dice: "Serán como si no hubieran sido" (Salmo 37: 10; Abdías 16). Cubiertos de infamia, caerán en irreparable y eterno olvido.

Así se pondrá fin al pecado y a toda la desolación y las ruinas que de él procedieron. El salmista dice: "Reprendiste a las naciones, destruiste al malo, borraste el nombre de ellos eternamente y para siempre. Los enemigos han perecido; han quedado desolados para siempre" (Salmo 9: 5, 6). San Juan, al echar una mirada hacia la eternidad, oyó una antífona universal de alabanzas que no era interrumpida por ninguna disonancia. Oyó a todas las criaturas del cielo y de la tierra rindiendo gloria a Dios (Apocalipsis 5: 13). No habrá entonces almas perdidas que blasfemen a Dios retorciéndose en tormentos sin fin, ni seres infortunados que desde el infierno unan sus gritos de espanto a los himnos de los elegidos.

En el error fundamental de la inmortalidad natural, descansa la doctrina del estado consciente de los muertos, doctrina que, como la de los tormentos eternos, está en pugna con las enseñanzas de las Sagradas Escrituras, con los dictados de la razón y con nuestros sentimientos de humanidad. Según la creencia popular, los redimidos en el cielo están al cabo de todo lo que pasa en la tierra, y especialmente de lo que les pasa a los amigos que dejaron atrás. ¿Pero cómo podría ser fuente de dicha para los muertos el tener conocimiento de las aflicciones y congojas de los vivos, el ver los pecados cometidos por aquellos a quienes aman y verlos sufrir todas las penas, desilusiones y angustias de la vida? ¿Cuánto podrían gozar de la bienaventuranza del cielo los que revolotean alrededor de sus amigos en la tierra? ¡Y cuán repulsiva es la creencia de que, apenas exhalado el último suspiro, el alma del impenitente es arrojada a las llamas del infierno! ¡En qué abismos de dolor no deben sumirse los que ven a sus amigos bajar a la tumba sin preparación para entrar en una eternidad de pecado y de dolor! Muchos han sido arrastrados a la locura por este horrible pensamiento que los atormentara. ¿Qué dicen las Sagradas Escrituras a este respecto? David declara que el hombre no es consciente en la muerte: "Pues sale su aliento, y vuelve a la tierra; en ese mismo día perecen sus pensamientos" (Salmo 146: 4). Salomón da el mismo testimonio: "Porque los que viven saben que han de morir; pero los muertos nada saben". "También su amor y su odio y su envidia fenecieron ya; y nunca más tendrán parte en todo lo que se hace debajo del sol". "Adonde vas, no hay obra, ni trabajo, ni ciencia, ni sabiduría" (Eclesiastés 9: 5, 6, 10).

Cuando, en respuesta a sus oraciones, la vida de Ezequías fue prolongada por quince años, el rey agradecido, tributó a Dios loores por su gran misericordia. En su canto de alabanza, dice por qué se alegraba: "No te ha de alabar el sepulcro; la muerte no te celebrará; ni esperarán en tu verdad los que bajan al hoyo. El viviente, el viviente sí, él te alabará, como yo, el día de hoy" (Isaías 38: 18, 19, VM). La teología de moda presenta a los justos que fallecen como si estuvieran en el cielo gozando de la bienaventuranza y loando a Dios con lenguas inmortales, pero Ezequías no veía tan gloriosa perspectiva en la muerte. Sus palabras concuerdan con el testimonio del salmista: "Porque en la muerte no hay memoria de ti; en el Seol, ¿quién te alabará?" (Salmo 6: 5). "No alabarán los muertos a JAH, ni cuantos descienden al silencio" (Salmo 115: 17).

En el día de Pentecostés, San Pedro declaró que el patriarca David "murió y fue sepultado, y su sepulcro está con nosotros hasta el día de hoy". "Porque David no subió a los cielos" (Hechos 2: 29, 34). El hecho de que David permanecerá en el sepulcro hasta el día de la resurrección, prueba que los justos no van al cielo cuando mueren. Es sólo mediante la resurrección, y en virtud y como consecuencia de la resurrección de Cristo por lo cual David podrá finalmente sentarse a la diestra de Dios.

Y San Pablo dice: "Porque si los muertos no resucitan, tampoco Cristo resucitó; y si Cristo no resucitó, vuestra fe es vana; aún estáis en vuestros pecados. Entonces también los que durmieron en Cristo perecieron" (1 Corintios 15: 16-18). Si desde hace cuatro mil años los justos al morir hubiesen ido directamente al cielo, ¿cómo habría podido decir San Pablo que si no hay resurrección, "también los que durmieron en Cristo perecieron"? No habría necesidad de resurrección.

El mártir Tyndale, refiriéndose al estado de los muertos, declaró: "Confieso francamente que no estoy convencido de que ellos gocen ya de la plenitud de gloria en que se encuentran Dios y los ángeles elegidos. Ni es tampoco artículo de mi fe; pues si así fuera, entonces no puedo menos que ver que sería vana la predicación de la resurrección de la carne" (Guillermo Tyndale, en el prólogo de su traducción del Nuevo Testamento, reimpreso en *British Reformers–Tindal, Frith, Barnes,* pág. 349).

Es un hecho incontestable que la esperanza de pasar al morir a la felicidad eterna ha llevado a un descuido general de la doctrina bíblica de la resurrección. Esta tendencia ha sido notada por el Dr. Adán Clarke, quien escribió: "¡La doctrina de la resurrección parece haber sido mirada por los cristianos como si tuviera una importancia mucho mayor que la que se le concede *hoy!* ¿Cómo es eso? Los apóstoles insistían siempre en ella y por medio de ella incitaban a los discípulos de Cristo a que fuesen diligentes, obedientes y de buen ánimo. Pero sus sucesores actuales casi nunca la mencionan. Tal la predicación de los apóstoles, y tal la fe de los primitivos cristianos; tal nuestra predicación, y tal la fe de los que nos escuchan. No hay doctrina en la que el Evangelio insista más; y no hay doctrina que la predicación de nuestros días trate con mayor descuido" (*Commentary on the New Testament,* tomo II, comentario general de 1 Corintios 15, pág. 3).

Y así siguieron las cosas hasta resultar en que la gloriosa verdad de la resurrección quedó casi completamente oscurecida y perdida de vista por el mundo cristiano. Es así que un escritor religioso autorizado, comentando las palabras de San Pablo en 1 Tesalonicenses 4: 13-18, dice: "Para todos los fines prácticos de consuelo, la doctrina de la inmortalidad bienaventurada de los justos reemplaza para nosotros cualquier doctrina dudosa de la segunda venida del Señor. Cuando morimos es cuando el Señor viene a buscarnos. Eso es lo que tenemos que esperar y para lo que debemos estar precavidos. Los muertos ya han entrado en la gloria. Ellos no esperan el sonido de la trompeta para comparecer en juicio y entrar en la bienaventuranza".

Pero cuando Jesús estaba a punto de dejar a sus discípulos, no les dijo que irían pronto a reunírsele. "Voy, pues, a preparar lugar para vosotros —les dijo—. Y si me fuere y os preparare lugar, vendré otra vez, y os tomaré a mí mismo" (S. Juan 14: 2, 3). Y San Pablo nos dice además que "el Señor mismo con voz de mando, con voz de arcángel, y con trompeta de Dios, descenderá del cielo; y los muertos en Cristo resucitarán primero. Luego nosotros los que

vivimos, los que hayamos quedado, seremos arrebatados juntamente con ellos en las nubes para recibir al Señor en el aire, y así estaremos siempre con el Señor". Y agrega: "Por tanto, alentaos los unos a los otros con estas palabras" (1 Tesalonicenses 4: 16-18). ¡Cuán grande es el contraste entre estas palabras de consuelo y las del ministro universalista citadas anteriormente! Este último consolaba a los amigos en duelo con la seguridad de que por pecaminoso que hubiese sido el fallecido, apenas hubo exhalado su último suspiro, debió ser recibido entre los ángeles. San Pablo recuerda a sus hermanos la futura venida del Señor, cuando las losas de las tumbas serán rotas y "los muertos en Cristo" resucitarán para la vida eterna.

Antes de entrar en la mansión de los bienaventurados, todos deben ser examinados respecto a su vida; su carácter y sus actos deben ser revisados por Dios. Todos deben ser juzgados con arreglo a lo escrito en los libros y recompensados según hayan sido sus obras. Este juicio no se verifica en el momento de la muerte. Notad las palabras de San Pablo: "Por cuanto ha establecido un día en el cual juzgará al mundo con justicia, por aquel varón a quien designó, dando fe a todos con haberle levantado de los muertos" (Hechos 17: 31). El apóstol enseña aquí lisa y llanamente que cierto momento, entonces por venir, había sido fijado para el juicio del mundo.

San Judas se refiere a aquel mismo momento cuando dice: "A los ángeles que no guardaron su original estado, sino que dejaron su propia habitación, los ha guardado en prisiones eternas, bajo tinieblas, hasta el juicio del gran día". Y luego cita las palabras de Enoc: "¡He aquí que viene el Señor, con las huestes innumerables de sus santos ángeles, para ejecutar juicio sobre todos!" (S. Judas 6, 14, 15, VM). San Juan declara que vio "a los muertos, grandes y pequeños, de pie ante Dios; y los libros fueron abiertos,... y fueron juzgados los muertos por las cosas que estaban escritas en los libros" (Apocalipsis 20: 12).

Pero si los muertos están ya gozando de la bienaventuranza del cielo o están retorciéndose en las llamas del infierno, ¿qué necesidad hay de un juicio venidero? Las enseñanzas de la Palabra de Dios respecto a estos importantes puntos no son oscuras ni contradictorias; una inteligencia mediana puede entenderlas. ¿Pero qué espíritu imparcial puede encontrar sabiduría o justicia en la teoría corriente? ¿Recibirán acaso los justos, después del examen de sus vidas en el día del juicio, esta alabanza: "Bien, buen siervo y fiel;... *entra* en el gozo de tu Señor" cuando ya habrán estado habitando con él tal vez durante siglos? ¿Se sacará a los malos del lugar de tormento para hacerles oír la siguiente sentencia del juez de toda la tierra: "Apartaos de mí, malditos, al fuego eterno"? (S. Mateo 25: 21, 41). ¡Burla solemne! ¡Vergonzosa ofensa inferida a la sabiduría y justicia de Dios!

La teoría de la inmortalidad del alma fue una de aquellas falsas doctrinas que Roma recibió del paganismo para incorporarla en el cristianismo. Martín

Lutero la clasificó entre "las fábulas monstruosas que forman parte del estercolero romano" de las decretales (E. Petavel, *Le Problème de l'Immortalité,* tomo 2, pág. 77). Comentando las palabras de Salomón, en el Eclesiastés, de que los muertos no saben nada, el reformador dice: "Otra prueba de que los muertos son... insensibles... Salomón piensa que los muertos están dormidos y no sienten absolutamente nada. Pues los muertos descansan, sin contar ni los días ni los años; pero cuando se despierten les parecerá como si apenas hubiesen dormido un momento" (Lutero, *Exposition of Solomon's Booke Called Ecclesiastes,* pág. 152).

En ningún pasaje de las Santas Escrituras se encuentra declaración alguna de que los justos reciban su recompensa y los malos su castigo en el momento de la muerte. Los patriarcas y los profetas no dieron tal seguridad. Cristo y sus apóstoles no la mencionaron siquiera. La Biblia enseña a las claras que los muertos no van inmediatamente al cielo. Se les representa como si estuvieran durmiendo hasta el día de la resurrección (1 Tesalonicenses 4: 14; Job 14: 10-12). El día mismo en que se corta el cordón de plata y se quiebra el tazón de oro (Eclesiastés 12: 6), perecen los pensamientos de los hombres. Los que bajan a la tumba permanecen en el silencio. Nada saben de lo que se hace bajo el sol (Job 14: 21). ¡Descanso bendito para los exhaustos justos! Largo o corto, el tiempo no les parecerá más que un momento. Duermen hasta que la trompeta de Dios los despierte para entrar en una gloriosa inmortalidad. "Porque se tocará la trompeta, y los muertos serán resucitados incorruptibles... Porque es necesario que esto corruptible se vista de incorrupción, y esto mortal se vista de inmortalidad. Y cuando esto corruptible se haya vestido de incorrupción, y esto mortal se haya vestido de inmortalidad, entonces se cumplirá la palabra que está escrita: Sorbida es la muerte en victoria" (1 Corintios 15: 52-54). En el momento en que sean despertados de su profundo sueño, reanudarán el curso de sus pensamientos interrumpidos por la muerte. La última sensación fue la angustia de la muerte. El último pensamiento era el de que caían bajo el poder del sepulcro. Cuando se levanten de la tumba, su primer alegre pensamiento se expresará en el hermoso grito de triunfo: "¿Dónde está, oh muerte, tu aguijón? ¿Dónde, oh sepulcro, tu victoria?" (vers. 55).

CAPITULO 35

¿Pueden Hablarnos Nuestros Muertos?

LA OBRA ministradora de los santos ángeles, tal cual está presentada en las Santas Escrituras, es una verdad de las más alentadoras y de las más preciosas para todo discípulo de Cristo. Pero la enseñanza de la Biblia acerca de este punto ha sido oscurecida y pervertida por los errores de la teología popular. La doctrina de la inmortalidad natural, tomada en un principio de la filosofía pagana e incorporada a la fe cristiana en los tiempos tenebrosos de la gran apostasía, ha suplantado la verdad tan claramente enseñada por la Santa Escritura, de que "los muertos nada saben". Multitudes han llegado a creer que los espíritus de los muertos son los "espíritus ministradores, enviados para hacer servicio a favor de los que han de heredar la salvación". Y esto a pesar del testimonio de las Santas Escrituras respecto a la existencia de los ángeles celestiales y a la relación que ellos tienen con la historia humana desde antes que hubiese muerto hombre alguno.

La doctrina de que el hombre queda consciente en la muerte, y más aún la creencia de que los espíritus de los muertos vuelven para servir a los vivos, preparó el camino para el espiritismo moderno. Si los muertos son admitidos a la presencia de Dios y de los santos ángeles y si son favorecidos con conocimientos que superan en mucho a los que poseían anteriormente, ¿por qué no habrían de volver a la tierra para iluminar e ilustrar a los vivos? Si, como lo enseñan los teólogos populares, los espíritus de los muertos se ciernen en torno de sus amigos en la tierra, ¿por qué no les sería permitido comunicarse con ellos para prevenirlos del mal o para consolarlos en sus penas? ¿Cómo podrán los que creen en el estado consciente de los muertos rechazar lo que les viene cual luz divina comunicada por espíritus glorificados? Representan un medio de comunicación considerado sagrado, del que Satanás se vale para cumplir sus propósi-

tos. Los ángeles caídos que ejecutan sus órdenes se presentan como mensajeros del mundo de los espíritus. Al mismo tiempo que el príncipe del mal asevera poner a los vivos en comunicación con los muertos, ejerce también su influencia fascinadora sobre las mentes de aquéllos.

Satanás puede evocar ante los hombres la apariencia de sus amigos fallecidos. La imitación es perfecta; los rasgos familiares, las palabras y el tono son reproducidos con una exactitud maravillosa. Muchas personas se consuelan con la seguridad de que sus seres queridos están gozando de las delicias del cielo; y sin sospechar ningún peligro, dan oídos a "espíritus seductores, y a enseñanzas de demonios".

Después que Satanás ha hecho creer a esas personas que los muertos vuelven en realidad a comunicarse con ellas, hace aparecer a seres humanos que murieron sin preparación. Estos aseguran que son felices en el cielo y hasta que ocupan allí elevados puestos, por lo que se difunde el error de que no se hace diferencia entre los justos y los injustos. Esos supuestos visitantes del mundo de los espíritus dan a veces avisos y advertencias que resultan exactos. Luego que se han ganado la confianza, presentan doctrinas que de hecho destruyen la fe en las Santas Escrituras. Aparentando profundo interés por el bienestar de sus amigos en la tierra, insinúan los errores más peligrosos. El hecho de que dicen algunas verdades y pueden a veces anunciar acontecimientos da a sus testimonios una apariencia de verosimilitud; y sus falsas enseñanzas son aceptadas por las multitudes con tanta diligencia y creídas tan a ciegas, como si se tratara de las verdades más sagradas de la Biblia. Se rechaza la ley de Dios, se desprecia al Espíritu de gracia y se considera la sangre de la alianza como cosa profana. Los espíritus niegan la divinidad de Cristo y hasta ponen al Creador en el mismo nivel que ellos mismos. Bajo este nuevo disfraz el gran rebelde continúa llevando adelante la guerra que empezó en el cielo y que se prosigue en la tierra desde hace unos seis mil años.

Muchos tratan de explicar las manifestaciones espiritistas atribuyéndolas por completo al fraude y a juego de manos de los médiums. Pero, si bien es cierto que muchas veces se han hecho pasar supercherías por verdaderas manifestaciones, no deja de haber habido también manifestaciones de poder sobrenatural. Los llamamientos misteriosos con que empezó el espiritismo moderno no fueron resultado de la superchería o de la astucia humana, sino obra directa de ángeles malos, que introdujeron así uno de los engaños más eficaces para la destrucción de las almas. Muchos hombres serán entrampados por la creencia de que el espiritismo es tan sólo una impostura humana; pero cuando sean puestos en presencia de manifestaciones cuyo carácter sobrenatural no pueda negarse, serán seducidos y obligados a aceptarlas como revelación del poder divino.

Estas personas no toman en cuenta el testimonio de las Santas Escrituras

A través de las manifestaciones del espiritismo,
Satanás trata de establecer como verdad su primera
mentira de que el pecador no muere.

JOHN STEEL © PPPA

respecto a los milagros de Satanás y de sus agentes. No fue sino mediante la ayuda de Satanás que los nigromantes de Faraón pudieron imitar la acción de Dios. San Pablo declara que antes de la segunda venida de Cristo habrá manifestaciones análogas del poder satánico. La venida del Señor debe ser precedida de la "obra de Satanás, con gran poder y señales y prodigios mentirosos, y con todo engaño de iniquidad" (2 Tesalonicenses 2: 9, 10). Y el apóstol San Juan, describiendo el poder milagroso que se ha de dar a conocer en los últimos días, declara: "Hace grandes señales, de tal manera que aun hace descender fuego del cielo a la tierra delante de los hombres. Y engaña a los moradores de la tierra con las señales que se le ha permitido hacer" (Apocalipsis 13: 13, 14). Lo que se predice aquí no es una simple impostura. Los hombres serán engañados por los milagros que los agentes de Satanás no sólo pretenderán hacer, sino que de hecho tendrán poder para realizar.

El príncipe de las tinieblas, que por tanto tiempo ha estado empleando los poderes de su inteligencia superior en la obra de engaño, adapta hábilmente sus tentaciones a los hombres de todas las clases y condiciones. A las personas cultas y refinadas les presenta el espiritismo bajo sus aspectos más sutiles e intelectuales, y así consigue atraer a muchos a sus redes. La sabiduría que comunica el espiritismo es la que describe el apóstol Santiago, la cual "no es la que desciende de lo alto, sino terrenal, animal, diabólica" (Santiago 3: 15). Y esto es, precisamente, lo que encubre el gran seductor cuando el sigilo es lo que más conviene a sus fines. El que, vestido con el brillo de celestiales serafines, pudo aparecer ante Cristo para tentarle en el desierto, suele presentarse también a los hombres del modo más atractivo, cual si fuere ángel de luz. Apela a la razón por la presentación de temas elevados; deleita los sentidos con escenas que cautivan y conquistan los afectos por medio de imágenes elocuentes de amor y caridad. Excita la imaginación en sublimes arrebatos e induce a los hombres a enorgullecerse tanto de su propia sabiduría, que en el fondo de su corazón desprecian al Dios eterno. Ese ser poderoso que pudo transportar al Redentor del mundo a un altísimo monte y poner ante su vista todos los reinos y la gloria de la tierra, presentará sus tentaciones a los hombres y pervertirá los sentidos de todos los que no estén protegidos por el poder divino.

Satanás seduce hoy día a los hombres como sedujo a Eva en el Edén, lisonjeándolos, alentando en ellos el deseo de conocimientos prohibidos y despertando en ellos la ambición de exaltarse a sí mismos. Fue alimentando esos males como cayó él mismo, y por ellos trata de acarrear la ruina de los hombres. "Y seréis como Dios —dijo él—, sabiendo el bien y el mal" (Génesis 3: 5). El espiritismo enseña "que el hombre es un ser susceptible de adelanto; que su destino consiste en progresar desde su nacimiento, aun hasta la eternidad, hacia la divinidad". Y además que "cada inteligencia se juzgará a sí misma y no será juzgada por otra". "El juicio será justo, porque será el juicio que uno haga de sí mismo… El tribunal está interiormente en vosotros". Un maestro espiritista dijo cuando "la conciencia espiritual" se despertó en él: "Todos mis semejantes eran semidioses no caídos". Y otro dice: "Todo ser justo y perfecto es Cristo".

Así, en lugar de la justicia y perfección del Dios infinito que es el verdadero objeto de la adoración; en lugar de la justicia perfecta de la ley, que es el verdadero modelo de la perfección humana, Satanás ha colocado la naturaleza pecadora del hombre sujeto al error, como único objeto de adoración, única regla del juicio o modelo del carácter. Eso no es progreso, sino retroceso.

Hay una ley de la naturaleza intelectual y espiritual según la cual modificamos nuestro ser mediante la contemplación. La inteligencia se adapta gradualmente a los asuntos en que se ocupa. Se asimila lo que se acostumbra a amar y a reverenciar. Jamás se elevará el hombre a mayor altura que a la de su ideal de pureza, de bondad o de verdad. Si se considera a sí mismo como el ideal más sublime, jamás llegará a cosa más exaltada. Caerá más bien en bajezas siempre mayores. Sólo la gracia de Dios puede elevar al hombre. Si depende de sus propios recursos, su conducta empeorará inevitablemente.

A los indulgentes consigo mismos, a los amigos del placer, a los sensuales, el espiritismo se presenta bajo un disfraz menos sutil que cuando se presenta a gente más refinada e intelectual. En sus formas groseras, aquéllos encuentran lo que está en armonía con sus inclinaciones. Satanás estudia todos los indicios de la fragilidad humana, nota los pecados que cada hombre está inclinado a cometer, y cuida luego de que no falten ocasiones para que las tendencias hacia el mal sean satisfechas. Tienta a los hombres para que se excedan en cosas que son legítimas en sí mismas, a fin de que la intemperancia debilite sus fuerzas físicas y sus energías mentales y morales. Ha hecho morir y está haciendo morir a miles de personas por la satisfacción de las pasiones, embruteciendo así la naturaleza humana. Y para completar su obra, declara por intermedio de los espíritus, que "el verdadero conocimiento coloca a los hombres por encima de toda ley"; que "cualquier cosa que sea, es buena"; que "Dios no condena"; y que "todos los pecados se cometen sin envolver culpabilidad alguna". Cuando la gente es inducida así a creer que el deseo es ley suprema, que la libertad es licencia y que el hombre no es responsable más que ante sí mismo, ¿quién puede admirarse de que la corrupción y la depravación abunden por todas partes? Las multitudes aceptan con avidez las enseñanzas que les dan libertad para obedecer los impulsos carnales. Se da rienda suelta a la lujuria y el hombre pierde el imperio sobre mí mismo; las facultades del espíritu y del alma son sometidas a los más bestiales apetitos, y Satanás prende alegremente en sus redes a millares de personas que profesan ser discípulos de Cristo.

Pero nadie tiene por qué dejarse alucinar por los asertos engañosos del espiritismo. Dios ha dado a los hombres luz suficiente para que puedan descubrir la trampa. Como ya lo hemos visto, la teoría que constituye el fundamento mismo del espiritismo está en plena contradicción con las declaraciones más terminantes de las Santas Escrituras. La Biblia declara que los muertos no saben nada, que sus pensamientos han perecido; no tienen parte en nada de lo que se hace bajo el sol; no saben nada de las dichas ni de las penas de los que les eran más caros en la tierra.

Además, Dios ha prohibido expresamente toda supuesta comunicación con los espíritus de los muertos. En tiempo de los hebreos había una clase de personas que pretendía, como los espiritistas de nuestros días, sostener comunicaciones con los muertos. Pero la Biblia declara que los "espíritus", como se solía llamar a los visitantes de otros mundos, "son espíritus de demonios" (compárese Números 25: 1-3; Salmo 106: 28; 1 Corintios 10: 20; Apocalipsis 16: 14). La costumbre de tratar con espíritus o adivinos fue declarada abominación para el Señor y era solemnemente prohibida so pena de muerte (Levítico 19: 31; 20: 27). Aun el nombre de la hechicería es objeto de desprecio en la actualidad. El aserto de que los hombres pueden tener comunicación con malos espíritus es considerado como una fábula de la Edad Media. Pero el espiritismo, que cuenta con centenares de miles y hasta con millones de adherentes, que se ha abierto camino entre las sociedades científicas, que ha invadido iglesias y que ha sido acogido con favor entre los cuerpos legislativos y hasta en las cortes de los reyes —este engaño colosal no es más que la reaparición, bajo un nuevo disfraz, de la hechicería condenada y prohibida en la antigüedad.

Si no existiera otra evidencia tocante a la naturaleza real del espiritismo, debería bastar a todo cristiano el hecho de que los espíritus no hacen ninguna diferencia entre lo que es justo y lo que es pecado, entre el más noble y puro de los apóstoles de Cristo y los más degradados servidores de Satanás. Al representar al hombre más vil como si estuviera altamente exaltado en el cielo, es como si Satanás declarara al mundo: "No importa cuán malos seáis; no importa que creáis o no en Dios y en la Biblia. Vivid como gustéis, que el cielo es vuestro hogar". Los maestros espiritistas declaran virtualmente: "Cualquiera que hace mal agrada a Jehová, y en los tales se complace; o si no, ¿dónde está el Dios de justicia? (Malaquías 2: 17). La Palabra de Dios dice: "¡Ay de los que a lo malo dicen bueno, y a lo bueno malo; que hacen de la luz tinieblas, y de las tinieblas luz!" (Isaías 5: 20).

Esos espíritus mentirosos representan a los apóstoles como contradiciendo lo que escribieron bajo la inspiración del Espíritu Santo durante su permanencia en la tierra. Niegan el origen divino de la Biblia, anulan así el fundamento de la esperanza cristiana y apagan la luz que revela el camino hacia el cielo. Satanás hace creer al mundo que la Biblia no es más que una ficción, o cuando mucho un libro apropiado para la infancia de la raza, del que se debe hacer poco caso ahora, o ponerlo a un lado por anticuado. Y para reemplazar la Palabra de

¿PUEDEN HABLARNOS NUESTROS MUERTOS?

Dios ese mismo Satanás ofrece sus manifestaciones espiritistas. Estas están enteramente bajo su dirección y mediante ellas puede hacer creer al mundo lo que quiere. Pone en la oscuridad, precisamente donde le conviene que esté, el Libro que le debe juzgar a él y a sus siervos y hace aparecer al Salvador del mundo como un simple hombre. Así como la guardia romana que vigilaba la tumba de Jesús difundió la mentira que los sacerdotes y los ancianos insinuaron para negar su resurrección, así también los que creen en las manifestaciones espiritistas tratan de hacer creer que no hay nada milagroso en las circunstancias que rodearon la vida de Jesús. Después de procurar así que la gente no vea a Jesús, le llaman la atención hacia sus propios milagros y los declaran muy superiores a las obras de Cristo.

Es cierto que el espiritismo está mudando actualmente sus formas, y echando un velo sobre algunos de sus rasgos más repulsivos, reviste un disfraz cristiano. Pero sus declaraciones hechas desde la tribuna y en la prensa han sido conocidas por el público desde hace muchos años, y revelan su carácter verdadero. Esas enseñanzas no pueden ser negadas ni encubiertas.

Hasta en su forma actual, lejos de ser más tolerable, el espiritismo es en realidad más peligroso que anteriormente, debido a la mayor sutileza de su engaño. Mientras años atrás atacaba a Cristo y la Biblia, declara ahora que acepta a ambos. Pero su interpretación de la Biblia está calculada para agradar al corazón irregenerado, al paso que anula el efecto de sus verdades solemnes y vitales. Los espiritistas hacen hincapié en el amor como si fuese atributo principal de Dios, pero lo rebajan hasta hacer de él un sentimentalismo enfermizo y hacen poca distinción entre el bien y el mal. La justicia de Dios, su reprobación del pecado, las exigencias de su santa ley, todo eso lo pierden de vista. Enseñan al pueblo a que mire el Decálogo como si fuera letra muerta. Fábulas agradables y encantadoras cautivan los sentidos e inducen a los hombres a que rechacen la Biblia como fundamento de su fe. Se niega a Cristo tan descaradamente como antes; pero Satanás ha cegado tanto al pueblo que no discierne el engaño.

Pocas son las personas que tienen justo concepto del poder engañoso del espiritismo y del peligro que hay en caer bajo su influencia. Muchas personas juegan con él sin otro objeto que el de satisfacer su curiosidad. No tienen fe verdadera en él y se llenarían de horror al pensar en abandonarse al dominio de los espíritus. Pero se aventuran en terreno vedado y el poderoso destructor ejerce su ascendiente sobre ellos contra su voluntad. Pero una vez que los induce a abandonar sus inteligencias a su dirección, los mantiene cautivos. Es imposible que con su propia fuerza rompan el encanto hechicero y seductor. Sólo el poder de Dios otorgado en contestación a la fervorosa oración de fe, puede libertar a esas almas prisioneras.

Todos aquellos que conservan y cultivan rasgos pecaminosos de carácter, o que fomentan un pecado conocido, atraen las tentaciones de Satanás. Se separan de Dios y de la protección de sus ángeles, y cuando el maligno les tiende sus redes quedan indefensos y se convierten en fácil presa. Los que de tal suerte se abandonan al poder satánico no comprenden adónde los llevará su conducta. Pero, después de haberlos subyugado por completo, el tentador los empleará como agentes para empujar a otros a la ruina.

El profeta Isaías dice: "Y si os dijeren: Preguntad a los encantadores y a los adivinos, que susurran hablando, responded: ¿No consultará el pueblo a su Dios? ¿Consultará a los muertos por los vivos? ¡A la ley y al testimonio! Si no dijeren conforme a esto, es porque no les ha amanecido" (Isaías 8: 19, 20). Si los hombres hubiesen querido recibir la verdad tan claramente expresada en las Santas Escrituras, referente a la naturaleza del hombre y al estado de los muertos, reconocerían en las declaraciones y manifestaciones del espiritismo la operación de Satanás con poder y con prodigios mentirosos. Pero en vez de renunciar a la libertad tan cara al corazón pecaminoso y a sus pecados favoritos, la mayoría de los hombres cierra los ojos a la luz y sigue adelante sin cuidarse de las advertencias, mientras Satanás tiende sus lazos en torno de ellos y los hace presa suya. "Por cuanto no recibieron el amor de la verdad para ser salvos... Dios les envía un poder engañoso, para que crean la mentira" (2 Tesalonicenses 2: 10, 11).

Los que se oponen a las enseñanzas del espiritismo atacan no sólo a los hombres, sino también a Satanás y a sus ángeles. Han emprendido la lucha contra principados, potestades y malicias espirituales en los aires. Satanás no cederá una pulgada de terreno mientras no sea rechazado por el poder de mensajeros celestiales. El pueblo de Dios debe hacerle frente como lo hizo nuestro Salvador, con las palabras: "Escrito está". Satanás puede hoy citar las Santas Escrituras como en tiempo de Cristo, y volverá a pervertir las enseñanzas de ellas para sostener sus engaños. Los que quieran permanecer firmes en estos tiempos de peligro deben comprender por sí mismos el testimonio de las Escrituras.

Muchos tendrán que vérselas con espíritus de demonios que personificarán a parientes o amigos queridos y que proclamarán las herejías más peligrosas. Estos espíritus apelarán a nuestros más tiernos sentimientos de simpatía y harán milagros con el fin de sostener sus asertos. Debemos estar listos para resistirles con la verdad bíblica de que los muertos no saben nada y de que los que aparecen como tales son espíritus de demonios.

Es inminente "la hora de la prueba que ha de venir sobre el mundo entero, para probar a los que moran sobre la tierra" (Apocalipsis 3: 10). Todos aquellos cuya fe no esté firmemente cimentada en la Palabra de Dios serán engañados y vencidos. La operación de Satanás es "con todo el artificio de la injusticia" a fin de alcanzar dominio sobre los hijos de los hombres; y sus engaños seguirán aumentando. Pero sólo puede lograr sus fines cuando los hombres ceden voluntariamente a sus tentaciones. Los que busquen sinceramente el conocimiento de la verdad, y se esfuercen en purificar sus almas mediante la obediencia, haciendo así lo que pueden en preparación para el conflicto, encontrarán seguro refugio en el Dios de verdad. "Por cuanto has guardado la palabra de mi paciencia, yo también te guardaré (vers. 10), es la promesa del Salvador. El enviaría a todos los ángeles del cielo para proteger a su pueblo antes que permitir que una sola alma que confíe en él sea vencida por Satanás.

El profeta Isaías describe el terrible engaño que seducirá a los impíos y les hará creerse al amparo de los juicios de Dios: "Hemos hecho pacto con la muerte, y con el infierno tenemos hecho convenio; cuando pasare el azote, cual torrente, no nos alcanzará; porque hemos puesto las mentiras por nuestro refugio, y entre los embustes nos hemos escondido" (Isaías 28: 15, VM). En la categoría de personas así descritas se encuentran los que en su impenitencia y obstinación se consuelan con la seguridad de que no habrá castigo para el pecador, de que todos los miembros de la humanidad, por grande que sea su corrupción, serán elevados hasta el cielo para volverse como ángeles de Dios. Pero hay otros que de modo mucho más aparente están haciendo un pacto con la muerte y un convenio con el infierno. Son los que renuncian a las verdades que Dios dio como defensa para los justos en el día de congoja, y aceptan en su lugar el falso refugio ofrecido por Satanás, o sea los asertos mentirosos del espiritismo.

La obcecación de los hombres de esta generación es indeciblemente sorprendente. Miles de personas rechazan la Palabra de Dios como si no mereciese fe, mientras aceptan con absoluta confianza los engaños de Satanás. Los incrédulos y escarnecedores denuncian el fanatismo, como lo llaman, de los que luchan por la fe de los profetas y de los apóstoles, y se divierten ridiculizando las solemnes declaraciones de las Santas Escrituras referentes a Cristo, al plan de salvación y a la retribución que espera a los que rechazan la verdad. Fingen tener gran lástima por espíritus tan estrechos, débiles y supersticiosos, que acatan los mandatos de Dios y satisfacen las exigencias de su ley. Hacen alarde de tanto descaro como si en realidad hubiesen hecho un pacto con la muerte y un convenio con el infierno, como si hubiesen elevado una barrera insalvable e indestructible entre ellos y la venganza de Dios. Nada puede despertar sus temores. Se han sometido tan completamente al tentador, están tan ligados a él y tan dominados por su espíritu, que no tienen ni fuerza ni deseos para escapar de su lazo.

EL TRIUNFO DEL AMOR DE DIOS

Satanás ha estado preparándose desde hace tiempo para su último esfuerzo para engañar al mundo. El cimiento de su obra lo puso en la afirmación que hiciera a Eva en el Edén: "No moriréis". "El día que comáis de él, serán abiertos vuestros ojos, y seréis como Dios, sabiendo el bien y el mal" (Génesis 3: 4, 5). Poco a poco Satanás ha preparado el camino para su obra maestra de seducción: el desarrollo del espiritismo. Hasta ahora no ha logrado realizar completamente sus designios; pero lo conseguirá en el poco tiempo que nos separa del fin. El profeta dice: "Y vi... tres espíritus inmundos a manera de ranas;... son espíritus de demonios, que hacen señales, y van a los reyes de la tierra en todo el mundo, para reunirlos a la batalla de aquel gran día del Dios Todopoderoso" (Apocalipsis 16: 13, 14). Todos menos los que estén protegidos por el poder de Dios y la fe en su Palabra, se verán envueltos en ese engaño. Los hombres se están dejando adormecer en una seguridad fatal y sólo despertarán cuando la ira de Dios se derrame sobre la tierra.

Dios, el Señor, dice: "Y ajustaré el juicio a cordel, y a nivel la justicia; y granizo barrerá el refugio de la mentira, y aguas arrollarán el escondrijo. Y será anulado vuestro pacto con la muerte, y vuestro convenio con el Seol no será firme; cuando pase el turbión del azote, seréis de él pisoteados" (Isaías 28: 17, 18).

CAPITULO 36

La Libertad de Conciencia Amenazada

LOS protestantes consideran hoy al romanismo con más favor que años atrás. En los países donde no predomina y donde los partidarios del papa siguen una política de conciliación para ganar influjo, se nota una indiferencia creciente respecto a las doctrinas que separan a las iglesias reformadas de la jerarquía papal; entre los protestantes está ganando terreno la opinión de que, al fin y al cabo, en los puntos vitales las divergencias no son tan grandes como se suponía, y que unas pequeñas concesiones de su parte los pondrían en mejor inteligencia con Roma. Tiempo hubo en que los protestantes estimaban altamente la libertad de conciencia adquirida a costa de tantos sacrificios. Enseñaban a sus hijos a tener en aborrecimiento al papado y sostenían que tratar de congeniar con Roma equivaldría a traicionar la causa de Dios. Pero ¡cuán diferentes son los sentimientos expresados hoy!

Los defensores del papado declaran que la iglesia ha sido calumniada, y el mundo protestante se inclina a creerlo. Muchos sostienen que es injusto juzgar a la iglesia de nuestros días por las abominaciones y los absurdos que la caracterizaron cuando dominaba en los siglos de ignorancia y de tinieblas. Tratan de excusar sus horribles crueldades como si fueran resultado de la barbarie de la época, y arguyen que las influencias de la civilización moderna han modificado los sentimientos de ella.

¿Habrán olvidado estas personas las pretensiones de infalibilidad sostenidas durante ochocientos años por tan altanero poder? Lejos de abandonar este aserto lo ha afirmado en el siglo XIX de un modo más positivo que nunca antes. Como Roma asegura que la iglesia *"nunca erró; ni errará jamás,* según las Escrituras"* (Juan L. von Mosheim, *Institutes of Ecclesiastical History,* libro 3, siglo XI, parte 2, cap. 2, nota 17), ¿cómo podrá renunciar a los principios que amoldaron su conducta en las edades pasadas?

497

EL TRIUNFO DEL AMOR DE DIOS

La iglesia papal no abandonará nunca su pretensión a la infalibilidad. Todo lo que ha hecho al perseguir a los que rechazaban sus dogmas lo da por santo y bueno; ¿y quién asegura que no volvería a las andadas siempre que se le presentase la oportunidad? Deróguense las medidas restrictivas impuestas en la actualidad por los gobiernos civiles y déjesele a Roma que recupere su antiguo poder y se verán resucitar en el acto su tiranía y sus persecuciones.

Un conocido autor dice, acerca de la actitud de la jerarquía papal hacia la libertad de conciencia y acerca de los peligros especiales que corren los Estados Unidos, si tiene éxito la política de dicha jerarquía:

"Son muchos los que atribuyen al fanatismo o a la puerilidad todo temor expresado acerca del catolicismo romano en los Estados Unidos. Los tales no ven en el carácter y actitud del romanismo nada que sea hostil a nuestras libres instituciones, y no ven tampoco nada inquietante en el incremento de aquél. Comparemos, pues, primero, algunos de los principios fundamentales de nuestro gobierno con los de la iglesia católica.

"La Constitución de los Estados Unidos garantiza la *libertad de conciencia*. Nada hay más precioso ni de importancia tan fundamental. El papa Pío IX, en su encíclica del 15 de agosto de 1854, dice: 'Las doctrinas o extravagancias absurdas y erróneas en favor de la libertad de conciencia, son uno de los errores más pestilentes: una de las pestes que más se debe temer en un estado'. El mismo papa, en su encíclica del 8 de diciembre de 1864, anatematizó 'a los que sostienen la libertad de conciencia y de cultos' como también 'a cuantos aseveran que la iglesia no puede emplear la fuerza'.

"El tono pacífico que Roma emplea en los Estados Unidos no implica un cambio de sentimientos. Es tolerante cuando es impotente. El obispo O'Connor dice: 'La libertad religiosa se soporta tan sólo hasta que se pueda practicar lo opuesto sin peligro para el mundo católico...' El arzobispo de Saint Louis dijo un día: 'La herejía y la incredulidad son crímenes; y en los países cristianos como Italia y España, por ejemplo, donde todo el pueblo es católico y donde la religión católica es parte esencial de la ley del país, se las castiga como a los demás crímenes...'

"Todo cardenal, arzobispo y obispo de la iglesia católica, presta un juramento de obediencia al papa, en el cual se encuentran las siguientes palabras: 'Me opondré a los herejes, cismáticos y rebeldes contra nuestro señor (el papa), o sus sucesores y los perseguiré con todo mi poder'" (Josías Strong, *Our Country*, cap. 5, párrs. 2-4).

Es verdad que hay verdaderos cristianos en la iglesia católica romana. En ella, millares de personas sirven a Dios según las mejores luces que tienen. Les es prohibido leer su Palabra, debido a lo cual no pueden discernir la verdad. (Véase el Apéndice.) Nunca han visto el contraste que existe entre el culto o servicio vivo rendido con el corazón y una serie de meras formas y ceremonias.

LA LIBERTAD DE CONCIENCIA AMENAZADA

Dios mira con tierna misericordia a esas almas educadas en una fe engañosa e insuficiente. Hará penetrar rayos de luz a través de las tinieblas que las rodean. Les revelará la verdad tal cual es en Jesús y muchos se unirán aún a su pueblo.

Pero el romanismo, como sistema, no está actualmente más en armonía con el Evangelio de Cristo que en cualquier otro período de su historia. Las iglesias protestantes se hallan sumidas en grandes tinieblas, pues de lo contrario discernirían las señales de los tiempos. La iglesia romana abarca mucho en sus planes y modos de operación. Emplea toda clase de estratagemas para extender su influencia y aumentar su poder, mientras se prepara para una lucha violenta y resuelta a fin de recuperar el gobierno del mundo, restablecer las persecuciones y deshacer todo lo que el protestantismo ha hecho. El catolicismo está ganando terreno en todas direcciones. Véase el número creciente de sus iglesias y capillas en los países protestantes. Nótese en Norteamérica la popularidad de sus colegios y seminarios, tan patrocinados por los protestantes. Piénsese en la extensión del ritualismo en Inglaterra y en las frecuentes deserciones a las filas católicas. Estos hechos deberían inspirar ansiedad a todos los que aprecian los puros principios del Evangelio.

Los protestantes se han entremetido con el papado y lo han patrocinado; han hecho transigencias y concesiones que sorprenden a los mismos papistas y les resultan incomprensibles. Los hombres cierran los ojos ante el verdadero carácter del romanismo, ante los peligros que hay que temer de su supremacía. Hay necesidad de despertar al pueblo para hacerle rechazar los avances de este enemigo peligrosísimo de la libertad civil y religiosa.

Muchos protestantes suponen que la religión católica no es atractiva y que su culto es una serie de ceremonias áridas y sin significado. Pero están equivocados. Si bien el romanismo se basa en el engaño, no es una impostura grosera ni desprovista de arte. El culto de la iglesia romana es un ceremonial que impresiona profundamente. Lo brillante de sus ostentaciones y la solemnidad de sus ritos fascinan los sentidos del pueblo y acallan la voz de la razón y de la conciencia. Todo encanta a la vista. Sus soberbias iglesias, sus procesiones imponentes, sus altares de oro, sus relicarios de joyas, sus pinturas escogidas y sus exquisitas esculturas, todo apela al amor de la belleza. Al oído también se le cautiva. Su música no tiene igual. Los graves acordes del órgano poderoso, unidos a la melodía de numerosas voces que resuenan y repercuten por entre las elevadas naves y columnas de sus grandes catedrales, no pueden dejar de producir en los espíritus impresiones de respeto y reverencia.

Este esplendor, esta pompa y estas ceremonias exteriores, que no sirven más que para dejar burlados los anhelos de las almas enfermas de pecado, son clara evidencia de la corrupción interior. La religión de Cristo no necesita de tales atractivos para hacerse recomendable. Bajo los rayos de luz que emite la cruz, el verdadero cristianismo se muestra tan puro y tan hermoso, que

LA LIBERTAD DE CONCIENCIA AMENAZADA

ninguna decoración exterior puede realzar su verdadero valor. Es la hermosura de la santidad, o sea un espíritu manso y apacible, lo que tiene valor delante de Dios.

La brillantez del estilo no es necesariamente indicio de pensamientos puros y elevados. Encuéntranse a menudo conceptos del arte y refinamientos del gusto en espíritus carnales y sensuales. Satanás suele valerse a menudo de ellos para hacer olvidar a los hombres las necesidades del alma, para hacerles perder de vista la vida futura e inmortal, para alejarlos de su Salvador infinito e inducirlos a vivir para este mundo solamente.

Una religión de ceremonias exteriores es propia para atraer al corazón irregenerado. La pompa y el ceremonial del culto católico ejercen un poder seductor, fascinador, que engaña a muchas personas, las cuales llegan a considerar a la iglesia romana como la verdadera puerta del cielo. Sólo pueden resistir su influencia los que pisan con pie firme en el fundamento de la verdad y cuyos corazones han sido regenerados por el Espíritu de Dios. Millares de personas que no conocen por experiencia a Cristo, serán llevadas a aceptar las formas de una piedad sin poder. Semejante religión es, precisamente, lo que las multitudes desean.

El hecho de que la iglesia asevere tener el derecho de perdonar pecados induce a los romanistas a sentirse libres para pecar; y el mandamiento de la confesión sin la cual ella no otorga su perdón, tiende además a dar bríos al mal. El que se arrodilla ante un hombre caído y le expone en la confesión los pensamientos y deseos secretos de su corazón, rebaja su dignidad y degrada todos los nobles instintos de su alma. Al descubrir los pecados de su alma a un sacerdote —mortal desviado y pecador, y demasiado a menudo corrompido por el vino y la impureza— el hombre rebaja el nivel de su carácter y consecuentemente se corrompe. La idea que tenía de Dios resulta envilecida a semejanza de la humanidad caída, pues el sacerdote hace el papel de representante de Dios. Esta confesión degradante de hombre a hombre es la fuente secreta de la cual ha brotado gran parte del mal que está corrompiendo al mundo y lo está preparando para la destrucción final. Sin embargo, para todo aquel a quien le agrada satisfacer sus malas tendencias, es más fácil confesarse con un pobre mortal que abrir su alma a Dios. Es más grato a la naturaleza humana hacer penitencia que renunciar al pecado; es más fácil mortificar la carne usando cilicios, ortigas y cadenas desgarradoras que renunciar a los deseos carnales. Harto pesado es el yugo que el corazón carnal está dispuesto a cargar antes de doblegarse al yugo de Cristo.

Hay una semejanza sorprendente entre la iglesia de Roma y la iglesia judaica del tiempo del primer advenimiento de Cristo. Mientras los judíos pisoteaban secretamente todos los principios de la ley de Dios, en lo exterior eran estrictamente rigurosos en la observancia de los preceptos de ella, recar-

501

Los intentos de lograr la unidad entre todas las creencias religiosas, tratando a la vez de silenciar las diferencias que existen entre ellas, puede significar una seria amenaza para la libertad de conciencia.

JOHN STEEL © PPPA

gándola con exacciones y tradiciones que hacían difícil y pesado el cumplir con ella. Así como los judíos profesaban reverenciar la ley, así también los romanistas dicen reverenciar la cruz. Exaltan el símbolo de los sufrimientos de Cristo, al par que niegan con sus vidas a Aquel a quien ese símbolo representa.

Los papistas colocan la cruz sobre sus iglesias, sobre sus altares y sobre sus vestiduras. Por todas partes se ve la insignia de la cruz. Por todas partes se la honra y exalta exteriormente. Pero las enseñanzas de Cristo están sepultadas bajo un montón de tradiciones absurdas, interpretaciones falsas y exacciones rigurosas. Las palabras del Salvador respecto a los judíos hipócritas se aplican con mayor razón aún a los jefes de la iglesia católica romana: "Atan cargas pesadas y difíciles de llevar, y las ponen sobre los hombros de los hombres; pero ellos ni con un dedo quieren moverlas" (S. Mateo 23: 4). Almas concienzudas quedan presa constante del terror, temiendo la ira de un Dios ofendido, mientras muchos de los dignatarios de la iglesia viven en el lujo y los placeres sensuales.

El culto de las imágenes y reliquias, la invocación de los santos y la exaltación del papa son artificios de Satanás para alejar de Dios y de su Hijo el espíritu del pueblo. Para asegurar su ruina, se esfuerza en distraer su atención del Unico que puede asegurarles la salvación. Dirigirá las almas hacia cualquier objeto que pueda sustituir a Aquel que dijo: "Venid a mí todos los que estáis trabajados y cargados, y yo os haré descansar" (S. Mateo 11: 28).

Satanás se esfuerza siempre en presentar de un modo falso el carácter de Dios, la naturaleza del pecado y las verdaderas consecuencias que tendrá la gran controversia. Sus sofismas debilitan el sentimiento de obligación para con la ley divina y dan a los hombres libertad para pecar. Al mismo tiempo les hace aceptar falsas ideas acerca de Dios, de suerte que le miran con temor y odio más bien que con amor. Atribuye al Creador la crueldad inherente a su propio carácter, la incorpora en sistemas religiosos y le da expresión en diversas formas de culto. Sucede así que las inteligencias de los hombres son cegadas y Satanás se vale de ellos como de sus agentes para hacer la guerra a Dios. Debido a conceptos erróneos de los atributos de Dios, las naciones paganas fueron inducidas a creer que los sacrificios humanos eran necesarios para asegurarse el favor divino; y perpetráronse horrendas crueldades bajo las diversas formas de la idolatría.

La iglesia católica romana, al unir las formas del paganismo con las del cristianismo, y al presentar el carácter de Dios bajo falsos colores, como lo presentaba el paganismo, recurrió a prácticas no menos crueles, horrorosas y repugnantes. En tiempo de la supremacía romana, había instrumentos de tortura para obligar a los hombres a aceptar sus doctrinas. Existía la hoguera para los que no querían hacer concesiones a sus exigencias. Hubo horribles matanzas de tal magnitud que nunca será conocida hasta que sea manifestada en el día del juicio. Dignatarios de la iglesia, dirigidos por su maestro Satanás, se afanaban por idear nuevos refinamientos de tortura que hicieran padecer lo indecible sin poner término a la vida de la víctima. En muchos casos el proceso infernal se repetía hasta los límites extremos de la resistencia humana, de manera que la naturaleza quedaba rendida y la víctima suspiraba por la muerte como por dulce alivio.

Tal era la suerte de los adversarios de Roma. Para sus adherentes disponía de la disciplina del azote, del tormento del hambre y de la sed, y de las mortificaciones corporales más lastimeras que se puedan imaginar. Para asegurarse el favor del cielo, los penitentes violaban las leyes de Dios al violar las leyes de la naturaleza. Se les enseñaba a disolver los lazos que Dios instituyó para bendecir y amenizar la estada del hombre en la tierra. Los cementerios encierran millones de víctimas que se pasaron la vida luchando en vano para dominar los afectos naturales, para refrenar como ofensivos a Dios todo pensamiento y sentimiento de simpatía hacia sus semejantes.

Si deseamos comprender la resuelta crueldad de Satanás, manifestada en el curso de los siglos, no entre los que jamás oyeron hablar de Dios, sino en el corazón mismo de la cristiandad y por toda su extensión, no tenemos más que echar una mirada en la historia del romanismo. Por medio de ese gigantesco sistema de engaño, el príncipe del mal consigue su objeto de deshonrar a Dios y de hacer al hombre miserable. Y si consideramos lo bien que logra enmascararse y hacer su obra por medio de los jefes de la iglesia, nos daremos mejor cuenta del motivo de su antipatía por la Biblia. Siempre que sea leído este libro, la misericordia y el amor de Dios saltarán a la vista, y se echará de ver que Dios no impone a los hombres ninguna de aquellas pesadas cargas. Todo lo que él pide es un corazón contrito y un espíritu humilde y obediente.

Cristo no dio en su vida ningún ejemplo que autorice a los hombres y mujeres a encerrarse en monasterios so pretexto de prepararse para el cielo. Jamás enseñó que debían mutilarse los sentimientos de amor y simpatía. El corazón del Salvador rebosaba de amor. Cuanto más se acerca el hombre a la perfección moral, tanto más delicada es su sensibilidad, tanto más vivo su sentimiento del pecado y tanto más profunda su simpatía por los afligidos. El papa dice ser el vicario de Cristo; ¿pero puede compararse su carácter con el de nuestro Salvador? ¿Vióse jamás a Cristo condenar hombres a la cárcel o al tormento porque se negaran a rendirle homenaje como Rey del cielo? ¿Acaso se le oyó condenar a muerte a los que no le aceptaban? Cuando fue menospreciado por los habitantes de un pueblo samaritano, el apóstol Juan se llenó de indignación y dijo: "Señor, ¿quieres que mandemos que descienda fuego del cielo, como hizo Elías, y los consuma?" Jesús miró a su discípulo con compasión y le reprendió por su aspereza, diciendo: "El Hijo del hombre no ha venido para perder las almas de los hombres, sino para salvarlas" (S. Lucas 9: 54, 56).

EL TRIUNFO DEL AMOR DE DIOS

¡Cuán diferente del de su pretendido vicario es el espíritu manifestado por Cristo!

La iglesia católica le pone actualmente al mundo una cara apacible, y presenta disculpas por sus horribles crueldades. Se ha puesto vestiduras como las de Cristo; pero en realidad no ha cambiado. Todos los principios formulados por el papismo en edades pasadas subsisten en nuestros días. Las doctrinas inventadas en los siglos más tenebrosos siguen profesándose aún. Nadie se engañe. El papado que los protestantes están ahora tan dispuestos a honrar, es el mismo que gobernaba al mundo en tiempos de la Reforma, cuando se levantaron hombres de Dios con peligro de sus vidas para denunciar la iniquidad de él. El romanismo sostiene las mismas orgullosas pretensiones con que supo dominar sobre reyes y príncipes y arrogarse las prerrogativas de Dios. Su espíritu no es hoy menos cruel ni despótico que cuando destruía la libertad humana y mataba a los santos del Altísimo.

El papado es precisamente lo que la profecía declaró que sería: la apostasía de los postreros días (2 Tesalonicenses 2: 3, 4). Forma parte de su política asumir el carácter que le permita realizar mejor sus fines; pero bajo la apariencia variable del camaleón oculta el mismo veneno de la serpiente. Declara: "No hay que guardar la palabra empeñada con herejes, ni con personas sospechosas de herejía" (Lenfant, *Histoire du Concile de Constance,* tomo 1, pág. 493). ¿Será posible que este poder cuya historia se escribió durante mil años con la sangre de los santos, sea ahora reconocido como parte de la iglesia de Cristo?

No sin razón se ha asegurado que en los países protestantes el catolicismo no difiere ya tanto del protestantismo como antes. Se ha verificado un cambio; pero no es el papado el que ha cambiado. El catolicismo se parece mucho en verdad al protestantismo de hoy día debido a lo mucho que éste ha degenerado desde los días de los reformadores.

Mientras las iglesias protestantes han estado buscando el favor del mundo, una falsa caridad las ha cegado. Se figuran que es justo pensar bien de todo mal; y el resultado inevitable será que al fin pensarán mal de todo bien. En lugar de salir en defensa de la fe que fue dada antiguamente a los santos, no parecen sino disculparse ante Roma por haberla juzgado con tan poca caridad y pedirle perdón por la estrechez de miras que manifestaron.

Muchos, aun entre los que no favorecen al romanismo, se dan poca cuenta del peligro con que les amenaza el poder y la influencia de Roma. Insisten en que las tinieblas intelectuales y morales que prevalecían en la Edad Media favorecían la propagación de sus dogmas y supersticiones junto con la opresión, y que el mayor caudal de inteligencia de los tiempos modernos, la difusión general de conocimientos y la libertad siempre mayor en materia de religión, impiden el reavivamiento de la intolerancia y de la tiranía. Se ridiculiza la misma idea de que pudiera volver un estado de cosas semejante en nuestros tiempos de luces. Es verdad que sobre esta generación brilla mucha luz intelectual, moral y religiosa. De las páginas abiertas de la santa Palabra de Dios, ha brotado luz del cielo sobre la tierra. Pero no hay que olvidar que cuanto mayor sea la luz concedida, tanto más densas también son las tinieblas de aquellos que la pervierten o la rechazan.

Un estudio de la Biblia hecho con oración mostraría a los protestantes el verdadero carácter del papado y se lo haría aborrecer y rehuir; pero muchos son tan sabios en su propia opinión que no sienten ninguna necesidad de buscar humildemente a Dios para ser conducidos a la verdad. Aunque se enorgullecen de su ilustración, desconocen tanto las Sagradas Escrituras como el poder de Dios. Necesitan algo para calmar sus conciencias, y buscan lo que es menos espiritual y humillante. Lo que desean es un modo de olvidar a Dios, pero que parezca recordarlo. El papado responde perfectamente a las necesidades de todas esas personas. Es adecuado a dos clases de seres humanos que abarcan casi a todo el mundo: los que quisieran salvarse por sus méritos, y los que quisieran salvarse en sus pecados. Tal es el secreto de su poder.

Ha quedado probado cuánto favorecieron el éxito del papado los períodos de tinieblas intelectuales. También quedará demostrado que una época de grandes luces intelectuales es igualmente favorable a su triunfo. En otro tiempo, cuando los hombres no poseían la Palabra de Dios ni conocían la verdad, sus ojos estaban vendados y miles cayeron en la red que no veían tendida ante sus pies. En esta generación, son muchos aquellos cuyos ojos están ofuscados por el brillo de las especulaciones humanas, o sea por la "falsamente llamada ciencia"; no alcanzan a ver la red y caen en ella tan fácilmente como si tuviesen los ojos vendados. Dios dispuso que las facultades intelectuales del hombre fuesen consideradas como don de su Creador y que fuesen empleadas en provecho de la verdad y de la justicia; pero cuando se fomenta el orgullo y la ambición y los hombres exaltan sus propias teorías por encima de la Palabra de Dios, entonces la inteligencia puede causar mayor perjuicio que la ignorancia. Por esto, la falsa ciencia de nuestros días, que mina la fe en la Biblia, preparará tan seguramente el camino para el triunfo del papado con su formalismo agradable, como el oscurantismo lo preparó para su engrandecimiento en la Edad Media.

En los movimientos que se realizan actualmente en los Estados Unidos de Norteamérica para asegurar el apoyo del estado a las instituciones y prácticas de la iglesia, los protestantes están siguiendo las huellas de los papistas. Más aún, están abriendo la puerta para que el papado recobre en la América protestante la supremacía que perdió en el Viejo Mundo. Y lo que da más significado a esta tendencia es la circunstancia de que el objeto principal que se tiene en vista es imponer la observancia del domingo, institución que vio la luz en Roma y que el papado proclama como signo de su autoridad. Es el espíritu del papado, es decir, el espíritu de conformidad con las costumbres mundanas, la mayor veneración por las tradiciones humanas que por los mandamientos de Dios, el que está penetrando en las iglesias protestantes induciéndolas a hacer la misma obra de exaltación del domingo que el papado hizo antes que ellas.

Si el lector quiere saber cuáles son los medios que se emplearán en la contienda por venir, no tiene más que leer la descripción de los que Roma empleó con el mismo fin en siglos pasados. Si desea saber cómo los papistas unidos a los protestantes procederán con los que rechacen sus dogmas, considere el espíritu que Roma manifestó contra el sábado y sus defensores.

Edictos reales, concilios generales y ordenanzas de la iglesia sostenidos por el poder civil fueron los peldaños por medio de los cuales el día de fiesta pagano alcanzó su puesto de honor en el mundo cristiano. La primera medida pública que impuso la observancia del domingo fue la ley promulgada por Constantino. (Año 321 de J.C.; véase el Apéndice.) Dicho edicto requería que los habitantes de las ciudades descansaran en "el venerable día del sol", pero permitía a los del campo que prosiguiesen sus faenas agrícolas. A pesar de ser en realidad ley pagana, fue impuesta por el emperador después que hubo aceptado nominalmente el cristianismo.

Como el mandato real no parecía sustituir de un modo suficiente la autoridad divina, Eusebio, obispo que buscó el favor de los príncipes y amigo íntimo y adulador especial de Constantino, aseveró que Cristo había transferido el día de reposo del sábado al domingo. No se pudo aducir una sola prueba de las Santas Escrituras en favor de la nueva doctrina. Eusebio mismo reconoce involuntariamente la falsedad de ella y señala a los verdaderos autores del cambio. "*Nosotros* hemos transferido al domingo, día del Señor —dice—, todas las cosas que debían hacerse en el sábado" (Roberto Cox, *Sabbath Laws and Sabbath Duties,* pág. 538). Pero por infundado que fuese el argumento en favor del domingo, sirvió para envalentonar a los hombres y animarlos a pisotear el sábado del Señor. Todos los que deseaban ser honrados por el mundo aceptaron el día festivo popular.

Con el afianzamiento del papado fue enalteciéndose más y más la institución del domingo. Por algún tiempo el pueblo siguió ocupándose en los trabajos agrícolas fuera de las horas de culto, y el séptimo día, o sábado, siguió siendo considerado como el día de reposo. Pero lenta y seguramente fue efectuándose el cambio. Se prohibió a los magistrados que fallaran en lo civil los domingos. Poco después se dispuso que todos sin distinción de clase social se abstuviesen del trabajo ordinario, so pena de multa para los señores y de azotes para los siervos. Más tarde se decretó que los ricos serían castigados con la pérdida de la mitad de su bienes y que finalmente, si se obstinaban en desobedecer, se les hiciese esclavos. Los de las clases inferiores debían sufrir destierro perpetuo.

Se recurrió también a los milagros. Entre otros casos maravillosos, se refería que un campesino que iba a labrar su campo en un día domingo limpió su arado con un hierro que le penetró en la mano, y por dos años enteros no lo pudo sacar, "sufriendo con ello mucho dolor y vergüenza" (Francisco West, *Historical and Practical Discourse on the Lord's Day,* pág. 174).

Más tarde, el papa ordenó que los sacerdotes del campo amonestasen a los que violasen el domingo y los indujeran a venir a la iglesia para rezar, no fuese que atrajesen alguna gran calamidad sobre sí mismos y sobre sus vecinos. Un concilio eclesiástico adujo el argumento tan frecuentemente empleado desde entonces, y hasta por los protestantes, de que en vista de que algunas personas habían sido muertas por el rayo mientras trabajaban en día domingo, ése debía ser el día de reposo. "Es evidente —decían los prelados—, cuán grande era el desagrado de Dios al verlos despreciar ese día". Luego se dirigió un llamamiento para que los sacerdotes y ministros, reyes y príncipes y todos los fieles "hicieran cuanto les fuera posible para que ese día fuese repuesto en su honor y para que fuese más devotamente observado en lo por venir, para honra de la cristiandad" (Tomás Morer, *Discourse in Six Dialogues on the Name, Notion, and Observation of the Lord's Day,* pág. 271).

Como los decretos de los concilios resultaran insuficientes, se instó a las autoridades civiles a promulgar un edicto que inspirase terror al pueblo y le obligase a abstenerse de trabajar el domingo. En un sínodo reunido en Roma, todos los decretos anteriores fueron confirmados con mayor fuerza y solemnidad, incorporados en la ley eclesiástica y puestos en vigencia por las autoridades civiles en casi toda la cristiandad. (Véase Heylyn, *History of the Sabbath,* parte 2, cap. 5, sec. 7.)

A pesar de esto la falta de autoridad bíblica en favor de la observancia del domingo no originaba pocas dificultades. El pueblo ponía en tela de juicio el derecho de sus maestros para echar a un lado la declaración positiva de Jehová: "El séptimo día Sábado es del Señor tu Dios" a fin de honrar el día del sol. Se necesitaban otros expedientes para suplir la falta de testimonios bíblicos. Un celoso defensor del domingo que visitó a fines del siglo XII las iglesias de Inglaterra, encontró resistencia por parte de testigos fieles de la verdad; sus esfuerzos resultaron tan inútiles que abandonó el país por algún tiempo en

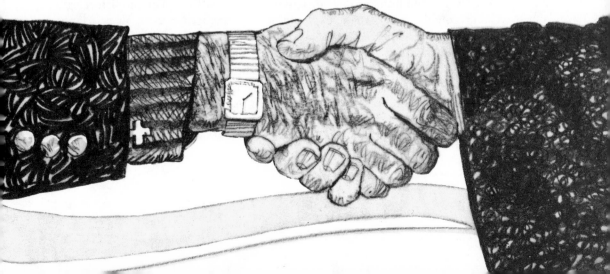

busca de medios que le permitiesen apoyar sus enseñanzas. Cuando regresó, la falta había sido suplida y entonces tuvo mayor éxito. Había traído consigo un rollo que presentaba como del mismo Dios, y que contenía el mandamiento que se necesitaba para la observancia del domingo, con terribles amenazas para aterrar a los desobedientes. Se afirmaba que ese precioso documento, fraude tan vil como la institución misma que pretendía afianzar, había caído del cielo y había sido encontrado en Jerusalén sobre el altar de San Simeón, en el Gólgota. Pero en realidad, de donde procedía era del palacio pontifical de Roma. La jerarquía papal consideró siempre como legítimos los fraudes y las adulteraciones que favoreciesen el poder y la prosperidad de la iglesia.

El rollo prohibía trabajar desde la hora novena (3 de la tarde) del sábado hasta la salida del sol el lunes; y su autoridad se declaraba confirmada por muchos milagros. Se decía que personas que habían trabajado más allá de la hora señalada habían sufrido ataques de parálisis. Un molinero que intentó moler su trigo vio salir en vez de harina un chorro de sangre y la rueda del molino se paró a pesar del buen caudal de agua. Una mujer que había puesto masa en el horno la encontró cruda al sacarla, no obstante haber estado el horno muy caliente. Otra que había preparado su masa para cocer el pan a la hora novena, pero resolvió ponerla a un lado hasta el lunes, la encontró convertida en panes y cocida por el poder divino. Un hombre que coció pan después de la novena hora del sábado, encontró, al partirlo por la mañana siguiente, que salía sangre de él. Mediante tales invenciones absurdas y supersticiosas fue como los abogados del domingo trataron de hacerlo sagrado. (Véase Rogelio de Hoveden, *Annals,* tomo 2, págs. 528-530.)

Tanto en Escocia como en Inglaterra se logró hacer respetar mejor el domingo mezclándolo en parte con el sábado antiguo. Pero variaba el tiempo que se debía guardar como sagrado. Un edicto del rey de Escocia declaraba que "se debía considerar como santo el sábado a partir del mediodía" y que desde ese momento hasta el lunes nadie debía ocuparse en trabajos mundanos (Morer, págs. 290, 291).

Pero a pesar de todos los esfuerzos hechos para establecer la santidad del domingo, los mismos papistas confesaban públicamente la autoridad divina del sábado y el origen humano de la institución que lo había suplantado. En el siglo XVI un concilio papal ordenó explícitamente: "Recuerden todos los cristianos que el séptimo día fue consagrado por Dios y aceptado y observado no sólo por los judíos, sino también por todos los que querían adorar a Dios; no obstante nosotros los cristianos hemos cambiado el sábado de ellos en el día del Señor, domingo" (*Id.,* págs. 281, 282). Los que estaban pisoteando la ley divina no ignoraban el carácter de la obra que estaban realizando. Se estaban colocando deliberadamente por encima de Dios.

Un ejemplo sorprendente de la política de Roma hacia los que no concuerdan con ella se encuentra en la larga y sangrienta persecución de los valdenses, algunos de los cuales observaban el sábado. Otros sufrieron de modo parecido por su fidelidad al cuarto mandamiento. La historia de las iglesias de Etiopía, o Abisinia, es especialmente significativa. En medio de las tinieblas de la Edad Media, se perdió de vista a los cristianos del Africa central, quienes, olvidados del mundo, gozaron de plena libertad en el ejercicio de su fe. Pero al fin Roma descubrió su existencia y el emperador de Abisinia fue pronto inducido a reconocer al papa como vicario de Cristo. Esto fue principio de otras concesiones. Se proclamó un edicto que prohibía la observancia del sábado, bajo las penas más severas. (Véase Miguel Geddes, *Church History of Ethiopia*, págs. 311, 312.) Pero la tiranía papal se convirtió luego en yugo tan amargo que los abisinios resolvieron sacudirlo. Después de una lucha terrible, los romanistas fueron expulsados de Abisinia y la antigua fe fue restablecida. Las iglesias se regocijaron en su libertad y no olvidaron jamás la lección que habían aprendido respecto al engaño, al fanatismo y al poder despótico de Roma. En medio de su reino aislado se sintieron felices de permanecer desconocidos para el resto de la cristiandad.

Las iglesias de Africa observaban el sábado como lo había observado la iglesia papal antes de su completa apostasía. Al mismo tiempo que guardaban el séptimo día en obediencia al mandamiento de Dios, se abstenían de trabajar el domingo conforme a la costumbre de la iglesia. Al lograr el poder supremo, Roma había pisoteado el día de reposo de Dios para enaltecer el suyo propio; pero las iglesias de Africa, desconocidas por cerca de mil años, no participaron de esta apostasía. Cuando cayeron bajo el cetro de Roma, fueron forzadas a dejar a un lado el verdadero día de reposo y a exaltar el falso; pero apenas recobraron su independencia volvieron a obedecer el cuarto mandamiento. (Véase el Apéndice.)

Estos recuerdos de lo pasado ponen claramente de manifiesto la enemistad de Roma contra el verdadero día de reposo y sus defensores, y los medios que emplea para honrar la institución creada por ella. La Palabra de Dios nos enseña que estas escenas han de repetirse cuando los católicos romanos y los protestantes se unan para exaltar el domingo.

La profecía del capítulo 13 del Apocalipsis declara que el poder representado por la bestia de cuernos semejantes a los de un cordero haría "que la tierra y los moradores de ella" adorasen al papado —que está simbolizado en ese capítulo por una bestia "semejante a un leopardo". La bestia de dos cuernos dirá también "a los moradores de la tierra que le hagan imagen a la bestia"; y además mandará que "todos, pequeños y grandes, ricos y pobres, libres y esclavos", tengan la marca de la bestia (Apocalipsis 13: 11-16). Se ha demostrado que los Estados Unidos de Norteamérica son el poder representado por la bestia de dos cuernos semejantes a los de un cordero, y que esta profecía se cumplirá cuando

509

los Estados Unidos hagan obligatoria la observancia del domingo, que Roma declara ser el signo característico de su supremacía. Pero los Estados Unidos no serán los únicos que rindan homenaje al papado. La influencia de Roma en los países que en otro tiempo reconocían su dominio, dista mucho de haber sido destruida. Y la profecía predice la restauración de su poder. "Vi una de sus cabezas como herida de muerte, pero su herida mortal fue sanada; y se maravilló toda la tierra en pos de la bestia" (Apocalipsis 13: 3). La herida mortal que le fue ocasionada se refiere a la caída del papado en 1798. Después de eso, dice el profeta, "su herida mortal fue sanada; y se maravilló toda la tierra en pos de la bestia". San Pablo dice claramente que el hombre de pecado subsistirá hasta el segundo advenimiento (2 Tesalonicenses 2: 8). Proseguirá su obra de engaño hasta el mismo fin del tiempo, y el revelador declara refiriéndose también al papado: "Y la adoraron todos los moradores de la tierra cuyos nombres no estaban escritos en el libro de la vida" (Apocalipsis 13: 8). Tanto en el Viejo como en el Nuevo Mundo se le tributará homenaje al papado por medio del honor que se conferirá a la institución del domingo, la cual descansa únicamente sobre la autoridad de la iglesia romana.

Desde mediados del siglo XIX, los que estudian la profecía en los Estados Unidos han presentado este testimonio ante el mundo. En los acontecimientos que están desarrollándose actualmente, especialmente en dicho país, se ve un rápido avance hacia el cumplimiento de dichas predicciones. Los maestros protestantes presentan los mismos asertos de autoridad divina en favor de la observancia del domingo y adolecen de la misma falta de evidencias bíblicas que los dirigentes papales cuando fabricaban milagros para suplir la falta de un mandamiento de Dios. Se repetirá el aserto de que los juicios de Dios caerán sobre los hombres en castigo por no haber observado el domingo como día de reposo. Ya se oyen voces en este sentido. Y un movimiento en favor de la observancia obligatoria del domingo está ganando cada vez más terreno.

La sagacidad y astucia de la iglesia romana asombran. Puede leer el porvenir. Se da tiempo viendo que las iglesias protestantes le están rindiendo homenaje con la aceptación del falso día de reposo y que se preparan a imponerlo con los mismos medios que ella empleó en tiempos pasados. Los que rechazan la luz de la verdad buscarán aún la ayuda de este poder que se titula infalible, a fin de exaltar una institución que debe su origen a Roma. No es difícil prever cuán apresuradamente ella acudirá en ayuda de los protestantes en este movimiento. ¿Quién mejor que los jefes papistas para saber cómo entendérselas con los que desobedecen a la iglesia?

La iglesia católica romana, con todas sus ramificaciones en el mundo entero, forma una vasta organización dirigida por la sede papal, y destinada a servir los intereses de ésta. Instruye a sus millones de adeptos en todo los países del globo, para que se consideren obligados a obedecer al papa. Sea cual fuere la nacionalidad o el gobierno de éstos, deben considerar la autoridad de la iglesia como por encima de todas las demás. Aunque juren fidelidad al estado, siempre quedará en el fondo el voto de obediencia a Roma que los absuelve de toda promesa contraria a los intereses de ella.

La historia prueba lo astuta y persistente que es en sus esfuerzos por inmiscuirse en los asuntos de las naciones, y para favorecer sus propios fines, aun a costa de la ruina de príncipes y pueblos, una vez que logró entrar. En el año 1204, el papa Inocencio III arrancó de Pedro II, rey de Aragón, este juramento extraordinario: "Yo, Pedro, rey de los aragoneses, declaro y prometo ser siempre fiel y obediente a mi señor, el papa Inocencio, a sus sucesores católicos y a la iglesia romana, y conservar mi reino en su obediencia, defendiendo la religión católica y persiguiendo la perversidad herética" (Juan Dowling, *The History of Romanism*, lib. 5, cap. 6, sec. 55). Esto está en armonía con las pretensiones del pontífice romano con referencia al poder, de que "él tiene derecho de deponer emperadores" y de que "puede desligar a los súbditos de la lealtad debida a gobernantes perversos" (Mosheim, lib. 3, siglo II, parte 2, cap. 2, sec. 2, nota 17. Véase también el Apéndice).

Y téngase presente que Roma se jacta de no variar jamás. Los principios de Gregorio VII y de Inocencio III son aún los principios de la iglesia católica romana; y si sólo tuviese el poder, los pondría en vigor con tanta fuerza hoy como en siglos pasados. Poco saben los protestantes lo que están haciendo al proponerse aceptar la ayuda de Roma en la tarea de exaltar el domingo. Mientras ellos tratan de realizar su propósito, Roma tiene su mira puesta en el restablecimiento de su poder, y tiende a recuperar su supremacía perdida. Establézcase en los Estados Unidos el principio de que la iglesia puede emplear o dirigir el poder del Estado; que las leyes civiles pueden hacer obligatorias las observancias religiosas; en una palabra, que la autoridad de la iglesia con la del Estado debe dominar las conciencias, y el triunfo de Roma quedará asegurado en la gran República de la América del Norte.

La Palabra de Dios ha dado advertencias respecto a tan inminente peligro; descuide estos avisos y el mundo protestante sabrá cuáles son los verdaderos propósitos de Roma, pero ya será tarde para salir de la trampa. Roma está aumentando sigilosamente su poder. Sus doctrinas están ejerciendo su influencia en las cámaras legislativas, en las iglesias y en los corazones de los hombres. Ya está levantando sus soberbios e imponentes edificios en cuyos secretos recintos reanudará sus antiguas persecuciones. Está acumulando ocultamente sus fuerzas y sin despertar sospechas para alcanzar sus propios fines y para dar el golpe en su debido tiempo. Todo lo que Roma desea es asegurarse alguna ventaja, y ésta ya le ha sido concedida. Pronto veremos y palparemos los propósitos del romanismo. Cualquiera que crea u obedezca a la Palabra de Dios incurrirá en oprobio y persecución.

CAPITULO 37

El Mayor Peligro para el Hogar y la Vida

DESDE el origen de la gran controversia en el cielo, el propósito de Satanás ha consistido en destruir la ley de Dios. Para realizarlo se rebeló contra el Creador y, aunque expulsado del cielo, continuó la misma lucha en la tierra. Engañar a los hombres para inducirlos luego a transgredir la ley de Dios, tal fue el objeto que persiguió sin cejar. Sea esto conseguido haciendo a un lado toda la ley o descuidando uno de sus preceptos, el resultado será finalmente el mismo. El que peca "en un solo punto" manifiesta menosprecio por toda la ley; su influencia y su ejemplo están del lado de la transgresión; y viene a ser "culpado de todos" los puntos de la ley (Santiago 2: 10).

En su afán por desacreditar los preceptos divinos, Satanás pervirtió las doctrinas de la Biblia, de suerte que se incorporaron errores en la fe de millares de personas que profesan creer en las Santas Escrituras. El último gran conflicto entre la verdad y el error no es más que la última batalla de la controversia que se viene desarrollando desde hace tanto tiempo con respecto a la ley de Dios. En esta batalla estamos entrando ahora; es la que se libra entre las leyes de los hombres y los preceptos de Jehová, entre la religión de la Biblia y la religión de las fábulas y de la tradición.

Los elementos que se coligarán en esta lucha contra la verdad y la justicia, están ya obrando activamente. La Palabra santa de Dios que nos ha sido transmitida a costa de tanto padecimiento, de tanta sangre de los mártires, no es apreciada debidamente. La Biblia está al alcance de todos, pero pocos son los que la aceptan verdaderamente por guía de la vida. La incredulidad predomina de modo alarmante, no sólo en el mundo sino también en la iglesia. Muchos han llegado al punto de negar doctrinas que son el fundamento mismo de la fe cristiana. Los grandes hechos de la creación como los presentan los escritores inspirados, la caída del hombre, la expiación y el carácter perpetuo de la ley de Dios son en realidad rechazados entera o parcialmente por gran número de los que profesan ser cristianos. Miles de personas que se envanecen de su sabiduría y de su espíritu independiente, consideran como una debilidad el tener fe implícita en la Biblia; piensan que es prueba de talento superior y científico argumentar con las Sagradas Escrituras y espiritualizar y eliminar sus más importantes verdades. Muchos ministros enseñan a sus congregaciones y muchos profesores y doctores dicen a sus estudiantes que la ley de Dios ha sido cambiada o abrogada, y a los que tienen los requerimientos de ella por válidos y dignos de ser obedecidos literalmente, se los considera como merecedores tan sólo de burla o desprecio.

Al rechazar la verdad, los hombres rechazan al Autor de ella. Al pisotear la ley de Dios, se niega la autoridad del Legislador. Es tan fácil hacer un ídolo de las falsas doctrinas y teorías como tallar un ídolo de madera o piedra. Al representar falsamente los atributos de Dios, Satanás induce a los hombres a que se formen un falso concepto con respecto a él. Muchos han entronizado un ídolo filosófico en lugar de Jehová, mientras que el Dios viviente, tal cual está revelado en su Palabra, en Cristo y en las obras de la creación, no es adorado más que por un número relativamente pequeño. Miles y miles deifican la naturaleza al paso que niegan al Dios de ella. Aunque en forma diferente, la idolatría existe en el mundo cristiano de hoy tan ciertamente como existió entre el antiguo Israel en tiempos de Elías. El Dios de muchos así llamados sabios, o filósofos, poetas, políticos, periodistas —el Dios de los círculos selectos y a la moda, de muchos colegios y universidades y hasta de muchos centros de teología— no es mucho mejor que Baal, el dios-sol de los fenicios.

Ninguno de los errores aceptados por el mundo cristiano ataca más atrevidamente la autoridad de Dios, ninguno está en tan abierta oposición con las enseñanzas de la razón, ninguno es de tan perniciosos resultados como la doctrina moderna que tanto cunde, de que la ley de Dios ya no es más de carácter obligatorio para los hombres. Toda nación tiene sus leyes que exigen respeto y obediencia; ningún gobierno podría subsistir sin ellas; ¿y es posible imaginarse que el Creador del cielo y de la tierra no tenga ley alguna para gobernar los seres a los cuales creó? Supongamos que los ministros más eminentes se pusiesen a predicar que las leyes que gobiernan a su país y amparan los derechos de los ciudadanos no estuvieran más en vigencia, que por coartar las libertades del pueblo ya no se les debe obediencia. ¿Por cuánto tiempo se tolerarían semejantes prédicas? ¿Pero es acaso mayor ofensa desdeñar las leyes de los Estados y de las naciones que pisotear los preceptos divinos, que son el fundamento de todo gobierno?

33—T.A.D.

EL TRIUNFO DEL AMOR DE DIOS

Más acertado sería que las naciones aboliesen sus estatutos y dejaran al pueblo hacer lo que quisiese, antes de que el Legislador del universo anulase su ley y dejase al mundo sin norma para condenar al culpable o justificar al obediente. ¿Queremos saber cuál sería el resultado de la abolición de la ley de Dios? El experimento se ha hecho ya. Terribles fueron las escenas que se desarrollaron en Francia cuando el ateísmo ejerció el poder. Entonces el mundo vio que rechazar las restricciones que Dios impuso equivale a aceptar el gobierno de los más crueles y despóticos. Cuando se echa a un lado la norma de justicia, queda abierto el camino para que el príncipe del mal establezca su poder en la tierra.

Siempre que se rechazan los preceptos divinos, el pecado deja de parecer culpa y la justicia deja de ser deseable. Los que se niegan a someterse al gobierno de Dios son completamente incapaces de gobernarse a sí mismos. Debido a sus enseñanzas perniciosas, se implanta el espíritu de insubordinación en el corazón de los niños y jóvenes, de suyo insubordinados, y se obtiene como resultado un estado social donde la anarquía reina soberana. Al paso que se burlan de la credulidad de los que obedecen las exigencias de Dios, las multitudes aceptan con avidez los engaños de Satanás. Se entregan a sus deseos desordenados y practican los pecados que acarrearon los juicios de Dios sobre los paganos.

Los que le enseñan al pueblo a considerar superficialmente los mandamientos de Dios, siembran la desobediencia para recoger desobediencia. Recháncese enteramente los límites impuestos por la ley divina y pronto se despreciarán las leyes humanas. Los hombres están dispuestos a pisotear la ley de Dios por considerarla como un obstáculo para su prosperidad material, porque ella prohíbe las prácticas deshonestas, la codicia, la mentira y el fraude; pero ellos no se imaginan lo que resultaría de la abolición de los preceptos divinos. Si la ley no tuviera fuerza alguna ¿por qué habría de temerse el transgredirla? La propiedad ya no estaría segura. Cada cual se apoderaría por la fuerza de los bienes de su vecino, y el más fuerte se haría el más rico. Ni siquiera se respetaría la vida. La institución del matrimonio dejaría de ser baluarte sagrado para la protección de la familia. El que pudiera, si así lo desease, tomaría la mujer de su vecino. El quinto mandamiento sería puesto a un lado junto con el cuarto. Los hijos no vacilarían en atentar contra la vida de sus padres, si al hacerlo pudiesen satisfacer los deseos de sus corazones corrompidos. El mundo civilizado se convertiría en una horda de ladrones y asesinos, y la paz, la tranquilidad y la dicha desaparecerían de la tierra.

La doctrina de que los hombres no están obligados a obedecer los mandamientos de Dios ha debilitado ya el sentimiento de la responsabilidad moral y ha abierto anchas las compuertas para que la iniquidad aniegue el mundo. La licencia, la disipación y la corrupción nos invaden como ola abrumadora.

EL MAYOR PELIGRO PARA EL HOGAR Y LA VIDA

Satanás está trabajando en el seno de las familias. Su bandera flota hasta en los hogares de los que profesan ser cristianos. En ellos se ven la envidia, las sospechas, la hipocresía, la frialdad, la rivalidad, las disputas, las traiciones y el desenfreno de los apetitos. Todo el sistema de doctrinas y principios religiosos que deberían formar el fundamento y marco de la vida social, parece una mole tambaleante a punto de desmoronarse en ruinas. Los más viles criminales, echados en la cárcel por sus delitos, son a menudo objeto de atenciones y obsequios como si hubiesen llegado a un envidiable grado de distinción. Se da gran publicidad a las particularidades de su carácter y a sus crímenes. La prensa publica los detalles escandalosos del vicio, iniciando así a otros en la práctica del fraude, del robo y del asesinato, y Satanás se regocija del éxito de sus infernales designios. La infatuación del vicio, la criminalidad, el terrible incremento de la intemperancia y de la iniquidad, en toda forma y grado, deberían llamar la atención de todos los que temen a Dios para que vieran lo que podría hacerse para contener el desborde del mal.

Los tribunales están corrompidos. Los magistrados se dejan llevar por el deseo de ganancias y el afán de los placeres sensuales. La intemperancia ha obcecado las facultades de muchos, de suerte que Satanás los dirige casi a su gusto. Los juristas se dejan pervertir, sobornar y engañar. La embriaguez y las orgías, la pasión, la envidia, la mala fe bajo todas sus formas se encuentran entre los que administran las leyes. "La justicia se mantiene a lo lejos; por cuanto la verdad está caída en la calle, y la rectitud no puede entrar" (Isaías 59: 14. VM).

La iniquidad y las tinieblas espirituales que prevalecieron bajo la supremacía papal fueron resultado inevitable de la supresión de las Sagradas Escrituras. ¿Pero dónde está la causa de la incredulidad general, del rechazamiento de la ley de Dios y de la corrupción consiguiente bajo el pleno resplandor de la luz del Evangelio en esta época de libertad religiosa? Ahora que Satanás no puede

gobernar al mundo negándole las Escrituras, recurre a otros medios para alcanzar el mismo objeto. Destruir la fe en la Biblia responde tan bien a sus designios como destruir la Biblia misma. Insinuando la creencia de que la ley de Dios no es obligatoria, empuja a los hombres a transgredirla tan seguramente como si ignorasen los preceptos de ella. Y ahora, como en tiempos pasados, obra por intermedio de la iglesia para promover sus fines. Las organizaciones religiosas de nuestros días se han negado a prestar atención a las verdades impopulares claramente enseñadas en las Santas Escrituras, y al combatirlas, han adoptado interpretaciones y asumido actitudes que han sembrado al vuelo las semillas del escepticismo. Aferrándose al error papal de la inmortalidad natural del alma y al del estado consciente de los muertos, han rechazado la única defensa posible contra los engaños del espiritismo. La doctrina de los tormentos eternos ha inducido a muchos a dudar de la Biblia. Y cuando se le presenta al pueblo la obligación de observar el cuarto mandamiento, se ve que ordena reposar en el séptimo día; y como único medio de librarse de un deber que no desean cumplir, muchos de los maestros populares declaran que la ley de Dios no está ya en vigencia. De este modo rechazan al mismo tiempo la ley y el sábado. A medida que adelante la reforma respecto del sábado, esta manera de rechazar la ley divina para evitar la obediencia al cuarto mandamiento se volverá casi universal. Las doctrinas de los caudillos religiosos han abierto la puerta a la incredulidad, al espiritismo y al desprecio de la santa ley de Dios, y sobre ellos descansa una terrible responsabilidad por la iniquidad que existe en el mundo cristiano.

Sin embargo, esa misma clase de gente asegura que la corrupción que se va generalizando más y más, debe achacarse en gran parte a la violación del así llamado "día del Señor" (domingo), y que si se hiciese obligatoria la observancia de este día, mejoraría en gran manera la moralidad social. Esto se sostiene especialmente en los Estados Unidos de Norteamérica, donde la doctrina del verdadero día de reposo, o sea el sábado, se ha predicado con más amplitud que en ninguna otra parte. En dicho país la obra de la temperancia que es una de las reformas morales más importantes, va a menudo combinada con el movimiento en favor del domingo, y los defensores de éste actúan como si estuviesen trabajando para promover los más altos intereses de la sociedad; de suerte que los que se niegan a unirse con ellos son denunciados como enemigos de la temperancia y de las reformas. Pero la circunstancia de que un movimiento encaminado a establecer un error esté ligado con una obra buena en sí misma, no es un argumento en favor del error. Podemos encubrir un veneno mezclándolo con un alimento sano pero no por eso cambiamos su naturaleza. Por el contrario, lo hacemos más peligroso, pues se lo tomará con menos recelo. Una de las trampas de Satanás consiste en mezclar con el error una porción suficiente de verdad para cohonestar aquél. Los jefes del movimiento en favor del domingo pueden propagar reformas que el pueblo necesita, principios que estén en armonía con la Biblia; pero mientras mezclen con ellas algún requisito en pugna con la ley de Dios, los siervos de Dios no pueden unirse a ellos. Nada puede autorizarnos a rechazar los mandamientos de Dios para adoptar los preceptos de los hombres.

Merced a los dos errores capitales, el de la inmortalidad del alma y el de la santidad del domingo, Satanás prenderá a los hombres en sus redes. Mientras aquél forma la base del espiritismo, éste crea un lazo de simpatía con Roma. Los protestantes de los Estados Unidos serán los primeros en tender las manos a través de un doble abismo al espiritismo y al poder romano; y bajo la influencia de esta triple alianza ese país marchará en las huellas de Roma, pisoteando los derechos de la conciencia.

En la medida en que el espiritismo imita más de cerca al cristianismo nominal de nuestros días, tiene también mayor poder para engañar y seducir. De acuerdo con el pensar moderno, Satanás mismo se ha convertido. Se manifestará bajo la forma de un ángel de luz. Por medio del espiritismo han de cumplirse milagros, los enfermos sanarán, y se realizarán muchos prodigios innegables. Y como los espíritus profesarán creer en la Biblia y manifestarán respeto por las instituciones de la iglesia, su obra será aceptada como manifestación del poder divino.

La línea de separación entre los que profesan ser cristianos y los impíos es actualmente apenas perceptible. Los miembros de las iglesias aman lo que el mundo ama y están listos para unirse con ellos; Satanás tiene resuelto unirlos en un solo cuerpo y de este modo robustecer su causa atrayéndolos a todos a las filas del espiritismo. Los papistas, que se jactan de sus milagros como signo cierto de que su iglesia es la verdadera, serán fácilmente engañados por este poder maravilloso, y los protestantes, que han arrojado de sí el escudo de la verdad, serán igualmente seducidos. Los papistas, los protestantes y los mundanos aceptarán igualmente la forma de la piedad sin el poder de ella, y verán en esta unión un gran movimiento para la conversión del mundo y el comienzo del milenio tan largamente esperado.

El espiritismo hace aparecer a Satanás como benefactor de la raza humana, que sana las enfermedades del pueblo y profesa presentar un sistema religioso nuevo y más elevado; pero al mismo tiempo obra como destructor. Sus tentaciones arrastran a multitudes a la ruina. La intemperancia destrona la razón, los placeres sensuales, las disputas y los crímenes la siguen. Satanás se deleita en la guerra, que despierta las más viles pasiones del alma, y arroja luego a sus víctimas, sumidas en el vicio y en la sangre, a la eternidad. Su objeto consiste en hostigar a las naciones a hacerse mutuamente la guerra; pues de este modo puede distraer los espíritus de los hombres de la obra de preparación necesaria para subsistir en el día del Señor.

EL TRIUNFO DEL AMOR DE DIOS

Satanás obra asimismo por medio de los elementos para cosechar muchedumbres de almas aún no preparadas. Tiene estudiados los secretos de los laboratorios de la naturaleza y emplea todo su poder para dirigir los elementos en cuanto Dios se lo permita. Cuando se le dejó que afligiera a Job, ¡cuán prestamente fueron destruidos rebaños, ganado, sirvientes, casas e hijos, en una serie de desgracias, obra de un momento! Es Dios quien protege a sus criaturas y las guarda del poder del destructor. Pero el mundo cristiano ha manifestado su menosprecio de la ley de Jehová, y el Señor hará exactamente lo que declaró que haría: alejará sus bendiciones de la tierra y retirará su cuidado protector de sobre los que se rebelan contra su ley y que enseñan y obligan a los demás a hacer lo mismo. Satanás ejerce dominio sobre todos aquellos a quienes Dios no guarda en forma especial. Favorecerá y hará prosperar a algunos para obtener sus fines, y atraerá desgracias sobre otros, al mismo tiempo que hará creer a los hombres que es Dios quien los aflige.

Al par que se hace pasar ante los hijos de los hombres como un gran médico que puede curar todas sus enfermedades, Satanás producirá enfermedades y desastres al punto que ciudades populosas sean reducidas a ruinas y desolación. Ahora mismo está obrando. Ejerce su poder en todos los lugares y bajo mil formas: en las desgracias y calamidades de mar y tierra, en las grandes conflagraciones, en los tremendos huracanes y en las terribles tempestades de granizo, en las inundaciones, en los ciclones, en las mareas extraordinarias y en los terremotos. Destruye las mieses casi maduras y a ello siguen la hambruna y la angustia; propaga por el aire emanaciones mefíticas y miles de seres perecen en la pestilencia. Estas plagas irán menudeando más y más y se harán más y más desastrosas. La destrucción caerá sobre hombres y animales. "Se destruyó, cayó la tierra", "enfermaron los altos pueblos de la tierra. Y la tierra se contaminó bajo sus moradores; porque traspasaron las leyes, falsearon el derecho, quebrantaron el pacto sempiterno" (Isaías 24: 4, 5).

EL MAYOR PELIGRO PARA EL HOGAR Y LA VIDA

Y luego el gran engañador persuadirá a los hombres de que son los que sirven a Dios los que causan esos males. La parte de la humanidad que haya provocado el desagrado de Dios lo cargará a la cuenta de aquellos cuya obediencia a los mandamientos divinos es una reconvención perpetua para los transgresores. Se declarará que los hombres ofenden a Dios al violar el descanso del domingo; que este pecado ha atraído calamidades que no concluirán hasta que la observancia del domingo no sea estrictamente obligatoria; y que los que proclaman la vigencia del cuarto mandamiento, haciendo con ello que se pierda el respeto debido al domingo y rechazando el favor divino, turban al pueblo y alejan la prosperidad temporal. Y así se repetirá la acusación hecha antiguamente al siervo de Dios y por motivos de la misma índole: "Cuando Acab vio a Elías, le dijo: ¿Eres tú el que turbas a Israel? Y él respondió: Yo no he turbado a Israel, sino tú y la casa de tu padre, dejando los mandamientos de Jehová, y siguiendo a los baales" (1 Reyes 18: 17, 18). Cuando con falsos cargos se haya despertado la ira del pueblo, éste seguirá con los embajadores de Dios una conducta muy parecida a la que siguió el apóstata Israel con Elías.

El poder milagroso que se manifiesta en el espiritismo ejercerá su influencia en perjuicio de los que prefieren obedecer a Dios antes que a los hombres. Habrá comunicaciones de espíritus que declararán que Dios los envió para convencer de su error a los que rechazan el domingo y afirmarán que se debe obedecer a las leyes del país como a la ley de Dios. Lamentarán la gran maldad existente en el mundo y apoyarán el testimonio de los ministros de la religión en el sentido de que la degradación moral se debe a la profanación del domingo. Grande será la indignación despertada contra todos los que se nieguen a aceptar sus aseveraciones.

La política de Satanás en este conflicto final con el pueblo de Dios es la misma que la seguida por él al principio de la gran controversia en el cielo. Hacía como si procurase la estabilidad del gobierno divino, mientras que por lo bajo hacía cuanto podía por derribarlo y acusaba a los ángeles fieles de esa misma obra que estaba así tratando de realizar. La misma política de engaño caracteriza la historia de la iglesia romana. Ha profesado actuar como representante del cielo, mientras trataba de elevarse por encima de Dios y de mudar su ley. Bajo el reinado de Roma, los que sufrieron la muerte por causa de su fidelidad al Evangelio fueron denunciados como malhechores; se los declaró en liga con Satanás, y se emplearon cuantos medios se pudo para cubrirlos de oprobio y hacerlos pasar ante los ojos del pueblo y ante ellos mismos por los más viles criminales. Otro tanto sucederá ahora. Mientras Satanás trata de destruir a los que honran la ley de Dios, los hará acusar como transgresores de la ley, como hombres que están deshonrando a Dios y atrayendo sus castigos sobre el mundo.

Dios no violenta nunca la conciencia; pero Satanás recurre constante-

EL TRIUNFO DEL AMOR DE DIOS

mente a la violencia para dominar a aquellos a quienes no puede seducir de otro modo. Por medio del temor o de la fuerza procura regir la conciencia y hacerse tributar homenaje. Para conseguir esto, obra por medio de las autoridades religiosas y civiles y las induce a que impongan leyes humanas contrarias a la ley de Dios.

Los que honran el sábado de la Biblia serán denunciados como enemigos de la ley y del orden, como quebrantadores de las restricciones morales de la sociedad, y por lo tanto causantes de anarquía y corrupción que atraen sobre la tierra los altos juicios de Dios. Sus escrúpulos de conciencia serán presentados como obstinación, terquedad y rebeldía contra la autoridad. Serán acusados de deslealtad hacia el gobierno. Los ministros que niegan la obligación de observar la ley divina predicarán desde el púlpito que hay que obedecer a las autoridades civiles porque fueron instituidas por Dios. En las asambleas legislativas y en los tribunales se calumniará y condenará a los que guardan los mandamientos. Se falsearán sus palabras, y se atribuirán a sus móviles las peores intenciones.

A medida que las iglesias protestantes rechacen los argumentos claros de la Biblia en defensa de la ley de Dios, desearán imponer silencio a aquellos cuya fe no pueden rebatir con la Biblia. Aunque se nieguen a verlo, el hecho es que están asumiendo actualmente una actitud que dará por resultado la persecución de los que se niegan en conciencia a hacer lo que el resto del mundo cristiano está haciendo y a reconocer los asertos hechos en favor del día de reposo papal.

Los dignatarios de la Iglesia y del Estado se unirán para hacer que todos honren el domingo, y para ello apelarán al cohecho, a la persuasión o a la fuerza. La falta de autoridad divina se suplirá con ordenanzas abrumadoras. La corrupción política está destruyendo el amor a la justicia y el respeto a la verdad; y hasta en los Estados Unidos de la libre América, se verá a los representantes del pueblo y a los legisladores tratar de asegurarse el favor público doblegándose a las exigencias populares por una ley que imponga la observancia del domingo. La libertad de conciencia que tantos sacrificios ha costado no será ya respetada. En el conflicto que está por estallar veremos realizarse las palabras del profeta: "Entonces el dragón se llenó de ira contra la mujer; y se fue a hacer guerra contra el resto de la descendencia de ella, los que guardan los mandamientos de Dios y tienen el testimonio de Jesucristo" (Apocalipsis 12: 17).

CAPITULO 38

Nuestra Unica Salvaguardia

"¡A LA ley y al testimonio! Si no dijeren conforme a esto, es porque no les ha amanecido" (Isaías 8: 20). Al pueblo de Dios se le indica que busque en las Sagradas Escrituras su salvaguardia contra las influencias de los falsos maestros y el poder seductor de los espíritus tenebrosos. Satanás emplea cuantos medios puede para impedir que los hombres conozcan la Biblia, cuyo claro lenguaje revela sus engaños. En ocasión de cada avivamiento de la obra de Dios, el príncipe del mal actúa con mayor energía; en la actualidad está haciendo esfuerzos desesperados preparándose para la lucha final contra Cristo y sus discípulos. El último gran engaño se desplegará pronto ante nosotros. El Anticristo va a efectuar ante nuestra vista obras maravillosas. El contrahacimiento se asemejará tanto a la realidad, que será imposible distinguirlos sin el auxilio de las Santas Escrituras. Ellas son las que deben atestiguar en favor o en contra de toda declaración, de todo milagro.

Se hará oposición y se ridiculizará a los que traten de obedecer a todos los mandamientos de Dios. Ellos no podrán subsistir sino en Dios. Para poder soportar la prueba que les espera deben comprender la voluntad de Dios tal cual está revelada en su Palabra, pues no pueden honrarle sino en la medida del conocimiento que tengan de su carácter, gobierno y propósitos divinos y en la medida en que obren conforme a las luces que les hayan sido concedidas. Sólo los que hayan fortalecido su espíritu con las verdades de la Biblia podrán resistir en el último gran conflicto. Toda alma ha de pasar por la prueba decisiva: ¿Obedeceré a Dios antes que a los hombres? La hora crítica se acerca. ¿Hemos asentado los pies en la roca de la inmutable Palabra de Dios? ¿Estamos preparados para defender firmemente los mandamientos de Dios y la fe de Jesús?

Antes de la crucifixión, el Salvador había predicho a sus discípulos que iba

a ser muerto y que resucitaría del sepulcro, y hubo ángeles presentes para grabar esas palabras en las mentes y en los corazones. Pero los discípulos esperaban la liberación política del yugo romano y no podían tolerar la idea de que Aquel en quien todas sus esperanzas estaban concentradas, fuese a sufrir una muerte ignominiosa. Desterraron de su mente las palabras que necesitaban recordar, y cuando llegó el momento de prueba, los encontró sin la debida preparación. La muerte de Jesús destruyó sus esperanzas igual que si no se la hubiese predicho. Así también las profecías nos anuncian el porvenir con la misma claridad con que Cristo predijo su propia muerte a los discípulos. Los acontecimientos relacionados con el fin del tiempo de gracia y la preparación para el tiempo de angustia han sido presentados con claridad. Pero hay miles de personas que comprenden estas importantes verdades de modo tan incompleto como si nunca hubiesen sido reveladas. Satanás procura arrebatar toda impresión que podría llevar a los hombres por el camino de la salvación, y el tiempo de angustia no los encontrará listos.

Cuando Dios manda a los hombres avisos tan importantes que las profecías los representan como proclamados por santos ángeles que vuelan por el cielo, es porque él exige que toda persona dotada de inteligencia les preste atención. Los terribles juicios que Dios pronunció contra los que adoran la bestia y su imagen (Apocalipsis 14: 9-11) deberían inducir a todos a estudiar diligentemente las profecías para saber lo que es la marca de la bestia y cómo pueden evitarla. Pero las muchedumbres cierran los oídos a la verdad y prefieren fábulas. El apóstol Pablo, refiriéndose a los últimos días, dijo: "Porque vendrá tiempo cuando no sufrirán la sana doctrina" (2 Timoteo 4: 3). Ya hemos entrado de lleno en ese tiempo. Las multitudes se niegan a recibir las verdades bíblicas porque éstas contrarían los deseos de los corazones pecaminosos y mundanos; y Satanás les proporciona los engaños en que se complacen.

Pero Dios tendrá en la tierra un pueblo que sostendrá la Biblia y la Biblia sola, como piedra de toque de todas las doctrinas y base de todas las reformas. Ni las opiniones de los sabios, ni las deducciones de la ciencia, ni los credos o decisiones de concilios tan numerosos y discordantes como lo son las iglesias que representan, ni la voz de las mayorías, nada de esto, ni en conjunto ni en parte, debe ser considerado como evidencia en favor o en contra de cualquier punto de fe religiosa. Antes de aceptar cualquier doctrina o precepto debemos cerciorarnos de si los autoriza un categórico "Así dice Jehová".

Satanás trata continuamente de atraer la atención hacia los hombres en lugar de atraerla hacia Dios. Hace que el pueblo considere como sus guías a los obispos, pastores y profesores de teología, en vez de estudiar las Escrituras para saber por sí mismo cuáles son sus deberes. Dirigiendo luego la inteligencia de esos mismos guías, puede entonces también encaminar las multitudes a su voluntad.

523

El culto familiar cotidiano, en el que se
estudia la Biblia y se ora en forma conjunta,
fortifica a menores y a adultos contra la tentación.

JOHN STEEL © PPPA

EL TRIUNFO DEL AMOR DE DIOS

Cuando Cristo vino a predicar palabras de vida, el vulgo le oía con gozo y muchos, hasta de entre los sacerdotes y gobernantes, creyeron en él. Pero los principales de los sacerdotes y los jefes de la nación estaban resueltos a condenar y rechazar sus enseñanzas. A pesar de salir frustrados todos sus esfuerzos para encontrar en él motivos de acusación, a pesar de que no podían dejar de sentir la influencia del poder y sabiduría divinos que acompañaban sus palabras, se encastillaron en sus prejuicios y repudiaron la evidencia más clara del carácter mesiánico de Jesús, para no verse obligados a hacerse sus discípulos. Estos opositores de Jesús eran hombres a quienes el pueblo había aprendido desde la infancia a reverenciar y ante cuya autoridad estaba acostumbrado a someterse implícitamente. "¿Cómo es posible —se preguntaban— que nuestros gobernantes y nuestros sabios escribas no crean en Jesús? ¿Sería posible que hombres tan piadosos no le aceptaran si fuese el Cristo? Y fue la influencia de estos maestros la que indujo a la nación judía a rechazar a su Redentor.

El espíritu que animaba a aquellos sacerdotes y gobernantes anima aún a muchos que pretenden ser muy piadosos. Se niegan a examinar el testimonio que las Sagradas Escrituras contienen respecto a las verdades especiales para la época actual. Llaman la atención del pueblo al número de sus adeptos, su riqueza y su popularidad, y desdeñan a los defensores de la verdad que por cierto son pocos, pobres e impopulares y cuya fe los separa del mundo.

Cristo previó que las pretensiones de autoridad desmedida de los escribas y fariseos no habían de desaparecer con la dispersión de los judíos. Con mirada profética vio que la autoridad humana se encumbraría para dominar las conciencias en la forma que ha dado tan desgraciados resultados para la iglesia en todos los siglos. Y sus terribles acusaciones contra los escribas y fariseos y sus amonestaciones al pueblo a que no siguiera a esos ciegos conductores fueron consignadas como advertencia para las generaciones futuras.

La iglesia romana reserva al clero el derecho de interpretar las Santas Escrituras, y so pretexto de que sólo los eclesiásticos son competentes para explicar la Palabra de Dios, priva de ella al pueblo. Aun cuando la Reforma hizo las Escrituras accesibles a todos, este mismo principio sustentado por Roma es el que hoy impide a miles y miles en las iglesias protestantes que las estudien por sí mismos. (Véase el Apéndice.) Se les enseña a aceptar sus doctrinas *tal cual las interpreta la iglesia;* y hay millares de personas que no admiten nada, por evidente que sea su revelación en las Sagradas Escrituras, si resulta en oposición con su credo o con las enseñanzas adoptadas por sus respectivas iglesias.

A pesar de estar la Biblia llena de amonestaciones contra los falsos maestros, muchos encomiendan al clero el cuidado de sus almas. Hay actualmente millares de personas que profesan ser religiosas y que no pueden dar acerca de los puntos de su fe, otra razón que el hecho de que así les enseñaron sus directores espirituales. No se fijan casi en las enseñanzas del Salvador y creen en cambio ciegamente a lo que los ministros dicen. ¿Pero son acaso infalibles estos ministros? ¿Cómo podemos confiar nuestras almas a su dirección, mientras no sepamos por la Palabra de Dios que ellos poseen la verdad? Muchos son los que, faltos de valor moral para apartarse del sendero trillado del mundo, siguen los pasos de los doctos; y debido a su aversión para investigar por sí mismos, se están enredando más y más en las cadenas del error. Ven que la verdad para el tiempo presente está claramente expuesta en la Biblia y sienten que el poder del Espíritu Santo confirma su proclamación, y sin embargo consiente que la oposición del clero los aleje de la luz. Por muy convencidas que estén la razón y la conciencia, estos pobres ilusos no se atreven a pensar de otro modo que como los ministros, y sacrifican su juicio individual y sus intereses eternos al descreimiento, orgullo y prejuicios de otra persona.

Muchos son los artificios de que Satanás se vale para encadenar a sus cautivos por medio de las influencias humanas. El se asegura la voluntad de multitudes atándolas con los lazos de seda de sus afectos a los enemigos de la cruz de Cristo. Sea cual fuere esta unión: paternal, filial, conyugal o social, el efecto es el mismo: los enemigos de la verdad ejercen un poder que tiende a dominar la conciencia, y las almas sometidas a su autoridad no tienen valor ni espíritu independiente suficientes para seguir sus propias convicciones acerca del deber.

La verdad y la gloria de Dios son inseparables, y nos es imposible honrar a Dios con opiniones erróneas cuando tenemos la Biblia a nuestro alcance. Muchos sostienen que no importa lo que uno cree, siempre que su conducta sea buena. Pero la vida es modelada por la fe. Si teniendo la luz y la verdad a nuestro alcance, no procuramos conocerla, de hecho la rechazamos y preferimos las tinieblas a la luz.

"Hay camino que parece derecho al hombre, pero su fin es camino de muerte" (Proverbios 16: 25). La ignorancia no disculpa el error ni el pecado, cuando se tiene toda oportunidad de conocer la voluntad de Dios. Tomemos el caso de un hombre que estando de viaje llega a un punto de donde arrancan varios caminos en direcciones indicadas en un poste. Si no se fija en éste y escoge el camino que mejor le parezca, por sincero que sea, es más que probable que errará el rumbo.

Dios nos ha dado su Palabra para que conozcamos sus enseñanzas y sepamos por nosotros mismos lo que él exige de nosotros. Cuando el doctor de la ley preguntó a Jesús: "¿Haciendo qué cosa, poseeré la vida eterna?" el Señor lo remitió a las Sagradas Escrituras, diciendo: "¿Qué está escrito en la ley? ¿Cómo lees?" La ignorancia no excusará ni a jóvenes ni a viejos, ni los librará tampoco del castigo que corresponde a la infracción de la ley de Dios, pues tienen a la mano una exposición fiel de dicha ley, de sus principios y de lo que ella exige del hombre. No basta tener buenas intenciones; no basta tampoco hacer lo que se cree justo o lo que los ministros dicen serlo. La salvación de nuestra alma está en juego y debemos escudriñar por nuestra cuenta las Santas Escrituras. Por arraigadas que sean las convicciones de un hombre, por muy seguro que esté de que el pastor sabe lo que es verdad, nada de esto debe servirle de fundamento. El tiene un mapa en el cual van consignadas todas las indicaciones del camino para el cielo y no tiene por qué hacer conjeturas.

El primero y más alto deber de toda criatura racional es el de escudriñar la verdad en las Sagradas Escrituras y luego andar en la luz y exhortar a otros a que sigan su ejemplo. Día tras día deberíamos estudiar diligentemente la Biblia, pesando cada pensamiento y comparando texto con texto. Con la ayuda de Dios debemos formarnos nuestras propias opiniones ya que tenemos que responder a Dios por nosotros mismos.

Las verdades que se encuentran explicadas con la mayor claridad en la Biblia han sido envueltas en dudas y oscuridad por hombres doctos, que con ínfulas de gran sabiduría enseñan que las Escrituras tienen un sentido místico, secreto y espiritual que no se echa de ver en el lenguaje empleado en ellas. Esos hombres son falsos maestros. Fue a personas semejantes a quienes Jesús declaró: "Ignoráis las Escrituras, y el poder de Dios" (S. Marcos 12: 24). El lenguaje de la Biblia debe explicarse de acuerdo con su significado manifiesto, a no ser que se trate de un símbolo o figura. Cristo prometió: "El que quiera hacer la voluntad de Dios, conocerá si la doctrina es de Dios" (S. Juan 7: 17). Si los hombres quisieran tan sólo aceptar lo que la Biblia dice, y si no hubiera falsos maestros para alucinar y confundir las inteligencias, se realizaría una obra que alegraría a los ángeles y que traería al rebaño de Cristo a miles y miles de almas actualmente sumidas en el error.

Deberíamos ejercitar en el estudio de las Santas Escrituras todas las fuerzas del entendimiento y procurar comprender, hasta donde es posible a los mortales, las profundas enseñanzas de Dios; pero no debemos olvidar que la disposición del estudiante debe ser dócil y sumisa como la de un niño. Las dificultades bíblicas no pueden ser resueltas por los mismos métodos que se emplean cuando se trata de problemas filosóficos. No deberíamos ponernos a estudiar la Biblia con esa confianza en nosotros mismos con la cual tantos abordan los dominios de la ciencia, sino en el espíritu de oración y dependencia filial hacia Dios y con un deseo sincero de conocer su voluntad. Debemos acercarnos con espíritu humilde y dócil para obtener conocimiento del gran YO SOY. De lo contrario vendrán ángeles malos a oscurecer nuestras mentes y endurecer nuestros corazones al punto que la verdad ya no nos impresionará.

Más de una porción de las Sagradas Escrituras que los eruditos declaran ser un misterio o que estiman de poca importancia, está llena de consuelo e instrucción para el que estudió en la escuela de Cristo. Si muchos teólogos no comprenden mejor la Palabra de Dios, es por la sencilla razón de que cierran los ojos con respecto a unas verdades que no desean poner en práctica. La comprensión de las verdades bíblicas no depende tanto de la potencia intelectual aplicada a la investigación como de la sinceridad de propósitos y del ardiente anhelo de justicia que animan al estudiante.

Nunca se debería estudiar la Biblia sin oración. Sólo el Espíritu Santo puede hacernos sentir la importancia de lo que es fácil comprender, o impedir que nos apartemos del sentido de las verdades de difícil comprensión. Hay santos ángeles que tienen la misión de influir en los corazones para que comprendan la Palabra de Dios, de suerte que la belleza de ésta nos embelese, sus advertencias nos amonesten y sus promesas nos animen y vigoricen. Deberíamos hacer nuestra la petición del salmista: "Abre mis ojos, y miraré las maravillas de tu ley" (Salmo 119:18). Muchas veces las tentaciones parecen irresistibles, y es porque se ha descuidado la oración y el estudio de la Biblia, y por ende no se pueden recordar luego las promesas de Dios ni oponerse a Satanás con las armas de las Santas Escrituras. Pero los ángeles rodean a los que tienen deseos de aprender cosas divinas, y en situaciones graves traerán a su memoria las verdades que necesitan. "Porque vendrá el enemigo como río, mas el Espíritu de Jehová levantará bandera contra él" (Isaías 59: 19).

Jesús prometió a sus discípulos "el Consolador, el Espíritu Santo, a quien —dijo— el Padre enviará en mi nombre", y agregó: "El os enseñará todas las cosas, y os recordará todo lo que yo os he dicho" (S. Juan 14: 26). Pero primero es preciso que las enseñanzas de Cristo hayan sido atesoradas en el entendimiento, si queremos que el Espíritu de Dios nos las recuerde en el momento de peligro. "En mi corazón he guardado tus dichos, para no pecar contra ti" (Salmo 119: 11).

Todos los que estiman en lo que valen sus intereses eternos deben mantenerse en guardia contra las incursiones del escepticismo. Hasta los fundamentos de la verdad serán socavados. Es imposible ponerse a cubierto de los sarcasmos y sofismas y de las enseñanzas insidiosas y pestilentes de la incredulidad moderna. Satanás adapta sus tentaciones a todas las clases. Asalta a los indoctos con una burla o una mirada de desprecio, mientras que se acerca a la gente instruida con objeciones científicas y razonamientos filosóficos propios para despertar desconfianza o desprecio hacia las Sagradas Escrituras. Hasta los jóvenes de poca experiencia se atreven a insinuar dudas respecto a los principios fundamentales del cristianismo. Y esta incredulidad juvenil, por superficial que sea, no deja de ejercer su influencia. Muchos se dejan arrastrar así al punto de mofarse de la piedad de sus padres y desafían al Espíritu de gracia (Hebreos 10: 29). Muchos cuya vida daba promesa de honrar a Dios y de beneficiar al mundo, se han marchitado bajo el soplo contaminado de la incredulidad. Todos los que fían en los dictámenes jactanciosos de la razón humana y se imaginan poder explicar los misterios divinos y llegar al conocimiento de la verdad sin el auxilio de la sabiduría de Dios, están presos en las redes de Satanás.

EL TRIUNFO DEL AMOR DE DIOS

Vivimos en el período más solemne de la historia de este mundo. La suerte de las innumerables multitudes que pueblan la tierra está por decidirse. Tanto nuestra dicha futura como la salvación de otras almas dependen de nuestra conducta actual. Necesitamos ser guiados por el Espíritu de Verdad. Todo discípulo de Cristo debe preguntar seriamente: "¿Señor, qué quieres que haga?" Necesitamos humillarnos ante el Señor, ayunar, orar y meditar mucho en su Palabra, especialmente acerca de las escenas del juicio. Debemos tratar de adquirir actualmente una experiencia profunda y viva en las cosas de Dios, sin perder un solo instante. En torno nuestro se están cumpliendo acontecimientos de vital importancia; nos encontramos en el terreno encantado de Satanás. No durmáis, centinelas de Dios, que el enemigo está emboscado, listo para lanzarse sobre vosotros y haceros su presa en cualquier momento en que caigáis en descuido y somnolencia.

Muchos se engañan con respecto a su verdadera condición ante Dios. Se felicitan por los actos represibles que no cometen, y se olvidan de enumerar las obras buenas y nobles que Dios requiere, pero que ellos descuidan de hacer. No basta que sean árboles en el huerto del Señor. Deben corresponder a lo que Dios espera de ellos, llevando frutos. Dios los hace responsables de todo el bien que podrían haber realizado, sostenidos por su gracia. En los libros del cielo sus nombres figuran entre los que ocupan inútilmente el suelo. Sin embargo, aún el caso de tales personas no es del todo desesperado. El Dios de paciencia y amor se empeña en atraer aún a los que han despreciado su gracia y desdeñado su misericordia. "Por lo cual dice: Despiértate, tú que duermes, y levántate de los muertos, y te alumbrará Cristo. Mirad, pues, con diligencia cómo andéis…, aprovechando bien el tiempo, porque los días son malos" (Efesios 5: 14-16).

Cuando llegue el tiempo de la prueba, los que hayan seguido la Palabra de Dios como regla de conducta, serán dados a conocer. En verano no hay

diferencia notable entre los árboles de hojas perennes y los que las pierden; pero cuando vienen los vientos del invierno los primeros permanecen verdes en tanto que los otros pierden su follaje. Así puede también que no sea dado distinguir actualmente a los falsos creyentes de los verdaderos cristianos, pero pronto llegará el tiempo en que la diferencia saltará a la vista. Dejad que la oposición se levante, que el fanatismo y la intolerancia vuelvan a empuñar el cetro, que el espíritu de persecución se encienda, y entonces los tibios e hipócritas vacilarán y abandonarán la fe; pero el verdadero cristiano permanecerá firme como una roca, con más fe y esperanza que en días de prosperidad.

El salmista dice: "Tus testimonios son mi meditación". "De tus mandamientos he adquirido inteligencia; por tanto, he aborrecido todo camino de mentira" (Salmo 119: 99, 104).

"Bienaventurado el hombre que halla la sabiduría". "Porque será como el árbol plantado junto a las aguas, que junto a la corriente echará sus raíces, y no verá cuando viene el calor, sino que su hoja estará verde; y en el año de sequía no se fatigará, ni dejará de dar fruto" (Proverbios 3: 13; Jeremías 17: 8).

34—T.A.D.

CAPITULO 39

El Ultimo Llamamiento Divino

"DESPUES de esto vi a otro ángel descender del cielo con gran poder; y la tierra fue alumbrada con su gloria. Y clamó con voz potente, diciendo: Ha caído, ha caído la gran Babilonia, y se ha hecho habitación de demonios y guarida de todo espíritu inmundo, y albergue de toda ave inmunda y aborrecible". "Y oí otra voz del cielo, que decía: Salid de ella, pueblo mío, para que no seáis partícipes de sus pecados, ni recibáis parte de sus plagas" (Apocalipsis 18: 1, 2, 4).

Estos versículos señalan un tiempo en el porvenir cuando el anuncio de la caída de Babilonia, tal cual fue hecho por el segundo ángel de Apocalipsis 14: 8, se repetirá con la mención adicional de las corrupciones que han estado introduciéndose en las diversas organizaciones religiosas que constituyen a Babilonia, desde que ese mensaje fue proclamado por primera vez, durante el verano de 1844. Se describe aquí la terrible condición en que se encuentra el mundo religioso. Cada vez que la gente rechace la verdad, habrá mayor confusión en su mente y más terquedad en su corazón, hasta que se hunda en temeraria incredulidad. En su desafío de las amonestaciones de Dios, seguirá pisoteando uno de los preceptos del Decálogo hasta que sea inducida a perseguir a los que lo consideran sagrado. Se desprecia a Cristo cuando se manifiesta desdén hacia su Palabra y hacia su pueblo. Conforme vayan siendo aceptadas las enseñanzas del espiritismo en las iglesias, irán desapareciendo las vallas impuestas al corazón carnal, y la religión se convertirá en un manto para cubrir las más bajas iniquidades. La creencia en las manifestaciones espiritistas abre el campo a los espíritus seductores y a las doctrinas de demonios, y de este modo se dejarán sentir en las iglesias las influencias de los ángeles malos.

Se dice de Babilonia, con referencia al tiempo en que está presentada en esta profecía: "Sus pecados han llegado hasta el cielo, y Dios se ha acordado de sus maldades" (Apocalipsis 18: 5). Ha llenado la medida de sus culpas y la ruina está por caer sobre ella. Pero Dios tiene aún un pueblo en Babilonia; y antes de que los juicios del cielo la visiten, estos fieles deben ser llamados para que salgan de la ciudad y que no tengan parte en sus pecados ni en sus plagas. De ahí que este movimiento esté simbolizado por el ángel que baja del cielo, alumbrando la tierra y denunciando con voz potente los pecados de Babilonia. Al mismo tiempo que este mensaje, se oye el llamamiento: "Salid de ella, pueblo mío". Estas declaraciones, unidas al mensaje del tercer ángel, constituyen la amonestación final que debe ser dada a los habitantes de la tierra.

Terrible será la crisis a que llegará el mundo. Unidos los poderes de la tierra para hacer la guerra a los mandamientos de Dios, decretarán que todos los hombres, "pequeños y grandes, ricos y pobres, libres y esclavos" (Apocalipsis 13: 16), se conformen a las costumbres de la iglesia y observen el falso día de reposo. Todos los que se nieguen a someterse serán castigados por la autoridad civil, y finalmente se decretará que son dignos de muerte. Por otra parte, la ley de Dios que impone el día de reposo del Creador exige obediencia y amenaza con la ira de Dios a los que violen sus preceptos.

Dilucidado así el asunto, cualquiera que pisotee la ley de Dios para obedecer una ordenanza humana, recibe la marca de la bestia; acepta el signo de sumisión al poder al cual prefiere obedecer en lugar de obedecer a Dios. La amonestación del cielo dice así: "Si alguno adora a la bestia y a su imagen, y recibe la marca en su frente o en su mano, él también beberá del vino de la ira de Dios, que ha sido vaciado puro en el cáliz de su ira" (Apocalipsis 14: 9, 10).

Pero nadie sufrirá la ira de Dios antes que la verdad haya sido presentada a su espíritu y a su conciencia, y que la haya rechazado. Hay muchas personas que no han tenido jamás oportunidad de oír las verdades especiales para nuestros tiempos. La obligación de observar el cuarto mandamiento no les ha sido jamás presentada bajo su verdadera luz. Aquel que lee en todos los corazones y prueba todos los móviles no dejará que nadie que desee conocer la verdad sea engañado en cuanto al resultado final de la controversia. El decreto no será impuesto estando el pueblo a ciegas. Cada cual tendrá la luz necesaria para tomar una resolución consciente.

El sábado será la gran piedra de toque de la lealtad; pues es el punto especialmente controvertido. Cuando esta piedra de toque les sea aplicada finalmente a los hombres, entonces se trazará la línea de demarcación entre los que sirven a Dios y los que no le sirven. Mientras la observancia del falso día de reposo (domingo), en obedecimiento a la ley del Estado y en oposición al cuarto mandamiento, será una declaración de obediencia a un poder que está en oposición a Dios, la observancia del verdadero día de reposo (sábado), en obediencia a la ley de Dios, será señal evidente de la lealtad al Creador. Mientras que una clase de personas, al aceptar el signo de la sumisión a los poderes del mundo, recibe la marca de la bestia, la otra, por haber escogido el signo de obediencia a la autoridad divina, recibirá el sello de Dios.

Hasta ahora se ha solido considerar a los predicadores de las verdades del mensaje del tercer ángel como meros alarmistas. Sus predicciones de que la intolerancia religiosa adquiriría dominio en los Estados Unidos de Norteamérica, de que la iglesia y el Estado se unirían en ese país para perseguir a los observadores de los mandamientos de Dios, han sido declaradas absurdas y sin fundamento. Se ha declarado osadamente que ese país no podría jamás dejar de ser lo que ha sido: el defensor de la libertad religiosa. Pero, a medida que se va agitando más ampliamente la cuestión de la observancia obligatoria del domingo, se ve acercarse la realización del acontecimiento hasta ahora tenido por inverosímil, y el tercer mensaje producirá un efecto que no habría podido producir antes.

En cada generación Dios envió siervos suyos para reprobar el pecado tanto en el mundo como en la iglesia. Pero los hombres desean que se les digan cosas agradables, y no gustan de la verdad clara y pura. Muchos reformadores, al principiar su obra, resolvieron proceder con gran prudencia al atacar los pecados de la iglesia y de la nación. Esperaban que mediante el ejemplo de una vida cristiana y pura, llevarían de nuevo al pueblo a las doctrinas de la Biblia. Pero el Espíritu de Dios vino sobre ellos como había venido sobre Elías, impeliéndole a censurar los pecados de un rey malvado y de un pueblo apóstata; no pudieron dejar de proclamar las declaraciones terminantes de la Biblia que habían titubeado en presentar. Se vieron forzados a declarar diligentemente la verdad y señalar los peligros que amenazaban a las almas. Sin temer las consecuencias, pronunciaban las palabras que el Señor les ponía en la boca, y el pueblo se veía constreñido a oír la amonestación.

Así también será proclamado el mensaje del tercer ángel. Cuando llegue el tiempo de hacerlo con el mayor poder, el Señor obrará por conducto de humildes instrumentos, dirigiendo el espíritu de los que se consagren a su servicio. Los obreros serán calificados más bien por la unción de su Espíritu que por la educación en institutos de enseñanza. Habrá hombres de fe y de oración que se sentirán impedidos a declarar con santo entusiasmo las palabras que Dios les inspire. Los pecados de Babilonia serán denunciados. Los resultados funestos y espantosos de la imposición de las observancias de la iglesia por la autoridad civil, las invasiones del espiritismo, los progresos secretos pero rápidos del poder papal —todo será desenmascarado. Estas solemnes amonestaciones conmoverán al pueblo. Miles y miles de personas que nunca habían oído palabras semejantes, las escucharán. Admirados y confundidos, oirán el testimonio de que Babilonia es la iglesia que cayó por sus errores y sus pecados, porque rechazó la verdad que le fue enviada del cielo. Cuando el pueblo acuda a sus antiguos conductores espirituales a preguntarles con ansia: ¿Son esas cosas así?

En los últimos días la tendencia del corazón
humano a rechazar la verdad y despreciar las
amonestaciones divinas aumentará en gran manera.

JOHN STEEL © PPPA

los ministros aducirán fábulas, profetizarán cosas agradables para calmar los temores y tranquilizar las conciencias despertadas. Pero como muchas personas no se contentan con las meras razones de los hombres y exigen un positivo "Así dice Jehová", los ministros populares, como los fariseos de antaño, airándose al ver que se pone en duda su autoridad, denunciarán el mensaje como si viniese de Satanás e incitarán a las multitudes dadas al pecado a que injurien y persigan a los que lo proclaman.

Satanás se pondrá alerta al ver que la controversia se extiende a nuevos campos y que la atención del pueblo es dirigida a la pisoteada ley de Dios. El poder que acompaña a la proclamación del mensaje sólo desesperará a los que se le oponen. El clero hará esfuerzos casi sobrehumanos para sofocar la luz por temor de que alumbre a sus rebaños. Por todos los medios a su alcance los ministros tratarán de evitar toda discusión sobre esas cuestiones vitales. La iglesia apelará al brazo poderoso de la autoridad civil y en esta obra los papistas y los protestantes irán unidos. Al paso que el movimiento en favor de la imposición del domingo se vuelva más audaz y decidido, la ley será invocada contra los que observan los mandamientos. Se los amenazará con multas y encarcelamientos; a algunos se les ofrecerán puestos de influencia y otras ventajas para inducirlos a que renuncien a su fe. Pero su respuesta constante será la misma que la de Lutero en semejante trance: "Pruébesenos nuestro error por la Palabra de Dios". Los que serán emplazados ante los tribunales defenderán enérgicamente la verdad, y algunos de los que los oigan serán inducidos a guardar todos los mandamientos de Dios. Así la luz llegará ante millares de personas que de otro modo no sabrían nada de estas verdades.

A los que obedezcan a conciencia la Palabra de Dios se les tratará como rebeldes. Cegados por Satanás, habrá padres y madres que serán duros y severos para con sus hijos creyentes; los patrones o patronas oprimirán a los criados que observen los mandamientos. Los lazos del cariño se aflojarán; se desheredará y se expulsará de la casa a los hijos. Se cumplirán a la letra las palabras de San Pablo: "Todos los que quieren vivir piadosamente en Cristo Jesús padecerán persecución" (2 Timoteo 3: 12). Cuando los defensores de la verdad se nieguen a honrar el domingo, unos serán echados en la cárcel, otros serán desterrados y otros aún tratados como esclavos. Ante la razón humana todo esto parece ahora imposible; pero a medida que el espíritu refrenador de Dios se retire de los hombres y éstos sean dominados por Satanás, que aborrece los principios divinos, se verán cosas muy extrañas. Muy cruel puede ser el corazón humano cuando no está animado del temor y del amor de Dios.

Conforme vaya acercándose la tempestad, muchos que profesaron creer en el mensaje del tercer ángel, pero que no fueron santificados por la obediencia a la verdad, abandonarán su fe, e irán a engrosar las filas de la oposición. Uniéndose con el mundo y participando de su espíritu, llegarán a ver las cosas casi bajo el mismo aspecto; así que cuando llegue la hora de prueba estarán preparados para situarse del lado más fácil y de mayor popularidad. Hombres de talento y de elocuencia, que se gozaron un día en la verdad, emplearán sus facultades para seducir y descarriar almas. Se convertirán en los enemigos más encarnizados de sus hermanos de antaño. Cuando los observadores del sábado sean llevados ante los tribunales para responder de su fe, estos apóstatas serán los agentes más activos de Satanás para columniarlos y acusarlos y para incitar a los magistrados contra ellos por medio de falsos informes e insinuaciones.

En aquel tiempo de persecución la fe de los siervos de Dios será probada duramente. Proclamaron fielmente la amonestación mirando tan sólo a Dios y a su Palabra. El Espíritu de Dios, que obraba en sus corazones, les constriñó a hablar. Estimulados por santo celo e impulso divino, cumplieron su deber y declararon al pueblo las palabras que de Dios recibieran sin detenerse en calcular las consecuencias. No consultaron sus intereses temporales ni miraron por su reputación o sus vidas. Sin embargo, cuando la tempestad de la oposición y del vituperio estalle sobre ellos, algunos, consternados, estarán listos para exclamar: "Si hubiésemos previsto las consecuencias de nuestras palabras, habríamos callado". Estarán rodeados de dificultades. Satanás los asaltará con terribles tentaciones. La obra que habrán emprendido parecerá exceder en mucho sus capacidades. Los amenazará la destrucción. El entusiasmo que les animara se desvanecerá; sin embargo no podrán retroceder. Y entonces, sintiendo su completa incapacidad, se dirigirán al Todopoderoso en demanda de auxilio. Recordarán que las palabras que hablaron no eran las suyas propias, sino las de Aquel que les ordenara dar la amonestación al mundo. Dios había puesto la verdad en sus corazones, y ellos, por su parte, no pudieron hacer otra cosa que proclamarla.

En todas las edades los hombres de Dios pasaron por las mismas pruebas. Wiclef, Hus, Lutero, Tyndale, Baxter, Wesley, pidieron que todas las doctrinas fuesen examinadas a la luz de las Escrituras, y declararon que renunciarían a todo lo que éstas condenasen. La persecución se ensañó entonces en ellos con furor; pero no dejaron de proclamar la verdad. Diferentes períodos de la historia de la iglesia fueron señalados por el desarrollo de alguna verdad especial adaptada a las necesidades del pueblo de Dios en aquel tiempo. Cada nueva verdad se abrió paso entre el odio y la oposición; los que fueron favorecidos con su luz se vieron tentados y probados. El Señor envía al pueblo una verdad especial para la situación en que se encuentra. ¿Quién se atreverá a publicarla? El manda a sus siervos a que dirijan al mundo el último llamamiento de la misericordia divina. No pueden callar sin peligro de sus almas. Los embajadores de Cristo no tienen por qué preocuparse de las consecuencias. Deben cumplir con su deber y dejar a Dios los resultados.

Conforme va revistiendo la oposición un carácter más violento, los siervos de Dios se ponen de nuevo perplejos, pues les parece que son ellos mismos los que han precipitado la crisis; pero su conciencia y la Palabra de Dios les dan la seguridad de estar en lo justo; y aunque sigan las pruebas se sienten robustecidos para sufrirlas. La lucha se encona más y más, pero la fe y el valor de ellos aumentan con el peligro. Este es el testimonio que dan: "No nos atrevemos a alterar la Palabra de Dios dividiendo su santa ley, llamando parte de ella esencial y parte de ella no esencial, para obtener el favor del mundo. El Señor a quien servimos puede librarnos. Cristo venció los poderes del mundo; ¿y nos atemorizaría un mundo ya vencido?"

En sus diferentes formas, la persecución es el desarrollo de un principio que ha de subsistir mientras Satanás exista y el cristianismo conserve su poder vital. Un hombre no puede servir a Dios sin despertar contra sí la oposición de los ejércitos de las tinieblas. Le asaltarán malos ángeles alarmados al ver que su influencia les arranca la presa. Hombres malvados reconvenidos por el ejemplo de los cristianos, se unirán con aquéllos para procurar separarlo de Dios por medio de tentaciones sutiles. Cuando este plan fracasa, emplean la fuerza para violentar la conciencia.

Pero mientras Jesús siga intercediendo por el hombre en el santuario celestial, los gobernantes y el pueblo seguirán sintiendo la influencia refrenadora del Espíritu Santo, la cual seguirá también dominando hasta cierto punto las leyes del país. Si no fuera por estas leyes, el estado del mundo sería mucho peor de lo que es. Mientras que muchos de nuestros legisladores son agentes activos de Satanás, Dios tiene también los suyos entre los caudillos de la nación. El enemigo impele a sus servidores a que propongan medidas encaminadas a poner grandes obstáculos a la obra de Dios; pero los estadistas que temen a Dios están bajo la influencia de santos ángeles para oponerse a tales proyectos con argumentos irrefutables. Es así como unos cuantos hombres contienen una poderosa corriente del mal. La oposición de los enemigos de la verdad será coartada para que el mensaje del tercer ángel pueda hacer su obra. Cuando la amonestación final sea dada, cautivará la atención de aquellos caudillos por medio de los cuales el Señor está obrando en la actualidad, y algunos de ellos la aceptarán y estarán con el pueblo de Dios durante el tiempo de angustia.

El ángel que une su voz a la proclamación del tercer mensaje, alumbrará toda la tierra con su gloria. Así se predice una obra de extensión universal y de poder extraordinario. El movimiento adventista de 1840 a 1844 fue una manifestación gloriosa del poder divino; el mensaje del primer ángel fue llevado a todas las estaciones misioneras de la tierra, y en algunos países se distinguió por el mayor interés religioso que se haya visto en país cualquiera desde el tiempo de la Reforma del siglo XVI; pero todo esto será superado por el poderoso movimiento que ha de desarrollarse bajo la proclamación de la última amonestación del tercer ángel.

EL ULTIMO LLAMAMIENTO DIVINO

Esta obra será semejante a la que se realizó en el día de Pentecostés. Como la "lluvia temprana" fue dada en tiempo de la efusión del Espíritu Santo al principio del ministerio evangélico, para hacer crecer la preciosa semilla, así la "lluvia tardía" será dada al final de dicho ministerio para hacer madurar la cosecha. "Y conoceremos, y proseguiremos en conocer a Jehová; como el alba está dispuesta su salida, y vendrá a nosotros como la lluvia, como la lluvia tardía y temprana a la tierra". "Vosotros también, hijos de Sión, alegraos y gozaos en Jehová vuestro Dios; porque os ha dado la primera lluvia a su tiempo, y hará descender sobre vosotros lluvia temprana y tardía como al principio". "Y en los postreros días, dice Dios, derramaré de mi Espíritu sobre toda carne". "Y todo aquel que invocare el nombre del Señor, será salvo" (Oseas 6: 3; Joel 2: 23; Hechos 2: 17, 21).

La gran obra de evangelización no terminará con menor manifestación del poder divino que la que señaló el principio de ella. Las profecías que se cumplieron en tiempo de la efusión de la lluvia temprana, al principio del ministerio evangélico, deben volverse a cumplir en tiempo de la lluvia tardía, al fin de dicho ministerio. Esos son los "tiempos de refrigerio" en que pensaba el apóstol Pedro cuando dijo: "Así que, arrepentíos y convertíos, para que sean borrados vuestros pecados; para que vengan de la presencia del Señor tiempos de refrigerio, y él envíe a Jesucristo" (Hechos 3: 19, 20).

Vendrán siervos de Dios con semblantes iluminados y resplandecientes de santa consagración, y se apresurarán de lugar en lugar para proclamar el mensaje celestial. Miles de voces predicarán el mensaje por toda la tierra. Se realizarán milagros, los enfermos sanarán y signos y prodigios seguirán a los creyentes. Satanás también efectuará sus falsos milagros, al punto de hacer caer fuego del cielo a la vista de los hombres (Apocalipsis 13: 13). Es así como los habitantes de la tierra tendrán que decidirse en pro o en contra de la verdad.

El mensaje no será llevado adelante tanto con argumentos como por medio de la convicción profunda inspirada por el Espíritu de Dios. Los argumentos ya fueron presentados. Sembrada está la semilla, y brotará y dará frutos. Las publicaciones distribuidas por los misioneros han ejercido su influencia; sin embargo, muchos cuyo espíritu fue impresionado han sido impedidos de entender la verdad por completo o de obedecerla. Pero entonces los rayos de luz penetrarán por todas partes, la verdad aparecerá en toda su claridad, y los sinceros hijos de Dios romperán las ligaduras que los tenían sujetos. Los lazos de familia y las relaciones de la iglesia serán impotentes para detenerlos. La verdad les será más preciosa que cualquier otra cosa. A pesar de los poderes coligados contra la verdad, un sinnúmero de personas se alistará en las filas del Señor.

CAPITULO 40

¿Se Acerca la Crisis Final?

"EN AQUEL tiempo se levantará Miguel, el gran príncipe que está de parte de los hijos de tu pueblo; y será tiempo de angustia, cual nunca fue desde que hubo gente hasta entonces; pero en aquel tiempo será libertado tu pueblo, todos los que se hallen escritos en el libro" (Daniel 12: 1).

Cuando termine el mensaje del tercer ángel la misericordia divina no intercederá más por los habitantes culpables de la tierra. El pueblo de Dios habrá cumplido su obra; habrá recibido "la lluvia tardía", el "refrigerio de la presencia del Señor", y estará preparado para la hora de prueba que le espera. Los ángeles se apresuran, van y vienen de acá para allá en el cielo. Un ángel que regresa de la tierra anuncia que su obra está terminada; el mundo ha sido sometido a la prueba final, y todos los que han resultado fieles a los preceptos divinos han recibido "el sello del Dios vivo". Entonces Jesús dejará de interceder en el santuario celestial. Levantará sus manos y con gran voz dirá "Hecho está", y todas las huestes de los ángeles depositarán sus coronas mientras él anuncia en tono solemne: "El que es injusto, sea injusto todavía; y el que es inmundo, sea inmundo todavía; y el que es justo practique la justicia todavía; y el que es santo, santifíquese todavía" (Apocalipsis 22: 11). Cada caso ha sido fallado para vida o para muerte. Cristo ha hecho propiciación por su pueblo y borrado sus pecados. El número de sus súbditos está completo; "el reino, y el señorío y la majestad de los reinos debajo de todo el cielo" van a ser dados a los herederos de la salvación y Jesús va a reinar como Rey de reyes y Señor de señores.

Cuando él abandone el santuario, las tinieblas envolverán a los habitantes de la tierra. Durante ese tiempo terrible, los justos deben vivir sin intercesor, a la vista del santo Dios. Nada refrena ya a los malos y Satanás domina por

539

Al final del tiempo de prueba que afligirá a la humanidad, que coincidirá con el cierre de los registros del cielo, también terminarán las oportunidades de salvación.

CLYDE N. PROVONSHA © SPA

completo a los impenitentes empedernidos. La paciencia de Dios ha concluido. El mundo ha rechazado su misericordia, despreciado su amor y pisoteado su ley. Los impíos han dejado concluir su tiempo de gracia; el Espíritu de Dios, al que se opusieran obstinadamente, acabó por apartarse de ellos. Desamparados ya de la gracia divina, están a merced de Satanás, el cual sumirá entonces a los habitantes de la tierra en una gran tribulación final. Cuando los ángeles de Dios dejen ya de contener los vientos violentos de las pasiones humanas, todos los elementos de contención se desencadenarán. El mundo entero será envuelto en una ruina más espantosa que la que cayó antiguamente sobre Jerusalén.

Un solo ángel dio muerte a todos los primogénitos de los egipcios y llenó al país de duelo. Cuando David ofendió a Dios al tomar censo del pueblo, un ángel causó la terrible mortandad con la cual fue castigado su pecado. El mismo poder destructor ejercido por santos ángeles cuando Dios se lo ordena, lo ejercerán los ángeles malvados cuando él lo permita. Hay fuerzas actualmente listas que no esperan más que el permiso divino para sembrar la desolación por todas partes.

Los que honran la ley de Dios han sido acusados de atraer los castigos de Dios sobre la tierra, y se los mirará como si fueran causa de las terribles convulsiones de la naturaleza y de las luchas sangrientas entre los hombres, que llenarán la tierra de aflicción. El poder que acompañe la última amonestación enfurecerá a los malvados; su ira se ensañará contra todos los que hayan recibido el mensaje, y Satanás despertará el espíritu de odio y persecución en un grado de intensidad aún mayor.

Cuando la presencia de Dios se retiró de la nación judía, tanto los sacerdotes como el pueblo lo ignoraron. Aunque bajo el dominio de Satanás y arrastrados por las pasiones más horribles y malignas, creían ser todavía el pueblo escogido de Dios. Los servicios del templo seguían su curso; se ofrecían sacrificios en los altares profanados, y cada día se invocaba la bendición divina sobre un pueblo culpable de la sangre del Hijo amado de Dios y que trataba de matar a sus ministros y apóstoles. Así también, cuando la decisión irrevocable del santuario haya sido pronunciada y el destino del mundo haya sido determinado para siempre, los habitantes de la tierra no lo sabrán. Las formas de la religión seguirán en vigor entre las muchedumbres de en medio de las cuales el Espíritu de Dios se habrá retirado finalmente; y el celo satánico con el cual el príncipe del mal ha de inspirarlas para que cumplan sus crueles designios, se asemejará al celo por Dios.

Una vez que el sábado llegue a ser el punto especial de controversia en toda la cristiandad y las autoridades religiosas y civiles se unan para imponer la observancia del domingo, la negativa persistente, por parte de una pequeña minoría, de ceder a la exigencia popular, la convertirá en objeto de execración universal. Se demandará con insistencia que no se tolere a los pocos que se oponen a una institución de la iglesia y a una ley del Estado; pues vale más que esos pocos sufran y no que naciones enteras sean precipitadas a la confusión y anarquía. Este mismo argumento fue presentado contra Cristo hace mil ochocientos años por los "príncipes del pueblo". "Nos conviene —dijo el astuto Caifás— que un hombre muera por el pueblo, y no que toda la nación perezca" (S. Juan 11: 50). Este argumento parecerá concluyente y finalmente se expedirá contra todos los que santifiquen el sábado un decreto que los declare merecedores de las penas más severas y autorice al pueblo para que, pasado cierto tiempo, los mate. El romanismo en el Viejo Mundo y el protestantismo apóstata en la América del Norte actuarán de la misma manera contra los que honren todos los preceptos divinos.

El pueblo de Dios se verá entonces sumido en las escenas de aflicción y angustia descritas por el profeta y llamadas el tiempo de la apretura de Jacob: "Porque así ha dicho Jehová: Hemos oído voz de temblor; de espanto, y no paz... Se han vuelto pálidos todos los rostros. ¡Ah, cuán grande es aquel día! tanto, que no hay otro semejante a él; tiempo de angustia para Jacob; pero de ella será librado" (Jeremías 30: 5-7).

La noche de la aflicción de Jacob, cuando luchó en oración para ser librado de manos de Esaú (Génesis 32: 24-30), representa la prueba por la que pasará el pueblo de Dios en el tiempo de angustia. Debido al engaño practicado para asegurarse la bendición que su padre intentaba dar a Esaú, Jacob había huido para salvar su vida, atemorizado por las amenazas de muerte que profería su hermano. Después de haber permanecido muchos años en el destierro, se puso en camino por mandato de Dios para regresar a su país, con sus mujeres, sus hijos, sus rebaños y sus ganados. Al acercarse a los términos del país se llenó de terror al tener noticia de que Esaú se acercaba al frente de una compañía de guerreros, sin duda para vengarse de él. Los que acompañaban a Jacob, sin armas e indefensos, parecían destinados a caer irremisiblemente víctimas de la violencia y la matanza. A esta angustia y a este temor que lo tenían abatido se agregaba el peso abrumador de los reproches que se hacía a sí mismo; pues era su propio pecado el que le había puesto a él y a los suyos en semejante trance. Su única esperanza se cifraba en la misericordia de Dios; su único amparo debía ser la oración. Sin embargo, hizo cuanto estuvo de su parte para dar reparación a su hermano por el agravio que le había inferido y para evitar el peligro que le amenazaba. Así deberán hacer los discípulos de Cristo al acercarse el tiempo de angustia; procurar que el mundo los conozca bien, a fin de desarmar los prejuicios y evitar los peligros que amenazan la libertad de conciencia.

Después de haber despedido a su familia para que no presenciara su angustia, Jacob permaneció solo para interceder con Dios. Confiesa su pecado y reconoce agradecido la bondad de Dios para con él, a la vez que humillándose profundamente invoca en su favor el pacto hecho con sus padres y las promesas que le fueran hechas a él mismo en su visión en Betel y en tierra extraña. Llegó la hora crítica de su vida; todo está en peligro. En las tinieblas y en la soledad sigue orando y humillándose ante Dios. De pronto una mano se apoya en su hombro. Se le figura que un enemigo va a matarle, y con toda la energía de la desesperación lucha con él. Cuando el día empieza a rayar, el desconocido hace uso de su poder sobrenatural; al sentir su toque, el hombre fuerte parece quedar paralizado y cae, impotente, tembloroso y suplicante, sobre el cuello de su misterioso antagonista. Jacob sabe entonces que es con el ángel de la alianza con quien ha luchado. Aunque incapacitado y presa de los más agudos dolores, no ceja en su propósito. Durante mucho tiempo ha sufrido perplejidades, remordimientos y angustia a causa de su pecado; ahora debe obtener la seguridad de que ha sido perdonado. El visitante celestial parece estar por marcharse; pero Jacob se aferra a él y le pide su bendición. El ángel le insta: "¡Suéltame, que ya raya el alba!" pero el patriarca exclama: "No te soltaré hasta que me hayas bendecido". ¡Qué confianza, qué firmeza y qué perseverancia las de Jacob! Si estas palabras le hubiesen sido dictadas por el orgullo y la presunción, Jacob hubiera caído muerto; pero lo que se las inspiraba era más bien la seguridad del que confiesa su flaqueza e indignidad, y sin embargo confía en la misericordia de un Dios que cumple su pacto.

"Venció al ángel, y prevaleció" (Oseas 12: 4). Mediante la humillación, el arrepentimiento y la sumisión, aquel mortal pecador y sujeto al error, prevaleció sobre la Majestad del cielo. Se aferró tembloroso a las promesas de Dios, y el Amor infinito no pudo rechazar la súplica del pecador. Como señal de su triunfo y como estímulo para que otros imitasen su ejemplo, se le cambió el nombre; en lugar del que recordaba su pecado, recibió otro que conmemoraba su victoria. Y al prevalecer Jacob con Dios, obtuvo la garantía de que prevalecería al luchar con los hombres. Ya no temía arrostrar la ira de su hermano; pues el Señor era su defensa.

Satanás había acusado a Jacob ante los ángeles de Dios y pretendía tener derecho a destruirle por causa de su pecado; había inducido a Esaú a que marchase contra él, y durante la larga noche de lucha del patriarca, Satanás procuró embargarle con el sentimiento de su culpabilidad para desanimarlo y apartarlo de Dios. Jacob fue casi empujado a la desesperación; pero sabía que sin la ayuda de Dios perecería. Se había arrepentido sinceramente de su gran pecado, y apelaba a la misericordia de Dios. No se dejó desviar de su propósito, sino que se adhirió firmemente al ángel e hizo su petición con ardientes clamores de agonía, hasta que prevaleció.

Así como Satanás influyó en Esaú para que marchase contra Jacob, así también instigará a los malos para que destruyan al pueblo de Dios en el tiempo de angustia. Como acusó a Jacob, acusará también al pueblo de Dios. Cuenta a las multitudes del mundo entre sus súbditos, pero la pequeña compañía de los que guardan los mandamientos de Dios resiste a su pretensión a la supremacía. Si pudiese hacerlos desaparecer de la tierra, su triunfo sería completo. Ve que los ángeles protegen a los que guardan los mandamientos e infiere que sus pecados les han sido perdonados; pero no sabe que la suerte de cada uno de ellos ha sido resuelta en el santuario celestial. Tiene conocimiento exacto de los pecados que les ha hecho cometer y los presenta ante Dios con la mayor exageración y asegurando que esa gente es tan merecedora como él mismo de ser excluida del favor de Dios. Declara que en justicia el Señor no puede perdonar los pecados de ellos y destruirle al mismo tiempo a él y a sus ángeles. Los reclama como presa suya y pide que le sean entregados para destruirlos.

Mientras Satanás acusa al pueblo de Dios haciendo hincapié en sus pecados, el Señor le permite probarlos hasta el extremo. La confianza de ellos en Dios, su fe y su firmeza serán rigurosamente probadas. El recuerdo de su pasado hará decaer sus esperanzas; pues es poco el bien que pueden ver en toda su vida. Reconocen plenamente su debilidad e indignidad. Satanás trata de aterrorizarlos con la idea de que su caso es desesperado, de que las manchas de su impureza no serán jamás lavadas. Espera así aniquilar su fe, hacerles ceder a sus tentaciones y alejarlos de Dios.

Aun cuando los hijos de Dios se ven rodeados de enemigos que tratan de destruirlos, la angustia que sufren no procede del temor de ser perseguidos a causa de la verdad; lo que temen es no haberse arrepentido de cada pecado y que debido a alguna falta por ellos cometida no puedan ver realizada en ellos la promesa del Salvador: "Yo también te guardaré de la hora de la prueba que ha de venir sobre el mundo entero" (Apocalipsis 3: 10). Si pudiesen tener la seguridad del perdón, no retrocederían ante las torturas ni la muerte; pero si fuesen reconocidos indignos de perdón y hubiesen de perder la vida a causa de sus propios defectos de carácter, entonces el santo nombre de Dios sería vituperado.

De todos lados oyen hablar de conspiraciones y traiciones y observan la actividad amenazante de la rebelión. Eso hace nacer en ellos un deseo intensísimo de ver acabarse la apostasía y de que la maldad de los impíos llegue a su fin. Pero mientras piden a Dios que detenga el progreso de la rebelión, se reprochan a sí mismos con gran sentimiento el no tener mayor poder para resistir y contrarrestar la potente invasión del mal. Les parece que si hubiesen dedicado siempre toda su habilidad al servicio de Cristo, avanzando de virtud en virtud, las fuerzas de Satanás no tendrían tanto poder sobre ellos.

Afligen sus almas ante Dios, recordándole cada uno de sus actos de arrepentimiento de sus numerosos pecados y la promesa del Salvador: "¿Forzará alguien mi fortaleza? Haga conmigo paz; sí, haga paz conmigo" (Isaías 27: 5). Su fe no decae si sus oraciones no reciben inmediata contestación. Aunque sufren la ansiedad, el terror y la angustia más desesperantes, no dejan de orar. Echan mano del poder de Dios como Jacob se aferró al ángel; y de sus almas se exhala el grito: "No te soltaré hasta que me hayas bendecido".

Si Jacob no se hubiese arrepentido previamente del pecado que cometió al adueñarse fraudulentamente del derecho de primogenitura, Dios no habría escuchado su oración ni le hubiese salvado la vida misericordiosamente. Así, en el tiempo de angustia, si el pueblo de Dios conservase pecados aún inconfesos cuando los atormenten el temor y la angustia, sería aniquilado; la desesperación acabaría con su fe y no podría tener confianza para rogar a Dios que le librase. Pero por muy profundo que sea el sentimiento que tiene de su indignidad, no tiene culpas escondidas que revelar. Sus pecados han sido examinados y borrados en el juicio; y no puede recordarlos.

Satanás induce a muchos a creer que Dios no se fija en la infidelidad de ellos respecto a los asuntos menudos de la vida; pero, en su actitud con Jacob, el Señor demuestra que en manera alguna sancionará ni tolerará el mal. Todos los que tratan de excusar u ocultar sus pecados, dejándolos sin confesar y sin haber sido perdonados en los registros del cielo, serán vencidos por Satanás. Cuanto más exaltada sea su profesión y honroso el puesto que desempeñen, tanto más graves aparecen sus faltas a la vista de Dios, y tanto más seguro es el triunfo de su gran adversario. Los que tardan en prepararse para el día del Señor, no podrán hacerlo en el tiempo de la angustia ni en ningún momento subsiguiente. El caso de los tales es desesperado.

Los cristianos profesos que llegarán sin preparación al último y terrible conflicto, confesarán sus pecados con palabras de angustia consumidora, mientras los impíos se reirán de esa angustia. Esas confesiones son del mismo carácter que las de Esaú o de Judas. Los que las hacen lamentan los *resultados* de la transgresión, pero no su culpa misma. No sienten verdadera contrición ni horror al mal. Reconocen sus pecados por temor al castigo; pero, lo mismo que Faraón, volverían a maldecir al cielo si se suspendiesen los juicios de Dios.

La historia de Jacob nos da además la seguridad de que Dios no rechazará a los que han sido engañados, tentados y arrastrados al pecado, pero que hayan

vuelto a él con verdadero arrepentimiento. Mientras Satanás trata de acabar con esta clase de personas, Dios enviará sus ángeles para consolarlas y protegerlas en el tiempo de peligro. Los asaltos de Satanás son feroces y resueltos, sus engaños terribles, pero el ojo de Dios descansa sobre su pueblo y su oído escucha su súplica. Su aflicción es grande, las llamas del horno parecen estar a punto de consumirlos; pero el Refinador los sacará como oro purificado por el fuego. El amor de Dios para con sus hijos durante el período de su prueba más dura es tan grande y tan tierno como en los días de su mayor prosperidad; pero necesitan pasar por el horno de fuego; debe consumirse su mundanalidad, para que la imagen de Cristo se refleje perfectamente.

Los tiempos de apuro y angustia que nos esperan requieren una fe capaz de soportar el cansancio, la demora y el hambre, una fe que no desmaye a pesar de las pruebas más duras. El tiempo de gracia les es concedido a todos a fin de que se preparen para aquel momento. Jacob prevaleció porque fue perseverante y resuelto. Su victoria es prueba evidente del poder de la oración importuna. Todos los que se aferren a las promesas de Dios como lo hizo él, y que sean tan sinceros como él lo fue, tendrán tan buen éxito como él. Los que no están dispuestos a negarse a sí mismos, a luchar desesperadamente ante Dios y a orar mucho y con empeño para obtener su bendición, no lo conseguirán. ¡Cuán pocos cristianos saben lo que es luchar con Dios! ¡Cuán pocos son los que jamás suspiraron por Dios con ardor hasta tener como en tensión todas las facultades del alma! Cuando olas de indecible desesperación envuelven al suplicante, ¡cuán raro es verle atenerse con fe inquebrantable a las promesas de Dios!

Los que sólo ejercitan poca fe, están en mayor peligro de caer bajo el dominio de los engaños satánicos y del decreto que violentará las conciencias. Y aun en caso de soportar la prueba, en el tiempo de angustia se verán sumidos en mayor aflicción porque no se habrán acostumbrado a confiar en Dios. Las lecciones de fe que hayan descuidado, tendrán que aprenderlas bajo el terrible peso del desaliento.

Deberíamos aprender ahora a conocer a Dios, poniendo a prueba sus promesas. Los ángeles toman nota de cada oración ferviente y sincera. Sería mejor sacrificar nuestros propios gustos antes que descuidar la comunión con Dios. La mayor pobreza y la más absoluta abnegación, con la aprobación divina, valen más que las riquezas, los honores, las comodidades y amistades sin ella. Debemos darnos tiempo para orar. Si nos dejamos absorber por los intereses mundanos, el Señor puede darnos ese tiempo que necesitamos, quitándonos nuestros ídolos, ya sean éstos oro, casas o tierras feraces.

La juventud no se dejaría seducir por el pecado si se negase a entrar en otro camino que aquel sobre el cual pudiera pedir la bendición de Dios. Si los que proclaman la última solemne amonestación al mundo rogasen por la bendición de Dios, no con frialdad e indolencia, sino con fervor y fe como lo hizo Jacob,

545

encontrarían muchas ocasiones en que podrían decir: "Vi a Dios cara a cara, y fue librada mi alma" (Génesis 32: 30). Serían considerados como príncipes en el cielo, con poder para prevalecer con Dios y los hombres.

El "tiempo de angustia, cual nunca fue después que hubo gente" se iniciará pronto; y para entonces necesitaremos tener una experiencia que hoy por hoy no poseemos y que muchos no pueden lograr debido a su indolencia. Sucede muchas veces que los peligros que se esperan no resultan tan grandes como uno se los había imaginado; pero éste no es el caso respecto de la crisis que nos espera. La imaginación más fecunda no alcanza a darse cuenta de la magnitud de tan dolorosa prueba. En aquel tiempo de tribulación, cada alma deberá sostenerse por sí sola ante Dios. "Si Noé, Daniel y Job estuvieren" en el país, "¡vivo yo! dice Jehová el Señor, que ni a hijo ni a hija podrán ellos librar por su justicia; tan sólo a sus propias almas librarán" (Ezequiel 14: 20, VM).

Ahora, mientras que nuestro gran Sumo Sacerdote está haciendo propiciación por nosotros, debemos tratar de llegar a la perfección en Cristo. Nuestro Salvador no pudo ser inducido a ceder a la tentación ni siquiera en pensamiento. Satanás encuentra en los corazones humanos algún asidero en que hacerse firme; es tal vez algún deseo pecaminoso que se acaricia, por medio del cual la tentación se fortalece. Pero Cristo declaró al hablar de sí mismo: "Viene el príncipe de este mundo, y él nada tiene en mí" (S. Juan 14: 30). Satanás no pudo encontrar nada en el Hijo de Dios que le permitiese ganar la victoria. Cristo guardó los mandamientos de su Padre y no hubo en él ningún pecado de que Satanás pudiese sacar ventaja. Esta es la condición en que deben encontrarse los que han de poder subsistir en el tiempo de angustia.

En esta vida es donde debemos separarnos del pecado por la fe en la sangre expiatoria de Cristo. Nuestro amado Salvador nos invita a que nos unamos a él, a que unamos nuestra flaqueza con su fortaleza, nuestra ignorancia con su sabiduría, nuestra indignidad con sus méritos. La providencia de Dios es la escuela en la cual debemos aprender a tener la mansedumbre y humildad de Jesús. El Señor nos está presentando siempre, no el camino que escogeríamos y que nos parecería más fácil y agradable, sino el verdadero, el que lleva a los fines verdaderos de la vida. De nosotros está, pues, que cooperemos con los factores que Dios emplea, en la tarea de conformar nuestros caracteres con el modelo divino. Nadie puede descuidar o aplazar esta obra sin grave peligro para su alma.

El apóstol San Juan, estando en visión, oyó una gran voz que exclamaba en el cielo: "¡Ay de los moradores de la tierra y del mar! porque el diablo ha descendido a vosotros con gran ira, sabiendo que tiene poco tiempo" (Apocalipsis 12: 12). Espantosas son las escenas que provocaron esta exclamación de la voz celestial. La ira de Satanás crece a medida que se va acercando el fin, y su obra de engaño y destrucción culminará durante el tiempo de angustia.

Pronto aparecerán en el cielo signos pavorosos de carácter sobrenatural, en prueba del poder milagroso de los demonios. Los espíritus de los demonios irán en busca de los reyes de la tierra y por todo el mundo para aprisionar a los hombres con engaños e inducirlos a que se unan a Satanás en su última lucha contra el gobierno de Dios. Mediante estos agentes, tanto los príncipes como los súbditos serán engañados. Surgirán entes que se darán por el mismo Cristo y reclamarán los títulos y el culto que pertenecen al Redentor del mundo. Harán curaciones milagrosas y asegurarán haber recibido del cielo revelaciones contrarias al testimonio de las Sagradas Escrituras.

El acto capital que coronará el gran drama del engaño será que el mismo Satanás se dará por el Cristo. Hace mucho que la iglesia profesa esperar el advenimiento del Salvador como consumación de sus esperanzas. Pues bien, el gran engañador simulará que Cristo habrá venido. En varias partes de la tierra, Satanás se manifestará a los hombres como ser majestuoso, de un brillo deslumbrador, parecido a la descripción que del Hijo de Dios da San Juan en el Apocalipsis (Apocalipsis 1: 13-15). La gloria que le rodee superará cuanto hayan visto los ojos de los mortales. El grito de triunfo repercutirá por los aires: "¡Cristo ha venido! ¡Cristo ha venido!" El pueblo se postrará en adoración ante él, mientras él levanta sus manos y pronuncia una bendición sobre ellos como Cristo bendecía a sus discípulos cuando estaba en la tierra. Su voz es suave y apacible, pero a la vez llena de melodía. En tono amable y compasivo, enuncia algunas de las verdades celestiales y llenas de gracia que pronunciaba el Salvador; cura las dolencias del pueblo, y luego, en su fementido carácter de Cristo, asegura haber mudado el día de reposo del sábado al domingo y manda a todos que santifiquen el día bendecido por él. Declara que aquellos que persisten en santificar el séptimo día blasfeman su nombre porque se niegan a oír a sus ángeles, que les fueron enviados con la luz de la verdad. Es el engaño más poderoso y resulta casi irresistible. Como los samaritanos fueron engañados por Simón el Mago, así también las multitudes, desde los más pequeños hasta los mayores, creen en ese sortilegio y dicen: "Este es el poder de Dios llamado grande" (Hechos 8: 10, versión Nácar-Colunga).

Pero el pueblo de Dios no se extraviará. Las enseñanzas del falso Cristo no están de acuerdo con las Sagradas Escrituras. Su bendición va dirigida a los que adoran la bestia y su imagen, precisamente aquellos sobre quienes dice la Biblia que la ira de Dios será derramada sin mezcla.

Además, no se le permitirá a Satanás contrahacer la manera en que vendrá Jesús. El Salvador previno a su pueblo contra este engaño y predijo claramente cómo será su segundo advenimiento. "Porque se levantarán falsos Cristos, y falsos profetas, y harán grandes señales y prodigios, de tal manera que engañarán, si fuere posible, aun a los escogidos... Así que, si os dijeren: Mirad, está en el desierto, no salgáis; o mirad, está en los aposentos, no lo creáis. Porque como el relámpago que sale del oriente y se muestra hasta el occidente, así será también la venida del Hijo del hombre" (S. Mateo 24: 24-27, 31; 25: 31; Apocalipsis 1: 7; 1 Tesalonicenses 4: 16, 17). No se puede remedar semejante aparición. Todos la conocerán y el mundo entero la presenciará.

Sólo los que hayan estudiado diligentemente las Escrituras y hayan recibido el amor de la verdad en sus corazones, serán protegidos de los poderosos engaños que cautivarán al mundo. Merced al testimonio bíblico descubrirán al engañador bajo su disfraz. El tiempo de prueba llegará para todos. Por medio de la criba de la tentación se reconocerá a los verdaderos cristianos. ¿Se sienten los hijos de Dios actualmente bastante firmes en la Palabra divina para no ceder al testimonio de sus sentidos? ¿Se atendrán ellos en semejante crisis a la Biblia y a la Biblia sola? Si ello le resulta posible, Satanás les impedirá que logren la preparación necesaria para estar firmes en aquel día. Dispondrá las cosas de modo que el camino les esté obstruido; los aturdirá con bienes terrenales, les hará llevar una carga pesada y abrumadora para que sus corazones se sientan recargados con los cuidados de esta vida y que el día de la prueba los sorprenda como ladrón.

Cuando el decreto promulgado por los diversos príncipes y dignatarios de la cristiandad contra los que observan los mandamientos, suspenda la protección y las garantías del gobierno y los abandone a los que tratan de aniquilarlos, el pueblo de Dios huirá de las ciudades y de los pueblos y se unirá en grupos para vivir en los lugares más desiertos y solitarios. Muchos encontrarán refugio en puntos de difícil acceso en las montañas. Como los cristianos de los valles del Piamonte, convertirán los lugares elevados de la tierra en santuarios suyos y darán gracias a Dios por las "fortalezas de rocas" (Isaías 33: 16). Pero muchos seres humanos de todas las naciones y de todas clases, grandes y pequeños, ricos y pobres, negros y blancos, serán arrojados en la más injusta y cruel servidumbre. Los amados de Dios pasarán días penosos, encadenados, encerrados en cárceles, sentenciados a muerte, algunos abandonados adrede para morir de hambre y sed en sombríos y repugnantes calabozos. Ningún oído humano escuchará sus lamentos; ninguna mano humana se aprontará a socorrerlos.

¿Olvidará el Señor a su pueblo en esa hora de prueba? ¿Olvidó acaso al fiel Noé cuando sus juicios cayeron sobre el mundo antediluviano? ¿Olvidó acaso a Lot cuando cayó fuego del cielo para consumir las ciudades de la llanura? ¿Se olvidó de José cuando estaba rodeado de idólatras en Egipto? ¿O de Elías cuando el juramento de Jezabel le amenazaba con la suerte de los profetas de Baal? ¿Se olvidó de Jeremías en el oscuro y húmedo pozo en donde había sido echado? ¿Se olvidó acaso de los tres jóvenes en el horno ardiente o de Daniel en el foso de los leones?

"Pero Sion dijo: Me dejó Jehová, y el Señor se olvidó de mí. ¿Se olvidará la mujer de lo que dio a luz, para dejar de compadecerse del hijo de su vientre?

Aunque olvide ella, yo nunca me olvidaré de ti. He aquí que en las palmas de las manos te tengo esculpida" (Isaías 49: 14-16). El Señor de los ejércitos ha dicho: "Aquel que os toca a vosotros, le toca a él en la niña de su ojo" (Zacarías 2: 8, VM).

Aunque los enemigos los arrojen a la cárcel, las paredes de los calabozos no pueden interceptar la comunicación entre sus almas y Cristo. Aquel que conoce todas sus debilidades, que ve todas sus pruebas, está por encima de todos los poderes de la tierra; y acudirán ángeles a sus celdas solitarias, trayéndoles luz y paz del cielo. La prisión se volverá palacio, pues allí moran los que tienen mucha fe, y los lóbregos muros serán alumbrados con luz celestial como cuando Pablo y Silas oraron y alabaron a Dios a medianoche en el calabozo de Filipos.

Los juicios de Dios caerán sobre los que traten de oprimir y aniquilar a su pueblo. Su paciencia para con los impíos da a éstos alas en sus transgresiones, pero su castigo no será menos seguro ni terrible por mucho que haya tardado en venir. "Jehová se levantará como en el monte Perazim, como en el valle de Gabaón se enojará; para hacer su obra, su extraña obra, y para hacer su operación, su extraña operación" (Isaías 28: 21). Para nuestro Dios misericordioso la tarea de castigar resulta extraña. "Vivo yo, dice Jehová el Señor, que no quiero la muerte del impío" (Ezequiel 33: 11). El Señor es "misericordioso y piadoso; tardo para la ira, y grande en misericordia y verdad;... que perdona la iniquidad, la rebelión y el pecado". Sin embargo "visita la iniquidad de los padres sobre los hijos y sobre los hijos de los hijos, hasta la tercera y cuarta generación". "Jehová es tardo para la ira y grande en poder, y no tendrá por inocente al culpable" (Exodo 34: 6, 7; Nahum 1: 3). El vindicará con terribles manifestaciones la dignidad de su ley pisoteada. Puede juzgarse de cuán severa ha de ser la retribución que espera a los culpables, por la repugnancia que tiene el Señor para hacer justicia. La nación a la que soporta desde hace tanto tiempo y a la que no destruirá hasta que no haya llenado la medida de sus iniquidades, según el cálculo de Dios, beberá finalmente de la copa de su ira sin mezcla de misericordia.

Cuando Cristo deje de interceder en el santuario, se derramará sin mezcla la ira de Dios de la que son amenazados los que adoran a la bestia y a su imagen y reciben su marca (Apocalipsis 14: 9, 10). Las plagas que cayeron sobre Egipto cuando Dios estaba por libertar a Israel fueron de índole análoga a los juicios más terribles y extensos que caerán sobre el mundo inmediatamente antes de la liberación final del pueblo de Dios. En el Apocalipsis se lee lo siguiente con referencia a esas mismas plagas tan temibles: "Vino una úlcera maligna y pestilente sobre los hombres que tenían la marca de la bestia, y que adoraban su imagen". El mar "se convirtió en sangre como de muerto; y murió todo ser vivo que había en el mar". También "los ríos, y... las fuentes de las aguas,... se convirtieron en sangre". Por terribles que sean estos castigos, la justicia de

EL TRIUNFO DEL AMOR DE DIOS

Dios está plenamente vindicada. El ángel de Dios declara: "Justo eres tú, oh Señor,... porque has juzgado estas cosas. Por cuanto derramaron la sangre de los santos y de los profetas, también tú les has dado a beber sangre pues lo merecen" (Apocalipsis 16: 2-6). Al condenar a muerte al pueblo de Dios, los que lo hicieron son tan culpables de su sangre como si la hubiesen derramado con sus propias manos. Del mismo modo Cristo declaró que los judíos de su tiempo eran culpables de toda la sangre de los santos varones que había sido derramada desde los días de Abel, pues estaban animados del mismo espíritu y estaban tratando de hacer lo mismo que los asesinos de los profetas.

En la plaga que sigue, se le da poder al sol para "quemar a los hombres con fuego. Y los hombres se quemaron con el gran calor" (Apocalipsis 16: 8, 9). Los profetas describen como sigue el estado de la tierra en tan terrible tiempo: "El campo está asolado, se enlutó la tierra;... porque se perdió la mies del campo". "Todos los árboles del campo se secaron, por lo cual se extinguió el gozo de los hombres". "El grano se pudrió debajo de los terrones, los graneros fueron asolados". "¡Cómo gimieron las bestias! ¡cuán turbados anduvieron los hatos de los bueyes, porque no tuvieron pastos!" "Se secaron los arroyos de las aguas, y fuego consumió las praderas del desierto" (Joel 1: 10, 11, 12, 17, 18, 20). "Y los cantores del templo gemirán en aquel día, dice Jehová el Señor; muchos serán los cuerpos muertos; en todo lugar los echarán fuera en silencio" (Amós 8: 3).

Estas plagas no serán universales, pues de lo contrario los habitantes de la tierra serían enteramente destruidos. Sin embargo serán los azotes más terribles que hayan sufrido jamás los hombres. Todos los juicios que cayeron sobre los hombres antes del fin del tiempo de gracia fueron mitigados con misericordia. La sangre propiciatoria de Cristo impidió que el pecador recibiese el pleno castigo de su culpa; pero en el juicio final la ira de Dios se derramará sin mezcla de misericordia.

En aquel día, multitudes enteras invocarán la protección de la misericor-

dia divina que por tanto tiempo despreciaran. "He aquí vienen días, dice Jehová el Señor, en los cuales enviaré hambre a la tierra, no hambre de pan, ni sed de agua, sino de oír la palabra de Jehová. E irán errantes de mar a mar; desde el norte hasta el oriente discurrirán buscando palabra de Jehová, y no la hallarán" (Amós 8: 11, 12).

El pueblo de Dios no quedará libre de padecimientos; pero aunque perseguido y acongojado y aunque sufra privaciones y falta de alimento, no será abandonado para perecer. El Dios que cuidó de Elías no abandonará a ninguno de sus abnegados hijos. El que cuenta los cabellos de sus cabezas, cuidará de ellos y los atenderá en tiempos de hambruna. Mientras los malvados estén muriéndose de hambre y pestilencia, los ángeles protegerán a los justos y suplirán sus necesidades. Escrito está del que "camina en justicia" que "se le dará su pan y sus aguas serán seguras". "Cuando los pobres y los menesterosos buscan agua y no la hay, y la lengua se les seca de sed; yo, Jehová, les escucharé; yo, el Dios de Israel, no los abandonaré" (Isaías 33: 16; 41: 17, VM).

"Mas aunque la higuera no floreciere, y no hubiere fruto en la vid; aunque faltare el producto del olivo, y los campos nada dieren de comer; aunque las ovejas fueren destruidas del aprisco, y no hubiere vacas en los pesebres; sin embargo" los que temen a Jehová se regocijarán en él y se alegrarán en el Dios de su salvación (Habacuc 3: 17, 18, VM).

"Jehová es tu guardador; Jehová es tu sombra a tu mano derecha. El sol no te fatigará de día, ni la luna de noche. Jehová te guardará de todo mal; él guardará tu alma". "El te librará del lazo del cazador, de la peste destruidora. Con sus plumas te cubrirá, y debajo de sus alas estarás seguro; escudo y adarga es su verdad. No temerás el terror nocturno, ni saeta que vuele de día, ni pestilencia que ande en oscuridad, ni mortandad que en medio del día destruya. Caerán a tu lado mil, y diez mil a tu diestra; mas a ti no llegará. Ciertamente con tus ojos mirarás y verás la recompensa de los impíos. Porque has puesto a Jehová, que es mi esperanza, al Altísimo por tu habitación, no te sobrevendrá mal, ni plaga tocará tu morada" (Salmos 121: 5-7; 91: 3-10).

Sin embargo, por lo que ven los hombres, parecería que los hijos de Dios tuviesen que sellar pronto su destino con su sangre, como lo hicieron los mártires que los precedieron. Ellos mismos empiezan a temer que el Señor los deje perecer en las manos homicidas de sus enemigos. Es un tiempo de terrible agonía. De día y de noche claman a Dios para que los libre. Los malos triunfan y se oye este grito de burla: "¿Dónde está ahora vuestra fe? ¿Por qué no os libra Dios de nuestras manos si sois verdaderamente su pueblo?" Pero mientras esos fieles cristianos aguardan, recuerdan que cuando Jesús estaba muriendo en la cruz del Calvario los sacerdotes y príncipes gritaban en tono de mofa: "A otros salvó, a sí mismo no se puede salvar; si es el Rey de Israel, descienda ahora de la cruz, y creeremos en él" (S. Mateo 27: 42). Como Jacob, todos luchan con Dios.

EL TRIUNFO DEL AMOR DE DIOS

Sus semblantes expresan la agonía de sus almas. Están pálidos, pero no dejan de orar con fervor.

Si los hombres tuviesen la visión del cielo, verían compañías de ángeles poderosos en fuerza estacionados en torno de los que han guardado la palabra de la paciencia de Cristo. Con ternura y simpatía, los ángeles han presenciado la angustia de ellos y han escuchado sus oraciones. Aguardan la orden de su jefe para arrancarlos al peligro. Pero tienen que esperar un poco más. El pueblo de Dios tiene que beber de la copa y ser bautizado con el bautismo. La misma dilación que es tan penosa para ellos, es la mejor respuesta a sus oraciones. Mientras procuran esperar con confianza que el Señor obre, son inducidos a ejercitar su fe, esperanza y paciencia como no lo hicieron durante su experiencia religiosa anterior. Sin embargo, el tiempo de angustia será acortado por amor de los elegidos. "¿Y acaso Dios no defenderá la causa de sus escogidos, que claman a él día y noche?... Os digo que defenderá su causa presto" (S. Lucas 18: 7, 8, VM). El fin vendrá más pronto de lo que los hombres esperan. El trigo será recogido y atado en gavillas para el granero de Dios; la cizaña será amarrada en haces para los fuegos destructores.

Los centinelas celestiales, fieles a su cometido, siguen vigilando. Por más que un decreto general haya fijado el tiempo en que los observadores de los mandamientos puedan ser muertos, sus enemigos, en algunos casos, se anticiparán al decreto y tratarán de quitarles la vida antes del tiempo fijado. Pero nadie puede atravesar el cordón de los poderosos guardianes colocados en torno de cada fiel. Algunos son atacados al huir de las ciudades y villas. Pero las espadas levantadas contra ellos se quiebran y caen como si fueran de paja. Otros son defendidos por ángeles en forma de guerreros.

En todos los tiempos Dios se valió de santos ángeles para socorrer y librar a su pueblo. Los seres celestiales tomaron parte activa en los asuntos de los hombres. Aparecieron con vestiduras que relucían como el rayo; vinieron como hombres en traje de caminantes. Hubo casos en que aparecieron ángeles en forma humana a los siervos de Dios. Descansaron bajo los robles al mediodía como si hubiesen estado cansados. Aceptaron la hospitalidad en hogares humanos. Sirvieron de guías a viajeros extraviados. Con sus propias manos encendieron los fuegos del altar. Abrieron las puertas de las cárceles y libertaron a los siervos del Señor. Vestidos de la armadura celestial, vinieron para quitar la piedra del sepulcro del Salvador.

A menudo suele haber ángeles en forma humana en las asambleas de los justos, y visitan también las de los impíos, como lo hicieron en Sodoma para tomar nota de sus actos y para determinar si excedieron los límites de la paciencia de Dios. El Señor se complace en la misericordia; así que por causa de los pocos que le sirven verdaderamente, mitiga las calamidades y prolonga el estado de tranquilidad de las multitudes. Los que pecan contra Dios no se dan

552

cuenta de que deben la vida a los pocos fieles a quienes les gusta ridiculizar y oprimir.

Aunque los gobernantes de este mundo no lo sepan, ha sido frecuente que en sus asambleas hablaran ángeles. Ojos humanos los han mirado; oídos humanos han escuchado sus llamamientos; labios humanos se han opuesto a sus indicaciones y han puesto en ridículo sus consejos; y hasta manos humanas los han maltratado. En las salas de consejo y en los tribunales, estos mensajeros celestiales han revelado sus grandes conocimientos de la historia de la humanidad y se han demostrado más capaces de defender la causa de los oprimidos que los abogados más hábiles y más elocuentes. Han frustrado propósitos y atajado males que habrían atrasado en gran manera la obra de Dios y habrían causado grandes padecimientos a su pueblo. En la hora de peligro y angustia "el ángel de Jehová acampa alrededor de los que le temen, y los defiende" (Salmo 34: 7).

El pueblo de Dios espera con ansia las señales de la venida de su Rey. Y cuando se les pregunta a los centinelas: "¿Qué hay de la noche?" se oye la respuesta terminante: "¡La mañana viene, y también la noche!" (Isaías 21: 11, 12, VM). La luz dora las nubes que coronan las cumbres. Pronto su gloria se revelará. El Sol de Justicia está por salir. Tanto la mañana como la noche van a principiar: la mañana del día eterno para los justos y la noche perpetua para los impíos.

Mientras el pueblo militante de Dios dirige con empeño sus oraciones a Dios, el velo que lo separa del mundo invisible parece estar casi descorrido. Los cielos se encienden con la aurora del día eterno, y cual melodía de cánticos angélicos llegan a sus oídos las palabras: "Manteneos firmes en vuestra fidelidad. Ya os llega ayuda". Cristo, el vencedor todopoderoso, ofrece a sus cansados soldados una corona de gloria inmortal; y su voz se deja oír por las puertas entornadas: "He aquí que estoy con vosotros. No temáis. Conozco todas vuestras penas; he cargado con vuestros dolores. No estáis lidiando contra enemigos desconocidos. He peleado en favor vuestro, y en mi nombre sois más que vencedores".

Nuestro amado Salvador nos enviará ayuda en el momento mismo en que la necesitemos. El camino del cielo quedó consagrado por sus pisadas. Cada espina que hiere nuestros pies hirió también los suyos. El cargó antes que nosotros la cruz que cada uno de nosotros ha de cargar. El Señor permite los conflictos a fin de preparar al alma para la paz. El tiempo de angustia es una prueba terrible para el pueblo de Dios; pero es el momento en que todo verdadero creyente debe mirar hacia arriba a fin de que por la fe pueda ver el arco de la promesa que le envuelve.

"Ciertamente volverán los redimidos de Jehová; volverán a Sion cantando, y gozo perpetuo habrá sobre sus cabezas; tendrán gozo y alegría, y el dolor y el gemido huirán. Yo, yo soy vuestro consolador. ¿Quién eres tú para que tengas

EL TRIUNFO DEL AMOR DE DIOS

temor del hombre, que es como heno? Y ya te has olvidado de Jehová tu Hacedor,... y todo el día temiste continuamente del furor del que aflige, cuando se disponía para destruir. ¿Pero en dónde está el furor del que aflige? El preso agobiado será libertado pronto; no morirá en la mazmorra, ni le faltará su pan. Porque yo Jehová, que agito el mar y hago rugir sus ondas, soy tu Dios cuyo nombre es Jehová de los ejércitos. Y en tu boca he puesto mis palabras, y con la sombra de mi mano te cubrí" (Isaías 51: 11-16).

"Oye, pues, ahora esto, afligida, ebria, y no de vino: Así dijo Jehová tu Señor, y tu Dios, el cual aboga por su pueblo: He aquí he quitado de tu mano el cáliz de aturdimiento, los sedimentos del cáliz de mi ira; nunca más lo beberás. Y lo pondré en mano de tus angustiadores, que dijeron a tu alma: Inclínate, y pasaremos por encima de ti. Y tú pusiste tu cuerpo como tierra, y como camino, para que pasaran" (Isaías 51: 21-23).

El ojo de Dios, al mirar al través de las edades, se fijó en la crisis a la cual tendrá que hacer frente su pueblo, cuando los poderes de la tierra se unan contra él. Como los desterrados cautivos, temerán morir de hambre o por la violencia. Pero el Dios santo que dividió las aguas del Mar Rojo delante de los israelitas manifestará su gran poder libertándolos de su cautiverio. "Ellos me serán un tesoro especial, dice Jehová de los ejércitos, en aquel día que yo preparo; y me compadeceré de ellos, como un hombre se compadece de su mismo hijo que le sirve" (Malaquías 3: 17, VM). Si la sangre de los fieles siervos de Cristo fuese entonces derramada, no sería ya, como la sangre de los mártires, semilla destinada a dar una cosecha para Dios. Su fidelidad no sería ya un testimonio para convencer a otros de la verdad, pues los corazones endurecidos han rechazado los llamamientos de la misericordia hasta que éstos ya no se dejan oír. Si los justos cayesen entonces presa de sus enemigos, sería un triunfo para el príncipe de las tinieblas. El salmista dice: "Me esconderá en su tabernáculo en el día del mal; me ocultará en lo reservado de su morada" (Salmo 27: 5). Cristo ha dicho: "Anda, pueblo mío, entra en tus aposentos, cierra tras ti tus puertas; escóndete un poquito, por un momento, en tanto que pasa la indignación. Porque he aquí que Jehová sale de su lugar para castigar al morador de la tierra por su maldad" (Isaías 26: 20, 21). Gloriosa será la liberación de los que lo han esperado pacientemente y cuyos nombres están escritos en el libro de la vida.

CAPITULO 41

Liberación y Refugio para los Justos

CUANDO los que honran la ley de Dios hayan sido privados de la protección de las leyes humanas, empezará en varios países un movimiento simultáneo para destruirlos. Conforme vaya acercándose el tiempo señalado en el decreto, el pueblo conspirará para extirpar la secta aborrecida. Se convendrá en dar una noche el golpe decisivo, que reducirá completamente al silencio la voz disidente y reprensora.

El pueblo de Dios —algunos en las celdas de las cárceles, otros escondidos en ignorados escondrijos de bosques y montañas— invoca aún la protección divina, mientras que por todas partes compañías de hombres armados, instigados por legiones de ángeles malos, se disponen a emprender la obra de muerte. Entonces, en la hora de supremo apuro, es cuando el Dios de Israel intervendrá para librar a sus escogidos. El Señor dice: "Vosotros tendréis cántico como de noche en que se celebra pascua, y alegría de corazón, como el que va... al monte de Jehová, al Fuerte de Israel. Y Jehová hará oír su potente voz, y hará ver el descenso de su brazo con furor de rostro y llama de fuego consumidor, con torbellino, tempestad y piedra de granizo" (Isaías 30: 29, 30).

Multitudes de hombres perversos, profiriendo gritos de triunfo, burlas e imprecaciones, están a punto de arrojarse sobre su presa, cuando de pronto densas tinieblas, más sombrías que la oscuridad de la noche caen sobre la tierra. Luego un arco iris, que refleja la gloria del trono de Dios, se extiende de un lado a otro del cielo, y parece envolver a todos los grupos en oración. Las multitudes encolerizadas se sienten contenidas en el acto. Sus gritos de burla expiran en sus labios. Olvidan el objeto de su ira sanguinaria. Con terribles presentimientos contemplan el símbolo de la alianza divina, y ansían ser amparadas de su deslumbradora claridad.

555

LIBERACION Y REFUGIO PARA LOS JUSTOS

Los hijos de Dios oyen una voz clara y melodiosa que dice: "Enderezaos", y, al levantar la vista al cielo, contemplan el arco de la promesa. Las nubes negras y amenazadoras que cubrían el firmamento se han desvanecido, y como Esteban, clavan la mirada en el cielo, y ven la gloria de Dios y al Hijo del hombre sentado en su trono. En su divina forma distinguen los rastros de su humillación, y oyen brotar de sus labios la oración dirigida a su Padre y a los santos ángeles: "Aquellos que me has dado, quiero que donde yo estoy, también ellos estén conmigo" (S. Juan 17: 24). Luego se oye una voz armoniosa y triunfante, que dice: "¡Helos aquí! ¡Helos aquí! santos, inocentes e inmaculados. Guardaron la palabra de mi paciencia y andarán entre los ángeles"; y de los labios pálidos y trémulos de los que guardaron firmemente la fe, sube una aclamación de victoria.

Es a medianoche cuando Dios manifiesta su poder para librar a su pueblo. Sale el sol en todo su esplendor. Sucédense señales y prodigios con rapidez. Los malos miran la escena con terror y asombro, mientras los justos contemplan con gozo las señales de su liberación. La naturaleza entera parece trastornada. Los ríos dejan de correr. Nubes negras y pesadas se levantan y chocan unas con otras. En medio de los cielos conmovidos hay un claro de gloria indescriptible, de donde baja la voz de Dios semejante al ruido de muchas aguas, diciendo: "Hecho está" (Apocalipsis 16: 17).

Esa misma voz sacude los cielos y la tierra. Síguese un gran terremoto, "cual no lo hubo jamás desde que los hombres han estado sobre la tierra" (vers. 18). El firmamento parece abrirse y cerrarse. La gloria del trono de Dios parece cruzar la atmósfera. Los montes son movidos como una caña al soplo del viento, y las rocas quebrantadas se esparcen por todos lados. Se oye un estruendo como de cercana tempestad. El mar es azotado con furor. Se oye el silbido del huracán, como voz de demonios en misión de destrucción. Toda la tierra se alborota e hincha como las olas del mar. Su superficie se raja. Sus mismos fundamentos parecen ceder. Se hunden cordilleras. Desaparecen islas habitadas. Los puertos marítimos que se volvieron como Sodoma por su corrupción, son tragados por las enfurecidas olas. "La grande Babilonia vino en memoria delante de Dios, para darle el cáliz del vino del ardor de su ira" (vers. 19). Pedrisco grande, cada piedra, "como del peso de un talento" (vers. 21), hace su obra de destrucción. Las más soberbias ciudades de la tierra son arrasadas. Los palacios suntuosos en que los magnates han malgastado sus riquezas en provecho de su gloria personal, caen en ruinas ante su vista. Los muros de las cárceles se parten de arriba abajo, y son libertados los hijos de Dios que habían sido apresados por su fe.

Los sepulcros se abren, y "muchos de los que duermen en el polvo de la tierra serán despertados, unos para vida eterna, y otros para vergüenza y confusión perpetua" (Daniel 12: 2). Todos los que murieron en la fe del

557

Cuando Dios manifieste su poder
para librar a su pueblo, "la naturaleza
toda parecerá trastornada".

JAMES CONVERSE © PPPA

mensaje del tercer ángel, salen glorificados de la tumba, para oír el pacto de paz que Dios hace con los que guardaron su ley. "Los que le traspasaron" (Apocalipsis 1: 7), los que se mofaron y se rieron de la agonía de Cristo y los enemigos más acérrimos de su verdad y de su pueblo, son resucitados para mirarle en su gloria y para ver el honor con que serán recompensados los fieles y obedientes.

Densas nubes cubren aún el firmamento; sin embargo el sol se abre paso de vez en cuando, como si fuese el ojo vengador de Jehová. Fieros relámpagos rasgan el cielo con fragor, envolviendo a la tierra en claridad de llamaradas. Por encima del ruido aterrador de los truenos, se oyen voces misteriosas y terribles que anuncian la condenación de los impíos. No todos entienden las palabras pronunciadas; pero los falsos maestros las comprenden perfectamente. Los que poco antes eran tan temerarios, jactanciosos y provocativos, y que tanto se alegraban al ensañarse en el pueblo de Dios observador de sus mandamientos, se sienten presa de consternación y tiemblan de terror. Sus llantos dominan el ruido de los elementos. Los demonios confiesan la divinidad de Cristo y tiemblan ante su poder, mientras que los hombres claman por misericordia y se revuelcan en terror abyecto.

Al considerar el día de Dios en santa visión, los antiguos profetas exclamaron: "Aullad, porque cerca está el día de Jehová; vendrá como asolamiento del Todopoderoso". "Métete en la peña, escóndete en el polvo, de la presencia temible de Jehová, y del resplandor de su majestad. La altivez de los ojos del hombre será abatida, y la soberbia de los hombres será humillada; y Jehová solo será exaltado en aquel día. Porque día de Jehová de los ejércitos vendrá sobre todo soberbio y altivo, sobre todo enaltecido, y será abatido". "Aquel día arrojará el hombre a los topos y murciélagos sus ídolos de plata y sus ídolos de oro, que le hicieron para que adorase, y se meterá en las hendiduras de las rocas y en las cavernas de las peñas, por la presencia formidable de Jehová, y por el resplandor de su majestad, cuando se levante para castigar la tierra" (Isaías 13: 6; 2: 10-12; 2: 20, 21).

Por un desgarrón de las nubes una estrella arroja rayos de luz cuyo brillo queda cuadruplicado por el contraste con la oscuridad. Significa esperanza y júbilo para los fieles, pero severidad para los transgresores de la ley de Dios. Los que todo lo sacrificaron por Cristo están entonces seguros, como escondidos en los pliegues del pabellón de Dios. Fueron probados, y ante el mundo y los despreciadores de la verdad demostraron su fidelidad a Aquel que murió por ellos. Un cambio maravilloso se ha realizado en aquellos que conservaron su integridad ante la misma muerte. Han sido librados como por ensalmo de la sombría y terrible tiranía de los hombres vueltos demonios. Sus semblantes, poco antes tan pálidos, tan llenos de ansiedad y tan macilentos, brillan ahora de admiración, fe y amor. Sus voces se elevan en canto triunfal: "Dios es nuestro amparo y fortaleza, nuestro pronto auxilio en las tribulaciones. Por tanto, no temeremos, aunque la tierra sea removida, y se traspasen los montes al corazón del mar; aunque bramen y se turben sus aguas, y tiemblen los montes a causa de su braveza" (Salmo 46: 1-3).

Mientras estas palabras de santa confianza se elevan hacia Dios, las nubes se retiran, y el cielo estrellado brilla con esplendor indescriptible en contraste con el firmamento negro y severo en ambos lados. La magnificencia de la ciudad celestial rebosa por las puertas entreabiertas. Entonces aparece en el cielo una mano que sostiene dos tablas de piedra puestas una sobre otra. El profeta dice: "Los cielos declararán su justicia, porque Dios es el juez" (Salmo 50: 6). Esta ley santa, justicia de Dios, que entre truenos y llamas fue proclamada desde el Sinaí como guía de la vida, se revela ahora a los hombres como norma del juicio. La mano abre las tablas en las cuales se ven los preceptos del Decálogo inscritos como con letras de fuego. Las palabras son tan distintas que todos pueden leerlas. La memoria se despierta, las tinieblas de la superstición y de la herejía desaparecen de todos los espíritus, y las diez palabras de Dios, breves, inteligibles y llenas de autoridad, se presentan a la vista de todos los habitantes de la tierra.

Es imposible describir el horror y la desesperación de aquellos que pisotearon los santos preceptos de Dios. El Señor les había dado su ley con la cual hubieran podido comparar su carácter y ver sus defectos mientras que había aún oportunidad para arrepentirse y reformarse; pero con el afán de asegurarse el favor del mundo, pusieron a un lado los preceptos de la ley y enseñaron a otros a transgredirlos. Se empeñaron en obligar al pueblo de Dios a que profanase su sábado. Ahora los condena aquella misma ley que despreciaran. Ya echan de ver que no tienen disculpa. Eligieron a quién querían servir y adorar. "Entonces os volveréis, y discerniréis la diferencia entre el justo y el malo, entre el que sirve a Dios y el que no le sirve" (Malaquías 3: 18).

Los enemigos de la ley de Dios, desde los ministros hasta el más insignificante entre ellos, adquieren un nuevo concepto de lo que es la verdad y el deber. Reconocen demasiado tarde que el día de reposo del cuarto mandamiento es el sello del Dios vivo. Ven demasiado tarde la verdadera naturaleza de su falso día de reposo y el fundamento arenoso sobre el cual construyeron. Se dan cuenta de que han estado luchando contra Dios. Los maestros de la religión condujeron las almas a la perdición mientras profesaban guiarlas hacia las puertas del paraíso. No se sabrá antes del día del juicio final cuán grande es la responsabilidad de los que desempeñan un cargo sagrado, y cuán terribles son los resultados de su infidelidad. Sólo en la eternidad podrá apreciarse debidamente la pérdida de una sola alma. Terrible será la suerte de aquel a quien Dios diga: Apártate, mal servidor.

Desde el cielo se oye la voz de Dios que proclama el día y la hora de la venida de Jesús, y promulga a su pueblo el pacto eterno. Sus palabras resuenan por la tierra como el estruendo de los más estrepitosos truenos. El Israel de Dios escucha con los ojos elevados al cielo. Sus semblantes se iluminan con la gloria divina y brillan cual brillara el rostro de Moisés cuando bajó del Sinaí. Los malos no los pueden mirar. Y cuando la bendición es pronunciada sobre los que honraron a Dios santificando su sábado, se oye un inmenso grito de victoria.

Pronto aparece en el este una pequeña nube negra, de un tamaño como la mitad de la palma de la mano. Es la nube que envuelve al Salvador y que a la distancia parece rodeada de oscuridad. El pueblo de Dios sabe que es la señal del Hijo del hombre. En silencio solemne la contemplan mientras va acercándose a la tierra, volviéndose más luminosa y más gloriosa hasta convertirse en una gran nube blanca, cuya base es como fuego consumidor, y sobre ella el arco iris del pacto. Jesús marcha al frente como un gran conquistador. Ya no es "varón de dolores", que haya de beber el amargo cáliz de la ignominia y de la maldición; victorioso en el cielo y en la tierra, viene a juzgar a vivos y muertos. "Fiel y Verdadero", "con justicia juzga y pelea". "Y los ejércitos celestiales,... le seguían" (Apocalipsis 19: 11, 14). Con cantos celestiales los santos ángeles, en inmensa e innumerable muchedumbre, le acompañan en el descenso. El firmamento parece lleno de formas radiantes —"millones de millones, y millares de millares". Ninguna pluma humana puede describir la escena, ni mente mortal alguna es capaz de concebir su esplendor. "Su gloria cubre los cielos, y la tierra se llena de su alabanza. También su resplandor es como el fuego" (Habacuc 3: 3, 4, VM). A medida que va acercándose la nube viviente, todos los ojos ven al Príncipe de la vida. Ninguna corona de espinas hiere ya sus sagradas sienes, ceñidas ahora por gloriosa diadema. Su rostro brilla más que la luz deslumbradora del sol de mediodía. "Y en su vestidura y en su muslo tiene escrito este nombre: *Rey de reyes y Señor de señores*" (Apocalipsis 19: 16).

Ante su presencia, "se han vuelto pálidos todos los rostros"; el terror de la desesperación eterna se apodera de los que han rechazado la misericordia de Dios. "Se deslíe el corazón, y se baten las rodillas,... y palidece el rostro de todos" (Jeremías 30: 6; Nahum 2: 10, VM). Los justos gritan temblando: "¿Quién podrá estar firme?" Termina el canto de los ángeles, y sigue un momento de silencio aterrador. Entonces se oye la voz de Jesús, que dice: "¡Básteos mi gracia!" Los rostros de los justos se iluminan y el corazón de todos se llena de gozo. Y los ángeles entonan una melodía más elevada, y vuelven a cantar al acercarse aún más a la tierra.

El Rey de reyes desciende en la nube, envuelto en llamas de fuego. El cielo se recoge como un libro que se enrolla, la tierra tiembla ante su presencia, y todo monte y toda isla se mueven de sus lugares. "Vendrá nuestro Dios, y no callará: fuego consumirá delante de él, y tempestad poderosa le rodeará. Convocará a los cielos de arriba, y a la tierra, para juzgar a su pueblo" (Salmo 50: 3, 4).

LIBERACION Y REFUGIO PARA LOS JUSTOS

"Y los reyes de la tierra, y los grandes, los ricos, los capitanes, los poderosos, y todo siervo y todo libre, se escondieron en las cuevas y entre las peñas de los montes; y decían a los montes y a las peñas: Caed sobre nosotros, y escondednos del rostro de aquel que está sentado sobre el trono, y de la ira del Cordero; porque el gran día de su ira ha llegado; ¿y quién podrá sostenerse en pie?" (Apocalipsis 6: 15-17).

Cesaron las burlas. Callan los labios mentirosos. El choque de las armas y "el tumulto de la batalla, y todo manto revolcado en sangre" (Isaías 9: 5), han concluido. Sólo se oyen ahora voces de oración, llanto y lamentación. De las bocas que se mofaban poco antes, estalla el grito: "El gran día de su ira ha llegado; ¿y quién podrá sostenerse en pie?" Los impíos piden ser sepultados bajo las rocas de las montañas, antes que ver la cara de Aquel a quien han despreciado y rechazado.

Conocen esa voz que penetra hasta el oído de los muertos. ¡Cuántas veces sus tiernas y quejumbrosas modulaciones no los han llamado al arrepentimiento! ¡Cuántas veces no ha sido oída en las conmovedoras exhortaciones de un amigo, de un hermano, de un Redentor! Para los que rechazaron su gracia, ninguna otra podría estar tan llena de condenación ni tan cargada de acusaciones, como esta voz que tan a menudo exhortó con estas palabras: "Volveos, volveos de vuestros malos caminos; ¿por qué moriréis?" (Ezequiel 33: 11). ¡Oh, si sólo fuera para ellos la voz de un extraño! Jesús dice: "Por cuanto llamé, y no quisisteis oír, extendí mi mano, y no hubo quien atendiese, sino que desechasteis todo consejo mío y mi reprensión no quisisteis" (Proverbios 1: 24, 25). Esa voz despierta recuerdos que ellos quisieran borrar, de avisos despreciados, invitaciones rechazadas, privilegios desdeñados.

Allí están los que se mofaron de Cristo en su humillación. Con fuerza penetrante acuden a su mente las palabras del Varón de dolores, cuando, conjurado por el sumo sacerdote, declaró solemnemente: "Desde ahora veréis al Hijo del hombre sentado a la diestra del poder de Dios, y viniendo en las nubes del cielo" (S. Mateo 26: 64). Ahora le ven en su gloria, y deben verlo aún sentado a la diestra del poder divino.

Los que pusieron en ridículo su aserto de ser el Hijo de Dios enmudecen ahora. Allí está el altivo Herodes que se burló de su título real y mandó a los soldados escarnecedores que le coronaran. Allí están los hombres mismos que con manos impías pusieron sobre su cuerpo el manto de grana, sobre sus sagradas sienes la corona de espinas y en su dócil mano un cetro burlesco, y se inclinaron ante él con burlas de blasfemia. Los hombres que golpearon y escupieron al Príncipe de la vida, tratan de evitar ahora su mirada penetrante y de huir de la gloria abrumadora de su presencia. Los que atravesaron con clavos sus manos y sus pies, los soldados que le abrieron el costado, consideran esas señales con terror y remordimiento.

561

LIBERACION Y REFUGIO PARA LOS JUSTOS

Los sacerdotes y los escribas recuerdan los acontecimientos del Calvario con claridad aterradora. Llenos de horror recuerdan cómo, moviendo sus cabezas con arrebato satánico, exclamaron: "A otros salvó, a sí mismo no se puede salvar; si es el Rey de Israel, descienda ahora de la cruz, y creeremos en él. Confió en Dios; líbrele ahora si le quiere" (S. Mateo 27: 42, 43).

Recuerdan a lo vivo la parábola de los labradores que se negaron a entregar a su señor los frutos de la viña, que maltrataron a sus siervos y mataron a su hijo. También recuerdan la sentencia que ellos mismos pronunciaron: "A los malos destruirá miserablemente" el señor de la viña. Los sacerdotes y escribas ven en el pecado y en el castigo de aquellos malos labradores su propia conducta y su propia y merecida suerte. Y entonces se levanta un grito de agonía mortal. Más fuerte que los gritos de "¡Sea crucificado! ¡Sea crucificado!" que resonaron por las calles de Jerusalén, estalla el clamor terrible y desesperado: "¡Es el Hijo de Dios! ¡Es el verdadero Mesías!" Tratan de huir de la presencia del Rey de reyes. En vano tratan de esconderse en las hondas cuevas de la tierra desgarrada por la conmoción de los elementos.

En la vida de todos los que rechazan la verdad, hay momentos en que la conciencia se despierta, en que la memoria evoca el recuerdo aterrador de una vida de hipocresía, y el alma se siente atormentada de vanos pesares. Mas ¿qué es eso comparado con el remordimiento que se experimentará aquel día "cuando viniere cual huracán vuestro espanto, y vuestra calamidad, como torbellino"? (Proverbios 1: 27, VM). Los que habrían querido matar a Cristo y a su pueblo fiel son ahora testigos de la gloria que descansa sobre ellos. En medio de su terror oyen las voces de los santos que exclaman en unánime júbilo: "He aquí, éste es nuestro Dios, le hemos esperado, y nos salvará" (Isaías 25: 9).

Entre las oscilaciones de la tierra, las llamaradas de los relámpagos y el fragor de los truenos, el Hijo de Dios llama a la vida a los santos dormidos. Dirige una mirada a las tumbas de los justos, y levantando luego las manos al cielo, exclama: "¡Despertaos, despertaos, despertaos, los que dormís en el polvo, y levantaos!" Por toda la superficie de la tierra, los muertos oirán esa voz; y los que la oigan vivirán. Y toda la tierra repercutirá bajo las pisadas de la multitud extraordinaria de todas las naciones, tribus, lenguas y pueblos. De la prisión de la muerte sale revestida de gloria inmortal gritando: "¿Dónde está, oh muerte, tu aguijón? ¿Dónde, oh sepulcro, tu victoria?" (1 Corintios 15: 55). Y los justos vivos unen sus voces a las de los santos resucitados en prolongada y alegre aclamación de victoria.

Todos salen de sus tumbas de igual estatura que cuando en ellas fueran depositados. Adán, que se encuentra entre la multitud resucitada, es de soberbia altura y formas majestuosas, de porte poco inferior al del Hijo de Dios. Presenta un contraste notable con los hombres de las generaciones posteriores; en este respecto se nota la gran degeneración de la raza humana. Pero todos se

563

A medida que se va acercando la viviente nube,
"todo ojo verá" al Príncipe de la vida, y
los corazones de los justos rebosarán de alegría.

JOHN STEEL © PPPA

levantan con la lozanía y el vigor de eterna juventud. Al principio, el hombre fue creado a la semejanza de Dios, no sólo en carácter, sino también en lo que se refiere a la forma y a la fisonomía. El pecado borró e hizo desaparecer casi por completo la imagen divina; pero Cristo vino a restaurar lo que se había malogrado. El transformará nuestros cuerpos viles y los hará semejantes a la imagen de su cuerpo glorioso. La forma mortal y corruptible, desprovista de gracia, manchada en otro tiempo por el pecado, se vuelve perfecta, hermosa e inmortal. Todas las imperfecciones y deformidades quedan en la tumba. Reintegrados en su derecho al árbol de la vida, en el desde tanto tiempo perdido Edén, los redimidos crecerán hasta alcanzar la estatura perfecta de la raza humana en su gloria primitiva. Las últimas señales de la maldición del pecado serán quitadas, y los fieles discípulos de Cristo aparecerán en "la hermosura de Jehová nuestro Dios", reflejando en espíritu, cuerpo y alma la imagen perfecta de su Señor. ¡Oh maravillosa redención, tan descrita y tan esperada, contemplada con anticipación febril, pero jamás enteramente comprendida!

Los justos vivos son mudados "en un momento, en un abrir de ojo". A la voz de Dios fueron glorificados; ahora son hechos inmortales, y juntamente con los santos resucitados son arrebatados para recibir a Cristo su Señor en los aires. Los ángeles "juntarán sus escogidos de los cuatro vientos, de un cabo del cielo hasta el otro". Santos ángeles llevan niñitos a los brazos de sus madres. Amigos, a quienes la muerte tenía separados desde largo tiempo, se reúnen para no separarse más, y con cantos de alegría suben juntos a la ciudad de Dios.

En cada lado del carro nebuloso hay alas, y debajo de ellas, ruedas vivientes; y mientras el carro asciende las ruedas gritan: "¡Santo!" y las alas, al moverse, gritan: "¡Santo!" y el cortejo de los ángeles exclama: "¡Santo, santo, santo, es el Señor Dios, el Todopoderoso!" Y los redimidos exclaman: ¡"Aleluya!" mientras el carro se adelanta hacia la nueva Jerusalén.

Antes de entrar en la ciudad de Dios, el Salvador confiere a sus discípulos los emblemas de la victoria, y los cubre con las insignias de su dignidad real. Las huestes resplandecientes son dispuestas en forma de un cuadrado hueco en derredor de su Rey, cuya majestuosa estatura sobrepasa en mucho a la de los santos y de los ángeles, y cuyo rostro irradia amor benigno sobre ellos. De un cabo a otro de la innumerable hueste de los redimidos, toda mirada está fija en él, todo ojo contempla la gloria de Aquel cuyo aspecto fue desfigurado "más que el de cualquier hombre, y su forma más que la de los hijos de Adán".

Sobre la cabeza de los vencedores, Jesús coloca con su propia diestra la corona de gloria. Cada cual recibe una corona que lleva su propio "nombre nuevo" (Apocalipsis 2: 17), y la inscripción: "Santidad a Jehová". A todos se les pone en la mano la palma de la victoria y el arpa brillante. Luego que los ángeles que mandan dan la nota, todas las manos tocan con maestría las cuerdas de las arpas, produciendo dulce música en ricos y melodiosos acordes. Dicha indecible estremece todos los corazones, y cada voz se eleva en alabanzas de agradeci-miento. "Al que nos amó, y nos lavó de nuestros pecados con su sangre, y nos hizo reyes y sacerdotes para Dios, su Padre; a él sea gloria e imperio por los siglos de los siglos" (Apocalipsis 1: 5, 6).

Delante de la multitud de los redimidos se encuentra la ciudad santa. Jesús abre ampliamente las puertas de perla, y entran por ellas las naciones que guardaron la verdad. Allí contemplan el paraíso de Dios, el hogar de Adán en su inocencia. Luego se oye aquella voz, más armoniosa que cualquier música que haya acariciado jamás el oído de los hombres, y que dice: "Vuestro conflicto ha terminado". "Venid, benditos de mi Padre, heredad el reino preparado para vosotros desde la fundación del mundo".

Entonces se cumple la oración del Salvador por sus discípulos: "Padre, aquellos que me has dado, quiero que donde yo estoy, también ellos estén conmigo". A aquellos a quienes rescató con su sangre, Cristo los presenta al Padre "delante de su gloria con gran alegría" (S. Judas 24), diciendo: "¡Heme aquí a mí, y a los hijos que me diste!" "A los que me diste, yo los guardé". ¡Oh maravillas del amor redentor! ¡Qué dicha aquella cuando el Padre eterno, al ver a los redimidos verá su imagen, ya desterrada la discordia del pecado y sus manchas quitadas, y a lo humano una vez más en armonía con lo divino!

Con amor inexpresable, Jesús admite a sus fieles "en el gozo de su Señor". El Salvador se regocija al ver en el reino de gloria las almas que fueron salvadas por su agonía y humillación. Y los redimidos participarán de este gozo, al contemplar entre los bienvenidos a aquellos a quienes ganaron para Cristo por sus oraciones, sus trabajos y sacrificios de amor. Al reunirse en torno del gran trono blanco, indecible alegría llenará sus corazones cuando noten a aquellos a quienes han conquistado para Cristo, y vean que uno ganó a otros, y éstos a otros más, para ser todos llevados al puerto de descanso donde depositarán sus coronas a los pies de Jesús y le alabarán durante los siglos sin fin de la eternidad.

Cuando se da la bienvenida a los redimidos en la ciudad de Dios, un grito triunfante de admiración llena los aires. Los dos Adanes están a punto de encontrarse. El Hijo de Dios está en pie con los brazos extendidos para recibir al padre de nuestra raza —al ser que él creó, que pecó contra su Hacedor, y por cuyo pecado el Salvador lleva las señales de la crucifixión. Al distinguir Adán las cruentas señales de los clavos, no se echa en los brazos de su Señor, sino que se prosterna humildemente a sus pies, exclamando: "¡Digno, digno es el Cordero que fue inmolado!" El Salvador lo levanta con ternura, y le invita a contemplar nuevamente la morada edénica de la cual ha estado desterrado por tanto tiempo.

Después de su expulsión del Edén, la vida de Adán en la tierra estuvo llena de pesar. Cada hoja marchita, cada víctima ofrecida en sacrificio, cada aja-miento en el hermoso aspecto de la naturaleza, cada mancha en la pureza del hombre, le volvían a recordar su pecado. Terrible fue la agonía del remordimiento cuando notó que aumentaba la iniquidad, y que en contestación a sus advertencias, se le tachaba de ser él mismo la causa del pecado. Con paciencia y humildad soportó, por cerca de mil años, el castigo de su transgresión. Se arrepintió sinceramente de su pecado y confió en los méritos del Salvador prometido, y murió en la esperanza de la resurrección. El Hijo de Dios reparó la culpa y caída del hombre, y ahora, merced a la obra de propiciación, Adán es restablecido a su primitiva soberanía.

Transportado de dicha, contempla los árboles que hicieron una vez su delicia —los mismos árboles cuyos frutos recogiera en los días de su inocencia y dicha. Ve las vides que sus propias manos cultivaron, las mismas flores que se gozaba en cuidar en otros tiempos. Su espíritu abarca toda la escena; comprende que éste es en verdad el Edén restaurado y que es mucho más hermoso ahora que cuando él fue expulsado. El Salvador le lleva al árbol de la vida, toma su fruto glorioso y se lo ofrece para comer. Adán mira en torno suyo y nota a una multitud de los redimidos de su familia que se encuentra en el paraíso de Dios. Entonces arroja su brillante corona a los pies de Jesús, y, cayendo sobre su pecho, abraza al Redentor. Toca luego el arpa de oro, y por las bóvedas del cielo repercute el canto triunfal: "¡Digno, digno, digno es el Cordero, que fue inmolado y volvió a vivir!" La familia de Adán repite los acordes y arroja sus coronas a los pies del Salvador, inclinándose ante él en adoración.

Presencian esta reunión los ángeles que lloraron por la caída de Adán y se regocijaron cuando Jesús, una vez resucitado, ascendió al cielo después de haber abierto el sepulcro para todos aquellos que creyesen en su nombre. Ahora contemplan el cumplimiento de la obra de redención y unen sus voces al cántico de alabanza.

Delante del trono, sobre el mar de cristal, —ese mar de vidrio que parece revuelto con fuego por lo mucho que resplandece con la gloria de Dios— hállase reunida la compañía de los que salieron victoriosos de "la bestia y su imagen, y su marca y el número de su nombre". Con el Cordero en el monte de Sion, teniendo "las arpas de Dios", están en pie los ciento cuarenta y cuatro mil que fueron redimidos de entre los hombres; se oye una voz, como el estruendo de muchas aguas y como el estruendo de un gran trueno, una "voz... como de arpistas que tocaban sus arpas". Cantan "un cántico nuevo" delante del trono, un cántico que nadie podía aprender sino aquellos ciento cuarenta y cuatro mil. Es el cántico de Moisés y del Cordero, un canto de liberación. Ninguno sino los ciento cuarenta y cuatro mil pueden aprender aquel cántico, pues es el cántico de su experiencia —una experiencia que ninguna otra compañía ha conocido jamás. "Estos son los que siguen al Cordero por dondequiera que va". Habiendo sido trasladados de la tierra, de entre los vivos, son contados por "primicias para Dios y para el Cordero" (Apocalipsis 15: 2, 3; 14: 1-5). "Estos son los que han salido de la gran tribulación", han pasado por el tiempo de angustia cual nunca ha sido desde que ha habido nación; han sentido la angustia del tiempo de la aflicción de Jacob; han estado sin intercesor durante el derramamiento final de los juicios de Dios. Pero han sido librados, pues "han lavado sus ropas, y las han emblanquecido en la sangre del Cordero". "En sus bocas no ha sido hallado engaño; están sin mácula" delante de Dios. "Por esto están delante del trono de Dios, y le sirven día y noche en su templo; y el que está sentado sobre el trono extenderá su tabernáculo sobre ellos" (Apocalipsis 7: 14, 15). Han visto la tierra asolada con hambre y pestilencia, el sol que tenía el poder de quemar a los hombres con un intenso calor, y ellos mismos han soportado padecimientos, hambre y sed. Pero "no tendrán hambre ni sed, y el sol no caerá más sobre ellos, ni calor alguno; porque el Cordero que está en medio del trono los pastoreará, y los guiará a fuentes de aguas de vida; y Dios enjugará toda lágrima de los ojos de ellos" (Apocalipsis 7: 14-17).

En todo tiempo, los elegidos del Señor fueron educados y disciplinados en la escuela de la prueba. Anduvieron en los senderos angostos de la tierra; fueron purificados en el horno de la aflicción. Por causa de Jesús sufrieron oposición, odio y calumnias. Le siguieron a través de luchas dolorosas; se negaron a sí mismos y experimentaron amargos desengaños. Por su propia dolorosa experiencia conocieron los males del pecado, su poder, la culpabilidad que entraña y su maldición; y lo miran con horror. Al darse cuenta de la magnitud del sacrificio hecho para curarlo, se sienten humillados ante sí mismos, y sus corazones se llenan de una gratitud y alabanza que no pueden apreciar los que nunca cayeron. Aman mucho porque se les ha perdonado mucho. Habiendo participado de los sufrimientos de Cristo, están en condición de participar de su gloria.

Los herederos de Dios han venido de buhardillas, chozas, cárceles, cadalsos, montañas, desiertos, cuevas de la tierra, y de las cavernas del mar. En la tierra fueron "pobres, angustiados, maltratados". Millones bajaron a la tumba cargados de infamia, porque se negaron terminantemente a ceder a las pretensiones engañosas de Satanás. Los tribunales humanos los sentenciaron como a los más viles criminales. Pero ahora "Dios es el juez" (Salmo 50: 6). Ahora los fallos de la tierra son invertidos. "Quitará la afrenta de su pueblo" (Isaías 25: 8). "Y les llamarán Pueblo Santo, Redimidos de Jehová". El ha dispuesto darles "gloria en lugar de ceniza, óleo de gozo en lugar de luto, manto de alegría en lugar del espíritu angustiado" (Isaías 62: 12; 61: 3). Ya no seguirán siendo débiles, afligidos, dispersos y oprimidos. De aquí en adelante estarán siempre con el Señor. Están ante el trono, más ricamente vestidos que jamás lo fueron los personajes más honrados de la tierra. Están coronados con diademas más gloriosas que las que jamás ciñeron los monarcas de la tierra. Pasaron para siempre los días de sufrimiento y llanto. El Rey de gloria ha secado las lágrimas de todos los semblantes; toda causa de pesar ha sido alejada. Mientras agitan las palmas, dejan oír un canto de alabanza, claro, dulce y armonioso; cada voz se une a la melodía, hasta que entre las bóvedas del cielo repercute el clamor: "La salvación pertenece a nuestro Dios que está sentado en el trono, y al Cordero". "Amén. La bendición y la gloria y la sabiduría y la acción de gracias y la honra y el poder y la fortaleza, sean a nuestro Dios por los siglos de los siglos" (Apocalipsis 7: 10, 12).

En esta vida podemos apenas empezar a comprender el tema maravilloso de la redención. Con nuestra inteligencia limitada podemos considerar con todo fervor la ignominia y la gloria, la vida y la muerte, la justicia y la misericordia que se tocan en la cruz; pero ni con la mayor tensión de nuestras facultades mentales llegamos a comprender todo su significado. La largura y anchura, la profundidad y altura del amor redentor se comprenden tan sólo confusamente. El plan de la redención no se entenderá por completo ni siquiera cuando los rescatados vean como serán vistos ellos mismos y conozcan como serán conocidos; pero a través de las edades sin fin, nuevas verdades se desplegarán continuamente ante la mente admirada y deleitada. Aunque las aflicciones, las penas y las tentaciones terrenales hayan concluido, y aunque la causa de ellas haya sido suprimida, el pueblo de Dios tendrá siempre un conocimiento claro e inteligente de lo que costó su salvación.

La cruz de Cristo será la ciencia y el canto de los redimidos durante toda la eternidad. En el Cristo glorificado, contemplarán al Cristo crucificado. Nunca olvidarán que Aquel cuyo poder creó los mundos innumerables y los sostiene a través de la inmensidad del espacio, el Amado de Dios, la Majestad del cielo, Aquel a quien los querubines y los serafines resplandecientes se deleitan en adorar —se humilló para levantar al hombre caído; que llevó la culpa y el oprobio del pecado, y sintió el ocultamiento del rostro de su Padre, hasta que la maldición de un mundo perdido quebrantó su corazón y le arrancó la vida en la cruz del Calvario. El hecho de que el Hacedor de todos los mundos, el Arbitro de todos los destinos, dejase su gloria y se humillase por amor al hombre, despertará eternamente la admiración y adoración del universo. Cuando las naciones de los salvos miren a su Redentor y vean brillar en su rostro la gloria eterna del Padre; cuando contemplen su trono, que es desde la eternidad hasta la eternidad, y sepan que su reino no tendrá fin, entonces prorrumpirán en un cántico de júbilo: "¡Digno, digno es el Cordero que fue inmolado, y nos ha redimido para Dios con su propia preciosísima sangre!"

El misterio de la cruz explica todos los demás misterios. A la luz que irradia del Calvario, los atributos de Dios que nos llenaban de temor respetuoso nos resultan hermosos y atractivos. Se ve que la misericordia, la compasión y el amor paternal se unen a la santidad, la justicia y el poder. Al mismo tiempo que contemplamos la majestad de su trono, tan grande y elevado, vemos su carácter en sus manifestaciones misericordiosas y comprendemos, como nunca antes, el significado del apelativo conmovedor: "Padre nuestro".

Se echará de ver que Aquel cuya sabiduría es infinita no hubiera podido idear otro plan para salvarnos que el del sacrificio de su Hijo. La compensación de este sacrificio es la dicha de poblar la tierra con seres rescatados, santos, felices e inmortales. El resultado de la lucha del Salvador contra las potestades de las tinieblas es la dicha de los redimidos, la cual contribuirá a la gloria de Dios por toda la eternidad. Y tal es el valor del alma, que el Padre está satisfecho con el precio pagado; y Cristo mismo, al considerar los resultados de su gran sacrificio, no lo está menos.

CAPITULO 42

¿Será Destruida la Tierra?

"PORQUE sus pecados han llegado hasta el cielo, y Dios se ha acordado de sus maldades... En el cáliz en que ella preparó bebida, preparadle a ella el doble. Cuanto ella se ha glorificado y ha vivido en deleites, tanto dadle de tormento y llanto; porque dice en su corazón: Yo estoy sentada como reina, y no soy viuda, y no veré llanto; por lo cual en un solo día vendrán sus plagas; muerte, llanto y hambre, y será quemada con fuego; porque poderoso es Dios el Señor, que la juzga. Y los reyes de la tierra que han fornicado con ella... llorarán y harán lamentación... diciendo: ¡Ay, ay, de la gran ciudad de Babilonia, la ciudad fuerte; porque en una hora vino su juicio!" (Apocalipsis 18: 5-10).

"Los mercaderes de la tierra" que "se han enriquecido de la potencia de sus deleites", "se pararán lejos por el temor de su tormento, llorando y lamentando, y diciendo: ¡Ay, ay, de la gran ciudad, que estaba vestida de lino fino, de púrpura y de escarlata, y estaba adornada de oro, de piedras preciosas y de perlas! Porque en una hora han sido consumidas tantas riquezas" (Apocalipsis 18: 3, 15-17).

Tales son los juicios que caen sobre Babilonia en el día de la ira de Dios. La gran ciudad ha llenado la medida de su iniquidad; ha llegado su hora; está madura para la destrucción.

Cuando la voz de Dios ponga fin al cautiverio de su pueblo, será terrible el despertar para los que lo hayan perdido todo en la gran lucha de la vida. Mientras duraba el tiempo de gracia, los cegaban los engaños de Satanás y disculpaban su vida de pecado. Los ricos se enorgullecían de su superioridad

570

con respecto a los menos favorecidos; pero habían logrado sus riquezas violando la ley de Dios. Habían dejado de dar de comer a los hambrientos, de vestir a los desnudos, de obrar con justicia, y de amar la misericordia. Habían tratado de enaltecerse y de obtener el homenaje de sus semejantes. Ahora están despojados de cuanto los hacía grandes, y quedan desprovistos de todo y sin defensa. Ven con terror la destrucción de los ídolos que prefirieron a su Creador. Vendieron sus almas por las riquezas y los placeres terrenales, y no procuraron hacerse ricos en Dios. El resultado es que sus vidas terminan en fracaso; sus placeres se cambian ahora en amargura y sus tesoros en corrupción. La ganancia de una vida entera les es arrebatada en un momento. Los ricos lamentan la destrucción de sus soberbias casas, la dispersión de su oro y de su plata. Pero sus lamentos son sofocados por el temor de que ellos mismos van a perecer con sus ídolos.

Los impíos están llenos de pesar, no por su indiferencia pecaminosa para con Dios y sus semejantes, sino porque Dios haya vencido. Lamentan el resultado obtenido; pero no se arrepienten de su maldad. Si pudiesen hacerlo, no dejarían de probar cualquier medio para vencer.

El mundo ve a aquellos mismos de quienes se burló y a quienes deseó exterminar, pasar sanos y salvos por entre pestilencias, tempestades y terremotos. El que es un fuego consumidor para los transgresores de su ley, es un seguro pabellón para su pueblo.

El ministro que sacrificó la verdad para ganar el favor de los hombres, discierne ahora el carácter e influencia de sus enseñanzas. Es aparente que un ojo omnisciente le seguía cuando estaba en el púlpito, cuando andaba por las calles, cuando se mezclaba con los hombres en las diferentes escenas de la vida. Cada emoción del alma, cada línea escrita, cada palabra pronunciada, cada acción encaminada a hacer descansar a los hombres en una falsa seguridad, fue una siembra; y ahora, en las almas miserables y perdidas que le rodean, él contempla la cosecha.

El Señor dice: "Curan la llaga de mi pueblo livianamente, diciendo: ¡Paz! ¡paz! cuando no hay paz". "Habéis entristecido el corazón del justo con vuestras mentiras, a quien yo no he entristecido, y habéis robustecido las manos del inicuo, para que no se vuelva de su mal camino, a fin de que tenga vida" (Jeremías 8: 11; Ezequiel 13: 22, VM).

"¡Ay de los pastores que destruyen y dispersan las ovejas de mi rebaño!... He aquí que yo castigo la maldad de vuestras obras". "Aullad, pastores, y clamad; revolcaos en el polvo, mayorales del rebaño; porque cumplidos son vuestros días para que seáis degollados y esparcidos,... Y se acabará la huida de los pastores, y el escape de los mayorales del rebaño" (Jeremías 23: 1, 2; 25: 34, 35).

Los ministros y el pueblo ven que no sostuvieron la debida relación con

571

Dios. Ven que se rebelaron contra el Autor de toda ley justa y recta. El rechazamiento de los preceptos divinos dio origen a miles de fuentes de mal, discordia, odio e iniquidad, hasta que la tierra se convirtió en un vasto campo de luchas, en un abismo de corrupción. Tal es el cuadro que se presenta ahora ante la vista de los que rechazaron la verdad y prefirieron el error. Ningún lenguaje puede expresar la vehemencia con que los desobedientes y desleales desean lo que perdieron para siempre: la vida eterna. Los hombres a quienes el mundo idolatró por sus talentos y elocuencia, ven ahora las cosas en su luz verdadera. Se dan cuenta de lo que perdieron por la transgresión, y caen a los pies de aquellos a quienes despreciaron y ridiculizaron a causa de su fidelidad, y confiesan que Dios los amaba.

Los hombres ven que fueron engañados. Se acusan unos a otros de haberse arrastrado mutuamente a la destrucción; pero todos concuerdan para abrumar a los ministros con la más amarga condenación. Los pastores infieles profetizaron cosas lisonjeras; indujeron a sus oyentes a menospreciar la ley de Dios y a perseguir a los que querían santificarla. Ahora, en su desesperación, estos maestros confiesan ante el mundo su obra de engaño. Las multitudes se llenan de furor. "¡Estamos perdidos! —exclaman—, y vosotros sois causa de nuestra perdición"; y se vuelven contra los falsos pastores. Precisamente aquellos que más los admiraban en otros tiempos pronunciarán contra ellos las más terribles maldiciones. Las manos mismas que los coronaron con laureles se levantarán para aniquilarlos. Las espadas que debían servir para destruir al pueblo de Dios se emplean ahora para matar a sus enemigos. Por todas partes hay luchas y derramamiento de sangre.

"Llegará el estruendo hasta el fin de la tierra, porque Jehová tiene juicio contra las naciones; él es el Juez de toda carne; entregará los impíos a espada" (Jeremías 25: 31). El gran conflicto siguió su curso durante seis mil años; el Hijo de Dios y sus mensajeros celestiales lucharon contra el poder del maligno, para iluminar y salvar a los hijos de los hombres. Ahora todos han tomado su resolución; los impíos se han unido enteramente a Satanás en su guerra contra Dios. Ha llegado el momento en que Dios ha de vindicar la autoridad de su ley pisoteada. Ahora el conflicto no se desarrolla tan sólo contra Satanás, sino también contra los hombres. "Jehová tiene juicio contra las naciones"; "entregará los impíos a espada".

La marca de la redención ha sido puesta sobre los "que gimen y se angustian a causa de todas las abominaciones que se hacen". Ahora sale el ángel de la muerte representado en la visión de Ezequiel por los hombres armados con instrumentos de destrucción, y a quienes se les manda: "Matad a viejos, jóvenes y vírgenes, niños y mujeres, hasta que no quede ninguno; pero a todo aquel sobre el cual hubiere señal, no os acerquéis; y comenzaréis por mi santuario". Dice el profeta: "Comenzaron, pues, desde los varones ancianos que estaban delante del templo" (Ezequiel 9: 1-6). La obra de destrucción empieza entre los que profesaron ser guardianes espirituales del pueblo. Los falsos centinelas caen los primeros. De nadie se tendrá piedad y ninguno escapará. Hombres, mujeres, doncellas, y niños perecerán juntos.

"Porque he aquí que Jehová sale de su lugar para castigar al morador de la tierra por su maldad contra él; y la tierra descubrirá la sangre derramada sobre ella, y no encubrirá ya más a sus muertos" (Isaías 26: 21). "Y esta será la plaga con que herirá Jehová a todos los pueblos que pelearon contra Jerusalén: la carne de ellos se corromperá estando ellos sobre sus pies, y se consumirán en las cuencas sus ojos, y la lengua se les deshará en su boca. Y acontecerá en aquel día que habrá entre ellos gran pánico enviado por Jehová; y trabará cada uno de la mano de su compañero, y levantará su mano contra la mano de su compañero" (Zacarías 14: 12, 13). En la loca lucha de sus propias desenfrenadas pasiones y debido al terrible derramamiento de la ira de Dios sin mezcla de piedad, caen los impíos habitantes de la tierra: sacerdotes, gobernantes y el pueblo en general, ricos y pobres, grandes y pequeños. "Y los muertos por Jehová en aquel día estarán tendidos de cabo a cabo de la tierra: no serán llorados, ni recogidos, ni enterrados" (Jeremías 25: 33, VM).

A la venida de Cristo los impíos serán borrados de la superficie de la tierra, consumidos por el espíritu de su boca y destruidos por el resplandor de su gloria. Cristo lleva a su pueblo a la ciudad de Dios, y la tierra queda privada de sus habitantes. "He aquí que Jehová vacía la tierra y la desnuda, y trastorna su faz, y hace esparcir a sus moradores". "La tierra será enteramente vaciada, y completamente saqueada; porque Jehová ha pronunciado esta palabra". "Porque traspasaron las leyes, falsearon el derecho, quebrantaron el pacto sempiterno. Por esta causa la maldición consumió la tierra, y sus moradores fueron asolados; por esta causa fueron consumidos los habitantes de la tierra" (Isaías 24: 1, 3, 5, 6).

Toda la tierra tiene el aspecto desolado de un desierto. Las ruinas de las ciudades y aldeas destruidas por el terremoto, los árboles desarraigados, las rocas escabrosas arrojadas por el mar o arrancadas de la misma tierra, están esparcidas por la superficie de ésta, al paso que grandes cuevas señalan el sitio donde las montañas fueron rasgadas desde sus cimientos.

Ahora se realiza el acontecimiento predicho por el último solemne servicio del día de las expiaciones. Una vez terminado el servicio que se cumplía en el lugar santísimo, y cuando los pecados de Israel habían sido quitados del santuario por virtud de la sangre del sacrificio por el pecado, entonces el macho cabrío emisario era ofrecido vivo ante el Señor; y en presencia de la congregación el sumo sacerdote confesaba sobre él "todas las iniquidades de los hijos de Israel, todas sus rebeliones y todos sus pecados, poniéndolos así sobre la cabeza del macho cabrío" (Levítico 16: 21). Asimismo, cuando el servicio de propiciación haya terminado en el santuario celestial, entonces, en presencia de Dios y de los santos ángeles y de la hueste de los redimidos, los pecados del pueblo de Dios serán puestos sobre Satanás; se le declarará culpable de todo el mal que les ha hecho cometer. Y así como el macho cabrío emisario era despachado a un lugar desierto, así también Satanás será desterrado en la tierra desolada, sin habitantes y convertida en un desierto horroroso.

El autor del Apocalipsis predice el destierro de Satanás y el estado caótico y de desolación a que será reducida la tierra; y declara que este estado de cosas subsistirá por mil años. Después de descritas las escenas de la segunda venida del Señor y la destrucción de los impíos, la profecía prosigue: "Vi a un ángel que descendía del cielo, con la llave del abismo, y una gran cadena en la mano. Y prendió al dragón, la serpiente antigua, que es el diablo y Satanás, y lo ató por mil años; y lo arrojó al abismo, y lo encerró y puso su sello sobre él, para que no engañase más a las naciones, hasta que fuesen cumplidos mil años; y después de esto debe ser desatado por un poco de tiempo" (Apocalipsis 20: 1-3).

Según se desprende de otros pasajes bíblicos, es de toda evidencia que la expresión "abismo" se refiere a la tierra en estado de confusión y tinieblas. Respecto a la condición de la tierra "en el principio", la narración bíblica dice que "estaba desordenada y vacía, y las tinieblas estaban sobre la faz del abismo" (Génesis 1: 2). Las profecías enseñan que será reducida, en parte por lo menos, a ese estado. Contemplando a través de los siglos el gran día de Dios, el profeta Jeremías dice: "Miré a la tierra, y he aquí que estaba asolada y vacía; y a los cielos, y no había en ellos luz. Miré a los montes, y he aquí que temblaban, y todos los collados fueron destruidos. Miré, y no había hombre, y todas las aves del cielo se habían ido. Miré, y he aquí el campo fértil era un desierto, y todas sus ciudades eran asoladas" (Jeremías 4: 23-26).

Aquí es donde, Satanás con sus ángeles malos, hará su morada durante mil años. Limitado a la tierra, no podrá ir a otros mundos para tentar e incomodar a los que nunca cayeron. Es en este sentido en que está atado: no queda nadie en quien pueda ejercer su poder. Le es del todo imposible seguir en la obra de engaño y ruina que por tantos siglos fue su único deleite.

El profeta Isaías, mirando hacia lo por venir, ve en lontananza el tiempo en que Satanás será derrocado, y exclama: "¡Cómo caíste de los cielos, oh Lucero, hijo de la aurora! ¡has sido derribado por tierra, tú que abatiste las naciones!... Tú eres aquel que dijiste en tu corazón: ¡Al cielo subiré; sobre las estrellas de Dios ensalzaré mi trono!" "¡Seré semejante al Altísimo! ¡Pero ciertamente al infierno serás abatido, a los lados del hoyo! Los que te vieren clavarán en ti la vista, y de ti se cerciorarán, diciendo: ¿Es éste el varón que hizo temblar la tierra, que sacudió los reinos; que convirtió el mundo en un desierto, y destruyó sus ciudades; y *a sus prisioneros nunca los soltaba, para que volviesen a casa?*" (Isaías 14: 12-17, VM).

Satanás, solitario durante el milenio, vaga de lugar en lugar por una tierra destruida en la segunda venida de Cristo.

JOHN STEEL © PPPA

EL TRIUNFO DEL AMOR DE DIOS

Durante seis mil años, la obra de rebelión de Satanás "hizo temblar la tierra". El convirtió el mundo en un desierto, y destruyó sus ciudades; y a sus prisioneros nunca los soltaba, para que volviesen a casa". Durante seis mil años, su prisión [la tumba] ha recibido al pueblo de Dios, y lo habría tenido cautivo para siempre, si Cristo no hubiese roto sus cadenas y libertado a los que tenía presos.

Hasta los malos se encuentran ahora fuera del poder de Satanás; y queda solo con sus perversos ángeles para darse cuenta de los efectos de la maldición originada por el pecado. "Los reyes de las naciones, sí, todos ellos yacen con gloria cada cual en su propia casa [el sepulcro]; ¡mas tú, arrojado estás fuera de tu sepulcro, como un retoño despreciado!... No serás unido con ellos en sepultura; porque has destruido tu tierra, has hecho perecer a tu pueblo" (vers. 18-20).

Durante mil años, Satanás andará errante de un lado para otro en la tierra desolada, considerando los resultados de su rebelión contra la ley de Dios. Durante este tiempo, padece intensamente. Desde su caída, su vida de actividad continua sofocó en él la reflexión; pero ahora, despojado de su poder, no puede menos que contemplar el papel que desempeñó desde que se rebeló por primera vez contra el gobierno del cielo, mientras que, tembloroso y aterrorizado, espera el terrible porvenir en que habrá de expiar todo el mal que ha hecho y ser castigado por los pecados que ha hecho cometer.

Para el pueblo de Dios, el cautiverio en que se verá Satanás será motivo de contento y alegría. El profeta dice: "Y acontecerá en el día que te haga descansar Jehová de tus penas y de tu aflicción, y de la dura servidumbre con que te han hecho servir; que entonarás este cántico triunfal respecto del rey de Babilonia [que aquí representa a Satanás], y dirás: ¡Cómo ha cesado de sus vejaciones el opresor!... Jehová ha hecho pedazos la vara de los inicuos, el cetro de los que tenían el dominio; el cual hería los pueblos en saña, con golpe incesante, y hollaba las naciones en ira, con persecución desenfrenada" (vers. 3-6).

Durante los mil años que transcurrirán entre la primera resurrección y la segunda, se verificará el juicio de los impíos. El apóstol Pablo señala este juicio como un acontecimiento que sigue al segundo advenimiento. "No juzguéis nada antes de tiempo, hasta que venga el Señor, el cual aclarará también lo oculto de las tinieblas, y manifestará las intenciones de los corazones" (1 Corintios 4: 5). Daniel declara que cuando vino el Anciano de días, "se dio el juicio a los santos del Altísimo" (Daniel 7: 22). En ese entonces reinarán los justos como reyes y sacerdotes de Dios. San Juan dice en el Apocalipsis: "Vi tronos, y se sentaron sobre ellos los que recibieron facultad de juzgar". "Serán sacerdotes de Dios y de Cristo, y reinarán con él mil años" (Apocalipsis 20: 4, 6). Entonces será cuando, como está predicho por San Pablo "los santos han de juzgar al mundo"

(1 Corintios 6: 2). Junto con Cristo juzgan a los impíos, comparando sus actos con el libro de la ley, la Biblia, y fallando cada caso en conformidad con los actos que cometieron por medio de su cuerpo. Entonces lo que los malos tienen que sufrir es medido según sus obras, y queda anotado frente a sus nombres en el libro de la muerte.

También Satanás y los ángeles malos son juzgados por Cristo y su pueblo. San Pablo dice: "¿No sabéis que hemos de juzgar a los ángeles?" (vers. 3). Y San Judas declara que "a los ángeles que no guardaron su dignidad, sino que abandonaron su propia morada, los ha guardado bajo oscuridad, en prisiones eternas, para el juicio del gran día" (S. Judas 6).

Al fin de los mil años vendrá la segunda resurrección. Entonces los impíos serán resucitados, y comparecerán ante Dios para la ejecución del "juicio decretado". Así el escritor del Apocalipsis, después de haber descrito la resurrección de los justos, dice: "Los otros muertos no volvieron a vivir hasta que se cumplieron mil años" (Apocalipsis 20: 5). E Isaías declara, con respecto a los impíos: "Serán juntados como se juntan los presos en el calabozo, y estarán encerrados en la cárcel; y *después de muchos días serán sacados al suplicio*" (Isaías 24: 22, VM).

CAPITULO 43

El Glorioso Triunfo Final

AL FIN de los mil años, Cristo regresa otra vez a la tierra. Le acompaña la hueste de los redimidos, y le sigue una comitiva de ángeles. Al descender en majestad aterradora, manda a los muertos impíos que resuciten para recibir su condenación. Se levanta su gran ejército, innumerable como la arena del mar. ¡Qué contraste entre ellos y los que resucitaron en la primera resurrección! Los justos estaban revestidos de juventud y belleza inmortales. Los impíos llevan las huellas de la enfermedad y de la muerte.

Todas las miradas de esa inmensa multitud se vuelven para contemplar la gloria del Hijo de Dios. A una voz las huestes de los impíos exclaman: "¡Bendito el que viene en el nombre del Señor!" No es el amor a Jesús lo que les inspira esta exclamación, sino que el poder de la verdad arranca esas palabras de sus labios. Los impíos salen de sus tumbas tales como a ellas bajaron, con la misma enemistad hacia Cristo y el mismo espíritu de rebelión. No disponen de un nuevo tiempo de gracia para remediar los defectos de su vida pasada, pues de nada les serviría. Toda una vida de pecado no ablandó sus corazones. De serles concedido un segundo tiempo de gracia, lo emplearían como el primero, eludiendo las exigencias de Dios e incitándose a la rebelión contra él.

Cristo baja en el monte de los Olivos, de donde ascendió después de su resurrección, y donde los ángeles repitieron la promesa de su regreso. El profeta dice: "Vendrá Jehová mi Dios, y con él todos los santos". "Y se afirmarán sus pies en aquel día sobre el monte de los Olivos, que está en frente de Jerusalén al oriente; y el monte de los Olivos se partirá por en medio... haciendo un valle muy grande". "Y Jehová será rey sobre toda la tierra. En aquel día Jehová será uno, y uno su nombre" (Zacarías 14: 5, 4, 9). La nueva Jerusalén, descendiendo del cielo en su deslumbrante esplendor, se asienta en el lugar purificado y

579

La tierra nueva prometida por Cristo a todos los que le acepten como Señor y Salvador, sobrepasará en gran manera los más caros sueños del hombre.

HARRY ANDERSON © PPPA

preparado para recibirla, y Cristo, su pueblo y los ángeles, entran en la santa ciudad.

Entonces Satanás se prepara para la última tremenda lucha por la supremacía. Mientras estaba despojado de su poder e imposibilitado para hacer su obra de engaño, el príncipe del mal se sentía abatido y desgraciado; pero cuando resucitan los impíos y ve las grandes multitudes que tiene al lado suyo, sus esperanzas reviven y resuelve no rendirse en el gran conflicto. Alistará bajo su bandera a todos los ejércitos de los perdidos y por medio de ellos tratará de ejecutar sus planes. Los impíos son sus cautivos. Al rechazar a Cristo aceptaron la autoridad del jefe de los rebeldes. Están listos para aceptar sus sugestiones y ejecutar sus órdenes. No obstante, fiel a su antigua astucia, no se da a conocer como Satanás. Pretende ser el príncipe que tiene derecho a la posesión de la tierra y cuya herencia le ha sido arrebatada injustamente. Se presenta ante sus súbditos engañados como redentor, asegurándoles que su poder los ha sacado de sus tumbas y que está a punto de librarlos de la más cruel tiranía. Habiendo desaparecido Cristo, Satanás obra milagros para sostener sus pretensiones. Fortalece a los débiles y a todos les infunde su propio espíritu y energía. Propone dirigirlos contra el real de los santos y tomar posesión de la ciudad de Dios. En un arrebato belicoso señala los innumerables millones que han sido resucitados de entre los muertos, y declara que como jefe de ellos es muy capaz de destruir la ciudad y recuperar su trono y su reino.

Entre aquella inmensa muchedumbre se cuentan numerosos representantes de la raza longeva que existía antes del diluvio; hombres de estatura elevada y de capacidad intelectual gigantesca, que habiendo cedido al dominio de los ángeles caídos, consagraron toda su habilidad y todos sus conocimientos a la exaltación de sí mismos; hombres cuyas obras artísticas maravillosas hicieron que el mundo idolatrase su genio, pero cuya crueldad y malos ardides mancillaron la tierra y borraron la imagen de Dios, de suerte que el Creador los hubo de raer de la superficie de la tierra. Allí hay reyes y generales que conquistaron naciones, hombres valientes que nunca perdieron una batalla, guerreros soberbios y ambiciosos cuya venida hacía temblar reinos. La muerte no los cambió. Al salir de la tumba, reasumen el curso de sus pensamientos en el punto mismo en que lo dejaran. Se levantan animados por el mismo deseo de conquista que los dominaba cuando cayeron.

Satanás consulta con sus ángeles, y luego con esos reyes, conquistadores y hombres poderosos. Consideran la fuerza y el número de los suyos, y declaran que el ejército que está dentro de la ciudad es pequeño, comparado con el de ellos, y que se lo puede vencer. Preparan sus planes para apoderarse de las riquezas y gloria de la nueva Jerusalén. En el acto todos se disponen para la batalla. Hábiles artífices fabrican armas de guerra. Renombrados caudillos organizan en compañías y divisiones las muchedumbres de guerreros.

Al fin se da la orden de marcha, y las huestes innumerables se ponen en movimiento —un ejército cual no fue jamás reunido por conquistadores terrenales ni podría ser igualado por las fuerzas combinadas de todas las edades desde que empezaron las guerras en la tierra. Satanás, el más poderoso guerrero, marcha al frente, y sus ángeles unen sus fuerzas para esta batalla final. Hay reyes y guerreros en su comitiva, y las multitudes siguen en grandes compañías, cada cual bajo su correspondiente jefe. Con precisión militar las columnas cerradas avanzan sobre la superficie desgarrada y escabrosa de la tierra hacia la ciudad de Dios. Por orden de Jesús, se cierran las puertas de la nueva Jerusalén, y los ejércitos de Satanás circundan la ciudad y se preparan para el asalto.

Entonces Cristo reaparece a la vista de sus enemigos. Muy por encima de la ciudad, sobre un fundamento de oro bruñido, hay un trono alto y encumbrado. En el trono está sentado el Hijo de Dios, y en torno suyo están los súbditos de su reino. Ningún lenguaje, ninguna pluma pueden expresar ni describir el poder y la majestad de Cristo. La gloria del Padre Eterno envuelve a su Hijo. El esplendor de su presencia llena la ciudad de Dios, rebosando más allá de las puertas e inundando toda la tierra con su brillo.

Inmediatos al trono se encuentran los que fueron alguna vez celosos en la causa de Satanás, pero que, cual tizones arrancados del fuego, siguieron luego a su Salvador con profunda e intensa devoción. Vienen después los que perfeccionaron su carácter cristiano en medio de la mentira y de la incredulidad, los que honraron la ley de Dios cuando el mundo cristiano la declaró abolida, y los millones de todas las edades que fueron martirizados por su fe. Y más allá está la "gran multitud, la cual nadie podía contar, de todas naciones y tribus y pueblos y lenguas,... delante del trono y en presencia del Cordero, vestidos de ropas blancas, y con palmas en las manos" (Apocalipsis 7: 9). Su lucha terminó; ganaron la victoria. Disputaron el premio de la carrera y lo alcanzaron. La palma que llevan en la mano es símbolo de su triunfo, la vestidura blanca, emblema de la justicia perfecta de Cristo que es ahora de ellos.

Los redimidos entonan un canto de alabanza que se extiende y repercute por las bóvedas del cielo: "La salvación pertenece a nuestro Dios que está sentado en el trono, y al Cordero" (vers. 10). Angeles y serafines unen sus voces en adoración. Al ver los redimidos el poder y la malignidad de Satanás, han comprendido, como nunca antes, que ningún poder fuera del de Cristo habría podido hacerlos vencedores. Entre toda esa muchedumbre ni uno se atribuye a sí mismo la salvación, como si hubiese prevalecido con su propio poder y su bondad. Nada se dice de lo que han hecho o sufrido, sino que el tema de cada canto, la nota dominante de cada antífona es: Salvación a nuestro Dios y al Cordero.

En presencia de los habitantes de la tierra y del cielo reunidos, se efectúa la coronación final del Hijo de Dios. Y entonces, revestido de suprema majestad

EL TRIUNFO DEL AMOR DE DIOS

y poder, el Rey de reyes falla el juicio de aquellos que se rebelaron contra su gobierno, y ejecuta justicia contra los que transgredieron su ley y oprimieron a su pueblo. El profeta de Dios dice: "Y vi un gran trono blanco y al que estaba sentado en él, de delante del cual huyeron la tierra y el cielo, y ningún lugar se encontró para ellos. Y vi a los muertos, grandes y pequeños, de pie ante Dios; y los libros fueron abiertos, y otro libro abierto, el cual es el libro de la vida; y fueron juzgados los muertos por las cosas que estaban escritas en los libros, según sus obras" (Apocalipsis 20: 11, 12).

Apenas se abren los registros, y la mirada de Jesús se dirige hacia los impíos, éstos se vuelven conscientes de todos los pecados que cometieron. Reconocen exactamente el lugar donde sus pies se apartaron del sendero de la pureza y de la santidad, y cuán lejos el orgullo y la rebelión los han llevado en el camino de la transgresión de la ley de Dios. Las tentaciones seductoras que ellos fomentaron cediendo al pecado, las bendiciones que pervirtieron, su desprecio de los mensajeros de Dios, los avisos rechazados, la oposición de corazones obstinados y sin arrepentimiento —todo eso sale a relucir como si estuviese escrito con letras de fuego.

Por encima del trono se destaca la cruz; y como en vista panorámica aparecen las escenas de la tentación, la caída de Adán y las fases sucesivas del gran plan de redención. El humilde nacimiento del Salvador; su juventud pasada en la sencillez y en la obediencia; su bautismo en el Jordán; el ayuno y la tentación en el desierto; su ministerio público, que reveló a los hombres las bendiciones más preciosas del cielo; los días repletos de obras de amor y misericordia, y las noches pasadas en oración y vigilia en la soledad de los montes; las conspiraciones de la envidia, del odio y de la malicia con que se recompensaron sus beneficios; la terrible y misteriosa agonía en Getsemaní, bajo el peso anonadador de los pecados de todo el mundo; la traición que le entregó en manos de la turba asesina; los terribles acontecimientos de esa noche de horror —el preso resignado y olvidado de sus discípulos más amados, arrastrado brutalmente por las calles de Jerusalén; el hijo de Dios presentado con visos de triunfo ante Anás, obligado a comparecer en el palacio del sumo sacerdote, en el pretorio de Pilato, ante el cobarde y cruel Herodes; ridiculizado, insultado, atormentado y condenado a muerte— todo eso está representado a lo vivo.

Luego, ante las multitudes agitadas, se reproducen las escenas finales: el paciente Varón de dolores pisando el sendero del Calvario; el Príncipe del cielo colgado de la cruz; los sacerdotes altaneros y el populacho escarnecedor ridiculizando la agonía de su muerte; la oscuridad sobrenatural; el temblor de la tierra, las rocas destrozadas y los sepulcros abiertos que señalaron el momento en que expiró el Redentor del mundo.

La escena terrible se presenta con toda exactitud. Satanás, sus ángeles y sus súbditos no pueden apartar los ojos del cuadro que representa su propia obra. Cada actor recuerda el papel que desempeñó. Herodes, el que mató a los niños inocentes de Belén para hacer morir al Rey de Israel; la innoble Herodías, sobre cuya conciencia pesa la sangre de Juan el Bautista; el débil Pilato, esclavo de las circunstancias; los soldados escarnecedores; los sacerdotes y gobernantes, y la muchedumbre enloquecida que gritaba: "¡Recaiga su sangre sobre nosotros, y sobre nuestros hijos!" —todos contemplan la enormidad de su culpa. En vano procuran esconderse ante la divina majestad de su presencia que sobrepuja el resplandor del sol, mientras que los redimidos echan sus coronas a los pies del Salvador, exclamando: "¡El murió por mí!"

Entre la multitud de los rescatados están los apóstoles de Cristo, el heroico Pablo, el ardiente Pedro, el amado y amoroso Juan y sus hermanos de corazón leal, y con ellos la inmensa hueste de los mártires; mientras que fuera de los muros, con todo lo que es vil y abominable, se encuentran aquellos que los persiguieron, encarcelaron y mataron. Allí está Nerón, monstruo de crueldad y de vicios, y puede ver la alegría y el triunfo de aquellos a quienes torturó, y cuya dolorosa angustia le proporcionara deleite satánico. Su madre está allí para ser testigo de los resultados de su propia obra; para ver cómo los malos rasgos de carácter transmitidos a su hijo y las pasiones fomentadas y desarrolladas por la influencia y el ejemplo de ella, produjeron crímenes que horrorizaron al mundo.

Allí hay sacerdotes y prelados papistas, que dijeron ser los embajadores de Cristo y que no obstante emplearon instrumentos de suplicio, calabozos y hogueras para dominar las conciencias de su pueblo. Allí están los orgullosos

pontífices que se ensalzaron por encima de Dios y que pretendieron alterar la ley del Altísimo. Aquellos así llamados padres de la iglesia tienen que rendir a Dios una cuenta de la que bien quisieran librarse. Demasiado tarde ven que el Omnisciente es celoso de su ley y que no tendrá por inocente al culpable de violarla. Comprenden entonces que Cristo identifica sus intereses con los de su pueblo perseguido, y sienten la fuerza de sus propias palabras: "En cuanto lo hicisteis a uno de estos mis hermanos más pequeños, a mí lo hicisteis" (S. Mateo 25: 40).

Todos los impíos del mundo están de pie ante el tribunal de Dios, acusados de alta traición contra el gobierno del cielo. No hay quien sostenga ni defienda la causa de ellos; no tienen disculpa; y se pronuncia contra ellos la sentencia de la muerte eterna.

Es entonces evidente para todos que el salario del pecado no es la noble independencia y la vida eterna, sino la esclavitud, la ruina y la muerte. Los impíos ven lo que perdieron con su vida de rebeldía. Despreciaron el maravilloso don de eterna gloria cuando les fue ofrecido; pero ¡cuán deseable no les parece ahora! "Todo eso —exclama el alma perdida— yo habría podido poseerlo; pero preferí rechazarlo. ¡Oh sorprendente infatuación! He cambiado la paz, la dicha y el honor por la miseria, la infamia y la desesperación". Todos ven que su exclusión del cielo es justa. Por sus vidas, declararon: "No queremos que este Jesús reine sobre nosotros".

Como fuera de sí, los impíos han contemplado la coronación del Hijo de Dios. Ven en las manos de él las tablas de la ley divina, los estatutos que ellos despreciaron y transgredieron. Son testigos de la explosión de admiración, arrobamiento y adoración de los redimidos; y cuando las ondas de melodía inundan a las multitudes fuera de la ciudad, todos exclaman a una voz: "Grandes y maravillosas son tus obras, Señor Dios Todopoderoso; justos y verdaderos son tus caminos, Rey de los santos" (Apocalipsis 15: 3). Y cayendo prosternados, adoran al Príncipe de la vida.

Satanás parece paralizado al contemplar la gloria y majestad de Cristo. El que en otro tiempo fuera uno de los querubines cubridores recuerda de dónde cayó. El, que fuera serafín resplandeciente, "hijo de la aurora", ¡cuán cambiado se ve, y cuán degradado! Está excluido para siempre del consejo en que antes se le honraba. Ve ahora a otro que, junto al Padre, vela su gloria. Ha visto la corona colocada sobre la cabeza de Cristo por un ángel de elevada estatura y majestuoso continente, y sabe que la posición exaltada que ocupa este ángel habría podido ser la suya.

Recuerda la mansión de su inocencia y pureza, la paz y el contentamiento de que gozaba hasta que se entregó a murmurar contra Dios y a envidiar a Cristo. Sus acusaciones, su rebelión, sus engaños para captarse la simpatía y la ayuda de los ángeles, su porfía en no hacer esfuerzo alguno para reponerse cuando Dios le hubiera perdonado —todo eso se le presenta a lo vivo. Echa una mirada retrospectiva sobre la obra que realizó entre los hombres y sobre sus resultados: la enemistad del hombre para con sus semejantes, la terrible destrucción de vidas, el ascenso y la caída de los reinos, el derrocamiento de tronos, la larga serie de tumultos, conflictos y revoluciones. Recuerda los esfuerzos constantes que hizo para oponerse a la obra de Cristo y para hundir a los hombres en degradación siempre mayor. Ve que sus conspiraciones infernales no pudieron acabar con los que pusieron su confianza en Jesús. Al considerar Satanás su reino y los frutos de sus esfuerzos, sólo ve fracaso y ruina. Ha inducido a las multitudes a creer que la ciudad de Dios sería fácil presa; pero ahora ve que eso es falso. Una y otra vez, en el curso de la gran controversia, ha sido derrotado y obligado a rendirse. De sobra conoce el poder y la majestad del Eterno.

El propósito del gran rebelde consistió siempre en justificarse, y en hacer aparecer al gobierno de Dios como responsable de la rebelión. A ese fin dedicó todo el poder de su gigantesca inteligencia. Obró deliberada y sistemáticamente, y con éxito maravilloso, para inducir a inmensas multitudes a que aceptaran su versión del gran conflicto que ha estado desarrollándose por tanto tiempo. Durante miles de años este jefe de conspiraciones hizo pasar la mentira por verdad. Pero dejó el momento en que la rebelión debe ser sofocada finalmente y puestos en evidencia la historia y el carácter de Satanás. El archiengañador ha sido desenmascarado por completo en su último gran esfuerzo para destronar a Cristo, destruir a su pueblo y apoderarse de la ciudad de Dios. Los que se han unido a él, se dan cuenta del fracaso total de su causa. Los discípulos de Cristo y los ángeles leales contemplan en toda su extensión las maquinaciones de Satanás contra el gobierno de Dios. Ahora se vuelve objeto de execración universal.

Satanás ve que su rebelión voluntaria le incapacitó para el cielo. Ejercitó su poder guerreando contra Dios; la pureza, la paz y la armonía del cielo serían para él suprema tortura. Sus acusaciones contra la misericordia y justicia de Dios están ya acalladas. Los vituperios que procuró lanzar contra Jehová recaen enteramente sobre él. Y ahora Satanás se inclina y reconoce la justicia de su sentencia.

"¿Quién no te temerá, oh Señor, y glorificará tu nombre? pues sólo tú eres santo; por lo cual todas las naciones vendrán y te adorarán, porque tus juicios se han manifestado" (vers. 4). Toda cuestión de verdad y error en la controversia que tanto ha durado, ha quedado aclarada. Los resultados de la rebelión y del apartamiento de los estatutos divinos han sido puestos a la vista de todos los seres inteligentes creados. El desarrollo del gobierno de Satanás en contraste con el de Dios, ha sido presentado a todo el universo. Satanás ha sido condenado por sus propias obras. La sabiduría de Dios, su justicia y su bondad quedan por completo reivindicadas. Queda también comprobado que todos sus actos en el gran conflicto fueron ejecutados de acuerdo con el bien eterno de su pueblo y el bien de todos los mundos que creó. "Te alaben, oh Jehová, todas tus obras, y tus santos te bendigan" (Salmo 145: 10). La historia del pecado atestiguará durante toda la eternidad que con la existencia de la ley de Dios se vincula la dicha de todos los seres creados por él. En vista de todos los hechos del gran conflicto, todo el universo, tanto los justos como los rebeldes, declaran al unísono: "¡Justos y verdaderos son tus caminos, oh Rey de los siglos!"

El universo entero contempló el gran sacrificio hecho por el Padre y el Hijo en beneficio del hombre. Ha llegado la hora en que Cristo ocupa el puesto a que tiene derecho, y es exaltado sobre los principados y potestades, y sobre todo nombre que se nombra. A fin de alcanzar el gozo que le fuera propuesto —el de llevar muchos hijos a la gloria— sufrió la cruz y menospreció la vergüenza. Y por inconcebiblemente grandes que fuesen el dolor y el oprobio, mayores aún son la dicha y la gloria. Echa una mirada hacia los redimidos, transformados a su propia imagen, y cuyos corazones llevan el sello perfecto de lo divino y cuyas caras reflejan la semejanza de su Rey. Contempla en ellos el resultado de las angustias de su alma, y está satisfecho. Luego, con voz que llega hasta las multitudes reunidas de los justos y de los impíos, exclama: "¡Contemplad el rescate de mi sangre! Por éstos sufrí, por éstos morí, para que pudiesen permanecer en mi presencia a través de las edades eternas". Y de entre los revestidos con túnicas blancas en torno del trono, asciende el canto de alabanza: "El Cordero que fue inmolado es digno de tomar el poder, las riquezas, la sabiduría, la fortaleza, la honra, la gloria y la alabanza" (Apocalipsis 5: 12).

A pesar de que Satanás se ha visto obligado a reconocer la justicia de Dios, y a inclinarse ante la supremacía de Cristo, su carácter sigue siendo el mismo. El espíritu de rebelión, cual poderoso torrente, vuelve a estallar. Lleno de frenesí, determina no cejar en el gran conflicto. Ha llegado la hora de intentar un último y desesperado esfuerzo contra el Rey del cielo. Se lanza en medio de sus súbditos, y trata de inspirarlos con su propio furor y de moverlos a dar inmediata batalla. Pero entre todos los innumerables millones a quienes indujo engañosamente a la rebelión, no hay ahora ninguno que reconozca su supremacía. Su poder ha concluido. Los impíos están llenos del mismo odio contra Dios que el que inspira a Satanás; pero ven que su caso es desesperado, que no pueden prevalecer contra Jehová. Se enardecen contra Satanás y contra los que fueron sus agentes para engañar, y con furia demoníaca se vuelven contra ellos.

Dice el Señor: "Por cuanto has puesto tu corazón como corazón de Dios, por tanto, he aquí que voy a traer contra ti extraños, los terribles de las naciones; y ellos desenvainarán sus espadas contra tu hermosa sabiduría, y profanarán tu esplendor. Al hoyo te harán descender". "Te destruyo, ¡oh querubín que cubres con tus alas! y te echo de en medio de las piedras de fuego... Te echo a tierra; te pongo delante de reyes para que te miren... Te torno en ceniza sobre la tierra, ante los ojos de todos los que te ven... Serás ruinas, y no existirás más para siempre" (Ezequiel 28: 6-8, 16-19, VM).

"Porque todo calzado que lleva el guerrero en el tumulto de la batalla, y todo manto revolcado en sangre, serán quemados, pasto del fuego". "Porque Jehová está airado contra todas las naciones, e indignado contra todo el ejército de ellas; las destruirá y las entregará al matadero". "Sobre los malos hará llover calamidades; fuego, azufre y viento abrasador será la porción del cáliz de ellos" (Isaías 9: 5; 34: 2; Salmo 11: 6). Dios hace descender fuego del cielo. La tierra está quebrantada. Salen a relucir las armas escondidas en sus profundidades. Llamas devoradoras se escapan por todas partes de grietas amenazantes. Hasta las rocas están ardiendo. Ha llegado el día que arderá como horno. Los elementos se disuelven con calor abrasador, la tierra también y las obras que hay en ella están abrasadas (Malaquías 4: 1; 2 S. Pedro 3: 10). La superficie de la tierra parece una masa fundida —un inmenso lago de fuego hirviente. Es la hora del juicio y perdición de los hombres impíos—, "es día de venganza de Jehová, año de retribuciones en el pleito de Sion" (Isaías 34: 8).

Los impíos reciben su recompensa en la tierra (Proverbios 11: 31). "Serán estopa; aquel día que vendrá los abrasará, ha dicho Jehová de los ejércitos" (Malaquías 4: 1). Algunos son destruidos como en un momento, mientras otros sufren muchos días. Todos son castigados "conforme a sus hechos". Habiendo sido cargados sobre Satanás los pecados de los justos, tiene éste que sufrir no sólo por su propia rebelión, sino también por todos los pecados que hizo cometer al pueblo de Dios. Su castigo debe ser mucho mayor que el de aquellos a quienes engañó. Después de haber perecido todos los que cayeron por sus seducciones, el diablo tiene que seguir viviendo y sufriendo. En las llamas purificadoras, quedan por fin destruidos los impíos, raíz y rama: Satanás la raíz, sus secuaces las ramas. La penalidad completa de la ley ha sido aplicada; las exigencias de la justicia han sido satisfechas; y el cielo y la tierra al contemplarlo, proclaman la justicia de Jehová.

La obra de destrucción de Satanás ha terminado para siempre. Durante seis mil años obró a su gusto, llenando la tierra de dolor y causando penas por todo el universo. Toda la creación gimió y sufrió en angustia. Ahora las criaturas de Dios han sido libradas para siempre de su presencia y de sus tentaciones. "¡Ya descansa y está en quietud toda la tierra; prorrumpen los hombres [justos] en cánticos!" (Isaías 14: 7, VM). Y un grito de adoración y triunfo sube de entre todo el universo leal. Se oye "como la voz de una gran multitud, como el estruendo de muchas aguas, y como la voz de grandes truenos, que decía: ¡Aleluya, porque el Señor nuestro Dios Todopoderoso reina!" (Apocalipsis 19: 6).

Mientras la tierra estaba envuelta en el fuego de la destrucción, los justos vivían seguros en la ciudad santa. La segunda muerte no tiene poder sobre los que tuvieron parte en la primera resurrección. Mientras Dios es para los impíos un fuego devorador, es para su pueblo un sol y un escudo (Apocalipsis 20: 6; Salmo 84: 11).

"Vi un cielo nuevo y una tierra nueva; porque el primer cielo y la primera tierra pasaron" (Apocalipsis 21: 1). El fuego que consume a los impíos purifica la tierra. Desaparece todo rastro de la maldición. Ningún infierno que arda eternamente recordará a los redimidos las terribles consecuencias del pecado.

Sólo queda un recuerdo: nuestro Redentor llevará siempre las señales de su crucifixión. En su cabeza herida, en su costado, en sus manos y en sus pies se ven las únicas huellas de la obra cruel efectuada por el pecado. El profeta, al contemplar a Cristo en su gloria, dice: "El resplandor fue como la luz; rayos brillantes salían de su mano, y allí estaba escondido su poder" (Habacuc 3: 4). En sus manos, y su costado heridos, de donde manó la corriente purpurina que reconcilió al hombre con Dios, allí está la gloria del Salvador, allí está "escondido su poder". "Poderoso para salvar" por el sacrificio de la redención, fue por consiguiente fuerte para ejecutar la justicia para con aquellos que despreciaron la misericordia de Dios. Y las marcas de su humillación son su mayor honor; a través de las edades eternas, las llagas del Calvario proclamarán su alabanza y declararán su poder. "Oh torre del rebaño, fortaleza de la hija de Sion, hasta ti vendrá el señorío primero" (Miqueas 4: 8). Llegó el momento por el cual suspiraron los santos desde que la espada de fuego expulsó a la primera pareja del paraíso, el tiempo de "la redención de la posesión adquirida" (Efesios 1: 14). La tierra dada al principio al hombre para que fuera su reino, entregada alevosamente por él a manos de Satanás, y conservada durante tanto tiempo por el poderoso enemigo, ha sido recuperada mediante el gran plan de la redención. Todo lo que se había perdido por el pecado, ha sido restaurado. "Así dijo Jehová,… el que formó la tierra, el que la hizo y la compuso; no la creó en vano, para que fuese habitada la creó" (Isaías 45: 18). El propósito primitivo que tenía Dios al crear la tierra se cumple al convertirse ésta en la morada eterna de los redimidos. "Los justos heredarán la tierra, y vivirán para siempre sobre ella" (Salmo 37: 29).

El temor de hacer aparecer la futura herencia de los santos demasiado material ha inducido a muchos a espiritualizar aquellas verdades que nos hacen considerar la tierra como nuestra morada. Cristo aseguró a sus discípulos que iba a preparar mansiones para ellos en la casa de su Padre. Los que aceptan las enseñanzas de la Palabra de Dios no ignorarán por completo lo que se refiere a la patria celestial. Y sin embargo, "cosas que ojo no vio, ni oído oyó, ni han subido en corazón de hombre, son las que Dios ha preparado para los que le aman" (1 Corintios 2: 9). El lenguaje humano no alcanza a describir la recompensa de los justos. Sólo la conocerán quienes la contemplen. Ninguna inteligencia limitada puede comprender la gloria del paraíso de Dios.

En la Biblia se da el nombre de patria a la herencia de los bienaventurados (Hebreos 11: 14-16). Allí el divino Pastor conduce su rebaño a los manantiales de aguas vivas. El árbol de vida da su fruto cada mes, y sus hojas son para el servicio de las naciones. Allí las corrientes claras como el cristal fluyen eternamente, y en sus márgenes los árboles se mecen y proyectan su sombra sobre los senderos preparados para los redimidos. Allí las vastas llanuras alternan con bellísimas colinas y las montañas de Dios elevan sus majestuosas cumbres. En aquellas pacíficas llanuras, al borde de aquellas corrientes vivas, el pueblo de Dios, por tanto tiempo peregrino y errante, encontrará un hogar.

"Mi pueblo habitará en morada de paz, en habitaciones seguras, y en recreos de reposo". "Nunca más se oirá en tu tierra violencia, destrucción ni quebrantamiento en tu territorio, sino que a tus muros llamarás Salvación, y a tus puertas Alabanza". "Edificarán casas, y morarán en ellas; plantarán viñas, y comerán el fruto de ellas. No edificarán para que otro habite, ni plantarán para que otro coma;... mis escogidos disfrutarán la obra de sus manos" (Isaías 32: 18; 60: 18; 65: 21, 22).

Allí "se alegrarán el desierto y la soledad; el yermo se gozará y florecerá como la rosa". "En lugar de la zarza crecerá ciprés, y en lugar de la ortiga crecerá arrayán". "Morará el lobo con el cordero, y el leopardo con el cabrito se acostará;... y un niño los pastoreará". "No harán mal ni dañarán en todo mi santo monte", dice el Señor (Isaías 35: 1; 55: 13; 11: 6, 9).

El dolor no puede existir en el ambiente del cielo. Allí no habrá más lágrimas, ni cortejos fúnebres, ni manifestaciones de duelo. "Y ya no habrá muerte, ni habrá más llanto, ni clamor, ni dolor; porque las primeras cosas pasaron". "No dirá el morador: Estoy enfermo; al pueblo que more en ella le será perdonada la iniquidad" (Apocalipsis 21: 4; Isaías 33: 24).

Allí está la nueva Jerusalén, la metrópoli de la nueva tierra glorificada, "corona de gloria en la mano de Jehová, y diadema de reino en la mano del Dios tuyo". "Su fulgor era semejante al de una piedra preciosísima, como piedra de jaspe, diáfana como el cristal". "Las naciones que hubieren sido salvas andarán a la luz de ella; y los reyes de la tierra traerán su gloria y honor a ella". El Señor dijo: "Me alegraré con Jerusalén, y me gozaré con mi pueblo". "He aquí el tabernáculo de Dios con los hombres, y él morará con ellos; y ellos serán su pueblo, y Dios mismo estará con ellos como su Dios" (Isaías 62: 3; Apocalipsis 21: 11, 24; Isaías 65: 19; Apocalipsis 21: 3).

En la ciudad de Dios "no habrá ya más noche". Nadie necesitará ni deseará descanso. No habrá quien se canse haciendo la voluntad de Dios ni ofreciendo alabanzas a su nombre. Sentiremos siempre la frescura de la mañana, que nunca se agostará. "No tienen necesidad de luz de lámpara, ni de luz del sol, porque Dios el Señor los iluminará" (Apocalipsis 22: 5). La luz del sol será sobrepujada por un brillo que sin deslumbrar la vista excederá sin medida la claridad de nuestro mediodía. La gloria de Dios y del Cordero inunda la

Servicios de Inmigración y Naturalización de los Estados Unidos(INS)

Foro de Información sobre la Salud Cumunitaria

Co-Patrocinado por

La Alianza Comunitaria para un

West Chicago saludable

Y

Servicios de Inmigración y Naturalización de los Estados Unidos (INS)

Lunes, 4 de Octubre de 1999

7:30p.m.

West Chicago Middle School, 238 Hazel Street, West Chicago

Hablante:

Valentine Obregon, Director de Relaciónes Comunitarias

Servicios de Inmigración y Naturalización en Chicago

Presentación y Sesión de Preguntas/Respuestas en inglés y español

Contacto: Karen Mulattieri 630.293.6095 o 630.293.6096

La distribución de este material no implica necesariamente endosamiento por La Junta de Educación de la Escuela Elemental

del Distrito #33 de West Chicago

U.S. Immigration and Naturalization Service (INS)

Community Education and Information Forum

Co-Sponsored By
The Community Alliance for a
Healthy West Chicago
and the

U.S. Immigration and Naturalization Service

Monday, October 4th, 1999

7:30p.m.

West Chicago Middle School

238 Hazel Street, West Chicago

Speaker:

Valentine Obregon, Community Relations Officer

U.S. Immigration and Naturalization Service, Chicago

Presentation and Question/Answer Session in Both English and Spanish

Christine Brunner Scanlon 815.434.5428 OR Karen Mulattieri(Spanish) 630.293.6095/6096

"The distribution of this material does not necessarily imply endorsement by the Board of Education of West Chicago Elementary School District #33"

ciudad santa con una luz que nunca se desvanece. Los redimidos andan en la luz gloriosa de un día eterno que no necesita sol.

"No vi en ella templo; porque el Señor Dios Todopoderoso es el templo de ella, y el Cordero" (Apocalipsis 21: 22). El pueblo de Dios tiene el privilegio de tener comunión directa con el Padre y el Hijo. "Ahora vemos por espejo, oscuramente" (1 Corintios 13: 12). Vemos la imagen de Dios reflejada como en un espejo en las obras de la naturaleza y en su modo de obrar para con los hombres; pero entonces le veremos cara a cara sin velo que nos lo oculte. Estaremos en su presencia y contemplaremos la gloria de su rostro.

Allí los redimidos conocerán como son conocidos. Los sentimientos de amor y simpatía que el mismo Dios implantó en el alma, se desahogarán del modo más completo y más dulce. El trato puro con seres santos, la vida social y armoniosa con los ángeles bienaventurados y con los fieles de todas las edades que lavaron sus vestiduras y las emblanquecieron en la sangre del Cordero, los lazos sagrados que unen a "toda la familia en los cielos, y en la tierra" (Efesios 3: 15, VM) —todo eso constituye la dicha de los redimidos.

Allí intelectos inmortales contemplarán con eterno deleite las maravillas del poder creador, los misterios del amor redentor. Allí no habrá enemigo cruel y engañador para tentar a que se olvide a Dios. Toda facultad será desarrollada, toda capacidad aumentada. La adquisición de conocimientos no cansará la inteligencia ni agotará las energías. Las mayores empresas podrán llevarse a cabo, satisfacerse las aspiraciones más sublimes, realizarse las más encumbradas ambiciones; y sin embargo surgirán nuevas alturas que superar, nuevas maravillas que admirar, nuevas verdades que comprender, nuevos objetos que agucen las facultades del espíritu, del alma y del cuerpo.

Todos los tesoros del universo se ofrecerán al estudio de los redimidos de Dios. Libres de las cadenas de la mortalidad, se lanzan en incansable vuelo hacia los lejanos mundos —mundos a los cuales el espectáculo de las miserias humanas causaba estremecimientos de dolor, y que entonaban cantos de alegría al tener noticia de un alma redimida. Con indescriptible dicha los hijos de la tierra participan del gozo y de la sabiduría de los seres que no cayeron. Comparten los tesoros de conocimientos e inteligencia adquiridos durante siglos y siglos en la contemplación de las obras de Dios. Con visión clara consideran la magnificencia de la creación —soles y estrellas y sistemas planetarios que en el orden a ellos asignado circuyen el trono de la Divinidad. El nombre del Creador se encuentra escrito en todas las cosas, desde las más pequeñas hasta las más grandes, y en todas ellas se ostenta la riqueza de su poder.

Y a medida que los años de la eternidad transcurran, traerán consigo revelaciones más ricas y aún más gloriosas respecto de Dios y de Cristo. Así como el conocimiento es progresivo, así también el amor, la reverencia y la

591

La tierra, que originalmente fue dada al hombre como su reino, su "morada de paz", será restaurada a la perfección edénica.

JOHN STEEL © PPPA

dicha irán en aumento. Cuanto más sepan los hombres acerca de Dios, tanto más admirarán su carácter. A medida que Jesús les descubra la riqueza de la redención y los hechos asombrosos del gran conflicto con Satanás, los corazones de los redimidos se estremecerán con gratitud siempre más ferviente, y con arrebatadora alegría tocarán sus arpas de oro; y miríadas de miríadas y millares de millares de voces se unirán para engrosar el potente coro de alabanza.

"Y a todo lo creado que está en el cielo, y sobre la tierra, y debajo de la tierra, y en el mar, y a todas las cosas que en ellos hay, oí decir: Al que está sentado en el trono, y al Cordero, sea la alabanza, la honra, la gloria y el poder, por los siglos de los siglos" (Apocalipsis 5: 13).

El gran conflicto ha terminado. Ya no hay más pecado ni pecadores. Todo el universo está purificado. La misma pulsación de armonía y de gozo late en toda la creación. De Aquel que todo lo creó manan vida, luz y contentamiento por toda la extensión del espacio infinito. Desde el átomo más imperceptible hasta el mundo más vasto, todas las cosas animadas e inanimadas, declaran en su belleza sin mácula y en júbilo perfecto, que Dios es amor.

Apéndice

Página 45. TITULOS.—En un pasaje que forma parte del derecho canónico, el Papa Inocencio III declara que el pontífice romano es "el vicario en la tierra, no de un mero hombre, sino del mismo Dios"; y en una glosa del trozo se explica que esto es así debido a que el papa es el vicario de Cristo, el cual es "verdadero Dios y verdadero hombre". (Véase Decretal. D. Gregor. Pap. 9, lib. 1, de translat. Episc. tít. 7, c. 3. Corp. Jur. Canon, ed. París, 1612; tom. 2. Decretal. Col. 205.) En cuanto al título "Señor Dios el Papa", véase una glosa de las Extravagantes del Papa Juan XXII, título 14, cap. 4, *"Declaramus"*. En una edición de las Extravagantes, impresa en Amberes en 1584, se encuentran en la columna 153 las palabras *"Dominum Deum nostrum Papam"* (Nuestro Señor Dios el Papa). En una edición de París, del año 1612, se hallan en la columna 140. En varias ediciones publicadas desde 1612, se ha omitido la palabra *"Deum"* (Dios).

Página 46. CULTO DE LAS IMAGENES.—"El culto de las imágenes… fue una de esas corrupciones del cristianismo que se introdujeron en la iglesia furtivamente y casi sin que se notaran. Esta corrupción no se desarrolló de un golpe, cual aconteció con otras herejías, pues en tal caso habría sido censurada y condenada enérgicamente, sino que, una vez iniciada en forma disfrazada y plausible, se fueron introduciendo nuevas prácticas una tras otra de modo tan paulatino que la iglesia se vio totalmente envuelta en idolatría no sólo sin enérgica oposición, sino sin siquiera protesta resuelta alguna; y cuando al fin se hizo un esfuerzo para extirpar el mal, resultó éste por demás arraigado para ello… La causa de dicho mal hay que buscarla en la propensión idolátrica del corazón humano a adorar a la criatura más bien que al Creador…

"Las imágenes y los cuadros fueron introducidos al principio en la iglesia no para que fueran adorados, sino para que sirvieran como de libros que

593

facilitaran la tarea de enseñar a los que no sabían leer o para despertar en otros los sentimientos de devoción. Difícil es decir hasta qué punto este medio correspondió al fin propuesto; pero aun concediendo que así fuera durante algún tiempo, ello no duró, y pronto los cuadros e imágenes puestos en las iglesias, en lugar de ilustrar, oscurecían la mente de los ignorantes y degradaban la devoción de los creyentes en lugar de exaltarla. De suerte que, por más que se quiso emplear unos y otros para dirigir los espíritus de los hombres hacia Dios, no sirvieron en fin de cuentas sino para alejarlos de él e inducirlos a la adoración de las cosas creadas" (J. Mendham, *The Seventh General Council, the Second of Nicea*, Introducción, págs. iii-vi).

Una relación de los procedimientos y decretos del Segundo Concilio de Nicea, 787 de J. C., convocado para instituir el culto de las imágenes, se encuentra en Baronio: *Annales Ecclesiastici*, tomo 9, págs. 391-407 (ed. de Amberes, 1612); J. Mendham, *The Seventh General Council, the Second of Nicea*; C. J. v. Hefelé, *Histoire des Conciles*, lib. 18, cap. 1, sec. 332, 333; cap. 2, sec. 345-352.

Página 47. EDICTO DE CONSTANTINO.—La ley dada por Constantino el 7 de marzo del año 321 de J.C., relativa al día de descanso, era como sigue:

"Que todos los jueces, y todos los habitantes de la ciudad, y todos los mercaderes y artesanos descansen el venerable día del sol. Empero que los labradores atiendan con plena libertad al cultivo de los campos; ya que acontece a menudo que ningún otro día es tan adecuado para la siembra del grano o para plantar la viña; de aquí que no se deba dejar pasar el tiempo favorable concedido por el cielo". *Codex Justinianus*, lib. 3, tít. 12, párr. 2 (3).

"Descansen todos los jueces, la plebe de las ciudades, y los oficios de todas las artes el venerable día del sol. Pero trabajen libre y lícitamente en las faenas agrícolas los establecidos en los campos, pues acontece con frecuencia, que en ningún otro día se echa el grano a los surcos y se plantan vides en los hoyos más convenientemente, a fin de que con ocasión del momento no se pierda el beneficio concedido por la celestial providencia".–*Código de Justiniano*, lib. 3, tít. 12, párr. 2 (3) (en la edición, en latín y castellano, por García del Corral, del *Cuerpo del derecho civil romano*, tomo 4, pág. 333, Barcelona, 1892).

El original en latín se halla además en J. L. v. Mosheim: *Institutiones Historiæ Ecclesiasticæ antiquioris et recensioris*, sig. 4, parte 2, cap. 4, sec. 5, y en otras muchas obras.

El *Diccionario enciclopédico hispano-americano*, art. "Domingo", dice: "El emperador Constantino, en el año 321, fue el primero que ordenó una rigurosa observación del domingo, prohibiendo toda clase de negocios jurídicos, ocupaciones y trabajos; únicamente se permitía a los labradores que trabajaran los domingos en faenas agrícolas, si el tiempo era favorable. Una ley posterior del año 425 prohibió la celebración de toda clase de representaciones teatrales, y finalmente en el siglo VIII se aplicaron en todo su rigor al domingo cristiano las prohibiciones del Sábado judaico".

Página 48. FECHAS PROFETICAS.—Véase la página 298.

Página 49. ESCRITOS ADULTERADOS.—Entre los documentos cuya falsificación es generalmente reconocida en la actualidad, la Donación de Constantino y las Decretales Pseudo-Isidorianas son de la mayor importancia.

Al referir los hechos relativos a la pregunta: "¿Cuándo y por quién fue fraguada la Donación de Constantino?" M. Gosselin, director del seminario de St. Sulpice (París), dice:

"Por bien que se haya probado la falsedad de ese documento, difícil es determinar, con precisión, la época de dicha falsificación. M. de Marca, Muratori, y otros sabios críticos, opinan que fue compuesto en el siglo octavo, antes del reinado de Carlomagno" (Gosselin, *Pouvoir du pape au moyen âge*, pág. 717, París, 1845).

Respecto a la fecha de las Decretales Pseudo-Isidorianas, véase Mosheim, *Historiæ Ecclesiasticæ Leipzig, 1755 (Histoire ecclésiastique*, Maestricht, 1776), lib. 3, sig. 9, parte 2, cap. 2, sec. 8. El sabio historiador católico, el abate Fleury, en su *Histoire ecclésiastique* (dis. 4, sec. 1), dice que dichas decretales, "salieron a luz cerca de fines del siglo octavo". Fleury, que escribió casi a fines del siglo diecisiete, dice, además, que esas "falsas decretales pasaron por verdaderas durante ochocientos años; y apenas fueron abandonadas el siglo pasado. Verdad es que actualmente no hay nadie, un tanto al corriente de estas materias, que no reconozca la falsedad de dichas decretales" (Fleury, *Histoire ecclésiastique*, tomo 9, p. 446, París, 1742. También Gibbon, *Histoire de la décadence et de la chute de l'Empire Romain*, cap. 49, párr. 16, tomo 9, págs. 319 al 323, París, 1828).

Página 50. DICTADOS DE GREGORIO VII (HILDEBRANDO).— Véase Baronio (cardenal C.), *Annales Ecclesiastici*, An. 1076 (edición de Luca, 1745, tomo 17, págs. 430, 431). Una copia de los "Dictados" originales se encuentra también en Gieseler, *Lehrbuch der Kirchengeschichte*, período 3, div. 3, cap. 1, sec. 47, nota c (3a. ed., Bonn, 1832, tomo 2 B, págs. 6-8).

Página 51. PURGATORIO.—"La doctrina católica, tal cual la expuso el Concilio de Trento, es que los que salen de vida en gracia y caridad, pero no obstante deudores de las penas que la divina justicia se reservó, las padecen en la otra vida. Esto es lo que se nos propone creer acerca de las almas detenidas en el purgatorio" (Art. "Purgatorio", en el *Diccionario enciclopédico hispano-americano*).

"El Concilio (tridentino) enseña: 1° Que después de la remisión de la culpa y de la pena eterna, queda un reato de pena temporal. 2° Que si no se ha satisfecho en esta vida debe satisfacerse en el purgatorio. 3° Que las oraciones y buenas obras de los vivos son útiles a los difuntos para aliviar y abreviar sus penas. 4° Que el sacrificio de la misa es propiciatorio y aprovecha a los vivos lo mismo que a los difuntos en el purgatorio" (Art. "Purgatorio", en el *Diccionario de ciencias eclesiásticas,* por Perujo y Angulo. Barcelona, 1883-1890).

Página 52. INDULGENCIAS.—Con referencia a una historia detallada de la doctrina de las indulgencias, véase el art. "Indulgencias", en el *Diccionario de ciencias eclesiásticas,* por los Dres. Perujo y Angulo (Barcelona, 1883-1890); C. Ullmann, *Reformatoren vor der Reformation,* tomo 1, lib. 2, sec. 2, págs. 259-307 (Hamburgo, ed. de 1841); M. Creighton, *History of the Papacy,* tomo 5, págs. 56-64, 71; L. von Ranke, *Deutsche Geschichte im Zeitalter der Reformation,* lib. 2, cap. 1, párrs. 131, 132, 139-142, 153-155 (3a. ed., Berlín, 1852, tomo 1, págs. 233-243); H. C. Lea, *A History of Auricular Confession and Indulgences;* G. P. Fisher, *Historia de la Reformación,* cap. 4, párr. 7 (traducida por H. W. Brown, ed. Filadelfia, E. U. A., 1891); Juan Calvino, *Institución religiosa,* lib. 3, cap. 5, págs. 447-451 (Obras de los Reformadores Antiguos Españoles, No. 14, Madrid, 1858).

En cuanto a los resultados de la doctrina de las indulgencias durante el período de la Reforma, véase el estudio en inglés del Dr. H. C. Lea, titulado "Las indulgencias en España" y publicado en *Papers of the American Society of Church History,* tomo 1, págs. 129-171. Refiriéndose al valor de la luz arrojada por este estudio histórico, el Dr. Lea dice en su párrafo inicial: "Sin ser molestada por la controversia que se ensañara entre Lutero y el Dr. Eck y Silvestre Prierias, España seguía tranquila recorriendo el viejo y trillado sendero, y nos suministra los incontestables documentos oficiales que nos permiten examinar el asunto a la pura luz de la historia".

Página 52. LA MISA.—Respecto a la doctrina de la misa, véase la obra del cardenal Wiseman, *The Real Presence of the Body and Blood of Our Lord Jesus Christ in the Blessed Eucharist* (La presencia real del cuerpo y de la sangre de nuestro Señor Jesucristo en la santa eucaristía); El *Diccionario enciclopédico hispano-americano.,* art. "Eucaristía" (último párrafo: "Definiciones del Concilio de Trento relativas a la doctrina de la eucaristía"); *Cánones y decretos del Concilio de Trento,* sesión 13, caps. 1-8 (en la edición, *Los sacrosantos ecuménicos concilios de Trento y Vaticano,* en latín y castellano, por A. M. Díez, Madrid, 1903, págs. 126-137). J. Calvino, *Institución religiosa,* lib. 4, caps. 17, 18, págs. 925-985 (Obras de los Reformadores Antiguos Españoles, No. 14, Madrid, 1858); K. R. Hagenbach, *Lehrbuch der Dogmengeschichte,* tomo 1, págs. 180-188, 331-336, y tomo 2, págs. 161-179 (2a. ed., Leipzig, 1827).

Página 58. VERSIONES VALDENSES DE LA BIBLIA.—Respecto a las antiguas versiones valdenses de partes de la Biblia hechas en el idioma vulgar, véase E. Pétavel, *La Bible en France,* cap. 2, párrs. 3, 4, 8-10, 13, 21 (ed. de París, 1864); Townley, *Illustrations of Biblical Literature,* tomo 1, cap.

10, párrs. 1-13; G. W. Putnam, *The Censorship of the Church of Rome,* tomo 2, cap. 2.

Página 68. EDICTO CONTRA LOS VALDENSES.—El texto completo del expedido, en 1487, por Inocencio VIII contra los valdenses (cuyo original se halla en la biblioteca de la universidad de Cambridge) puede leerse en latín y francés en la obra de J. Léger, *Histoire des églises vaudoises,* lib. 2, cap. 2, págs. 8-10, Leyden, 1669.

Página 73. INDULGENCIAS.—Véase la nota para la página 52.

Página 75. WICLEF.—El texto original de las bulas papales expedidas contra Wiclef, con la traducción inglesa, hállase en la obra de J. Foxe, *Acts and Monuments,* tomo 3, págs. 4-13 (ed. de Pratt-Townsend, Londres, 1870). Véase además J. Lewis, *History of the Life and Sufferings of J. Wiclif,* págs. 49-51, 305-314 (ed. de 1820); Lechler, *Johann v. Wiclif und die Vorgeschichte der Reformation,* cap. 5, sec. 2 (Leipzig, 1873); A. Neander, *Allgemeine Geschichte der christlichen Religion und Kirche,* tomo 6, sec. 2, parte 1, párr. 8 (págs. 276, 277, ed. de Hamburgo, 1852).

Página 76. INFALIBILIDAD.—Respecto a la doctrina de la infalibilidad, véase el art. "Infalibilidad", en el *Diccionario de ciencias eclesiásticas,* por Perujo y Angulo; Geo Salmon, *The Infallibility of the Church;* cardenal Gibbons, *The Faith of Our Fathers,* cap. 7 (ed. 49 de 1897); C. Elliott, *Delineation of Roman Catholicism,* lib. 1, cap. 4.

Página 91. INDULGENCIAS.—Véase la nota para la página 52.

Página 91. CONCILIO DE CONSTANZA.—Respecto a la convocación del Concilio de Constanza por el Papa Juan XXIII, a instancias del emperador Segismundo, véase Mosheim, *Histoire ecclésiastique,* lib. 3, siglo 15, parte 2, cap. 2, sec. 3, pág. 414 (ed. de Maestricht, 1776); Neander, *Allgemeine Geschichte der christlichen Religion und Kirche,* tomo 6, sec. 1; A. Bower, *History of the Popes,* tomo 7, págs. 141-143 (ed. de Londres, 1766).

Página 111. INDULGENCIAS.—Véase la nota para la página 52.

Página 200. JESUITISMO.—Con referencia a los orígenes, principios y fines de la "Sociedad de Jesús", cual lo declaran sus mismos miembros, véase la obra titulada *Historia de la compañía de Jesús,* por Cretinean-Goli, vertida del francés y publicada en Barcelona, en 1853, con aprobación del ordinario. En ella dice que "el que se ofrece espontáneamente a entrar en el noviciado debe al momento renunciar su voluntad propia, su familia y todo cuanto el hombre aprecia sobre la tierra", y que las constituciones de la compañía hacen "de la obediencia más absoluta una palanca cuya acción incesante y universal ha debido preocupar a todos los políticos" (Tomo 1, cap. 2, págs. 25, 28).

El mismo Ignacio de Loyola dice: "Que cada cual se convenza de que cuantos viven bajo el voto de obediencia deben dejarse llevar y dirigir por la divina Providencia y sus instrumentos, los superiores, tal cual si fueran cadáveres que se dejan llevar a cualquier parte y tratar de cualquier modo, o como el bastón que un anciano tiene en la mano y maneja como le da la gana".

"Esta sumisión absoluta es ennoblecida por lo que la motiva y —prosigue el fundador— debería ser pronta, alegre y constante;... el religioso obediente cumple gozoso con lo que le han encargado sus superiores para el bien común, seguro de que así corresponde verdaderamente a la voluntad divina". —*Regulae Societatis Jesu, Summarium,* párrs. 33-36 (ed. de Roma, 1607, págs. 12, 13).

Véase además L. E. Dupin, *Histoire de l'Eglise en abrégé,* siglo 16, cap. 33 (ed. de París, 1732, tomo 4, págs. 218-222); Mosheim, *Histoire ecclésiastique,* sig. 16, sec. 3, parte 1, cap. 1, párr. 10 (inclusive notas 5, 6); *Encyclopaedia Britannica* (novena ed.), art. "Jesuitas"; C. Paroissien, *The Principles of the Jesuits, Developed in a Collection of Extracts from Their Own Authors* (Londres, 1860 —otra edición apareció en 1839); Ch. Liskenne, *Résumé de l'histoire des Jésuites* (París, 1825); Michelet-Quinet, *Des Jésuites* (París, 1843); D'Alembert, *Des Jésuites,* (*ouvr. précédé d'un précis des doctrines et de l'histoire de cette société*) (París, 1821).

Página 201. LA INQUISICION.—Véase Juan Antonio Llorente, *Historia crítica de la Inquisición de España;* Reinaldo González de Montes (Reginaldo Montano), *Artes de la inquisición española,* ed. castellana, Madrid, 1851 (ed. latinas, Heidelberg, 1567 y Madrid, 1857); Dres. Perujo y Angulo, *Diccionario de ciencias eclesiásticas,* art. "Inquisición"; Limborch, *Historia Inquisitionis,* tomo 1, lib. 1, caps. 25, 17-31 (ed. de Amsterdam, 1692, tomo 1, págs. 86-131); H. C. Lea, *History of the Inquisition in the Middle Ages;* L. v. Ranke, *Die römischen Päpste,* lib. 2, cap. 6 (5a. ed., Leipzig, 1867, tomo 1, págs. 208-217).

Página 245. CAUSAS DE LA REVOLUCION FRANCESA.—Respecto al gran alcance de las consecuencias de haber rechazado el pueblo francés la Biblia y la religión de la Biblia, véase H. von Sybel, *Histoire de l'Europe pendant la Révolution française,* lib. 5, cap. 1, párrs. 8-12 (París, 1870, tomo 2, págs. 5-8); H. T. Buckle, *Histoire de la Civilisation en Angleterre,* caps. 8, 12 (París, 1865).

Página 247. FECHAS PROFETICAS.—Véase la página 298.

Página 248. ESFUERZOS PARA SUPRIMIR Y DESTRUIR LA BIBLIA.—En cuanto a los esfuerzos de larga duración hechos en Francia para acabar con la Biblia —especialmente con las versiones en lengua vulgar, dice Gaussen: "Ya el decreto de Tolosa (de Francia), de 1229, ... instituía el tribunal espantoso de la Inquisición contra todos los lectores de la Biblia en lengua vulgar. Era un decreto de fuego, de sangre y de asolamiento. En sus capítulos III, IV, V y VI disponía que se destruyeran por completo hasta las casas y los más humildes escondrijos y aun los retiros subterráneos de los que fueran convictos de poseer las Escrituras, y que ellos mismos fueran persegui-dos hasta en sus montes y en los antros de la tierra, y que se castigara con severidad aun a sus encubridores". Como resultado la Biblia "fue pues prohibida en todas partes; desapareció en cierto modo de sobre la tierra, bajó al sepulcro". Estos decretos fueron "seguidos durante 500 años de suplicios sin cuento en que la sangre de los santos corrió como agua".—L. Gaussen, *Le Canon des Saintes Ecritures,* parte 2, lib. 2, cap. 7; y cap. 13 (ed. de Lausana, 1860).

Respecto a los esfuerzos especiales hechos para destruir la Biblia durante el Reinado del Terror a fines de 1793, el Dr. Lorimer dice: "Dondequiera que se encontrase una Biblia puede decirse que había persecución a muerte; a tal punto que varios comentadores respetables interpretan la muerte de los dos testigos, en el capítulo once del Apocalipsis, como refiriéndose a la supresión general, más aún, a la destrucción del Antiguo y Nuevo Testamentos en Francia durante aquella época" (J. G. Lorimer, *An Historical Sketch of the Protestant Church in France,* cap. 8, párrs. 4, 5).

Véase además G. P. Fisher, *La Reformación,* cap. 15, parr. 16; E. Pétavel, *La Bible en France,* cap. 2, párrs. 3, 8-10, 13, 21 (ed. de París, 1864); G. H. Putnam, *The Censorship of the Church of Rome,* tomo 1, cap. 4 (ed. de 1906, págs. 97, 99, 101, 102); tomo 2, cap. 2 (págs. 15-19); J. A. Wylie, *History of Protestantism,* lib. 22, cap. 6, párr. 3; S. Smiles, *The Huguenots: Their Settlements, Churches, and Industries,* etc., cap. 1, párrs. 32, 34; cap. 2, párr. 6; cap. 3, párr. 14; cap. 18, párr. 5 (con la nota); S. Smiles, *The Huguenots in France after the Revocation,* cap. 2, párr. 8; cap. 10, párr. 30; cap. 12.

Página 254. EL REINADO DEL TERROR.—Respecto a la responsabilidad de jefes extraviados, tanto en la iglesia como en el Estado, pero particularmente en la iglesia, por las escenas de la Revolución francesa, véase W. M. Sloane, *The French Revolution and Religious Reform,* prefacio, y cap. 2, párrs. 1, 2, 10-14 (ed. de 1901, págs. vii-ix, 19, 20, 26-31, 40); P. Schaff, en *Papers of the American Society of Church History,* tomo 1, págs. 38, 44; A. Galton, *Church and State in France, 1300-1907,* cap. 3, sec. 2 (ed. de Londres, 1907); Sir J. Stephen, *Lectures on the History of France,* conferencia 16, párr. 60; S. Smiles, *The Huguenots in France after the Revocation,* cap. 18.

Página 258. EL PUEBLO Y LAS CLASES PRIVILEGIADAS.—En cuanto a las condiciones sociales que prevalecían en Francia antes del período de la Revolución, véase Taine, *Ancien Régime;* A. Young, *Voyages in France,* París, 1794; y H. von Holst, *Lowell Lectures on the French Revolution,* conferencia 1.

Página 261. RETRIBUCION.—Para obtener más detalles respecto al carácter retributivo de la Revolución francesa, véase E. de Pressensé, *L'Eglise et la Révolution française,* lib. 3, cap. 1, París, 1864; Thos H. Gill, *The papal Drama,* lib. 10.

Página 261. LAS ATROCIDADES DEL REINADO DEL TERROR.

—Véase M. A. Thiers, *Historia de la Revolución francesa,* tomo 1, cap. 29 (ed. de Barcelona, 1892, págs. 499-524); F. A. Mignet, *Histoire de la Révolution française,* cap. 9, párr. 1 (2a. ed., París, 1827); A. Alison, *History of Europe,* 1789-1815, tomo 1, cap. 14 (ed. de Nueva York, 1872, tomo 1, págs. 293-312).

Página 264. LA CIRCULACION DE LAS SAGRADAS ESCRITURAS. —En 1804, según el Sr. Guillermo Canton, de la Sociedad Bíblica Británica y Extranjera, "todas las Biblias que existían en el mundo, impresas o en manuscrito, contando todas las traducciones en todos los países, se calculaban en no mucho más de cuatro millones... Los diversos idiomas en que estaban escritos esos cuatro millones de Biblias alcanzaban a unos cincuenta".—*What Is the Bible Society?,* pág. 23 (ed. rev. de 1904).

Cien años después, al cumplir su primer centenario, la Sociedad Bíblica Británica y Extranjera pudo informar que ella sola había distribuido, entre Biblias, Testamentos y porciones de las Escrituras, la cantidad de 186.680.101 ejemplares —total que, en 1910, subió a más de 220.000.000 de ejemplares, en cerca de cuatrocientos distintos idiomas.

A estos totales hay que añadir los millones de ejemplares de las Sagradas Escrituras y porciones de ellas, en muchos idiomas, distribuidos por otras sociedades bíblicas y diversas agencias comerciales. La Sociedad Bíblica Americana —la mayor de las hijas de la mencionada Sociedad Bíblica Británica—, anunció haber distribuido en los noventa y cuatro primeros años de su obra un total de 87.296.182 ejemplares. (Véase *Bible Society Record,* junio de 1910.) Sería muy difícil calcular en este momento, en el último cuarto del siglo XX, el número total de ejemplares de la Biblia, o de porciones de la misma, que se han distribuido en el mundo. Basta decir que son muchos cientos de millones de Biblias, en más de mil idiomas y dialectos.

Las Escrituras, en parte o en su totalidad, se han publicado en unos 1.457 idiomas y dialectos; y la labor de traducirlas en nuevos idiomas y dialectos se prosigue aún con celo incansable.

Página 264. MISIONES EN EL EXTRANJERO.—El Dr. G. P. Fisher, en un capítulo sobre las misiones cristianas en su obra *History of the Christian Church,* bosqueja los comienzos del movimiento misionero, el cual, en "los últimos años del siglo XVIII, inició una época de brillante actividad misionera, que, en la historia de las misiones, no es superada mas que por la primera de la era cristiana". En 1792, "se fundó la Sociedad Bautista, de la cual Carey fue uno de los primeros misioneros. Carey se embarcó para la India, donde, con la ayuda de otros miembros de la misma sociedad, fundó la misión de Serampore". En 1795, fundóse la Sociedad de Misiones de Londres; en 1799, quedó formalmente constituida "la organización que en 1812 se convirtió en Sociedad de Misiones de la Iglesia". Poco después quedó fundada la Sociedad de Misiones Wesleyanas.

"Mientras la actividad misionera crecía en Gran Bretaña, los cristianos de Norteamérica se animaban del mismo celo". En 1812, fundaron la Junta Americana de Comisionados para las Misiones Extranjeras; y en 1814, la Unión Misionera Bautista Americana. Adoniram Judson, uno de los primeros misioneros salidos de los Estados Unidos, se embarcó para Calcuta en 1812, y llegó a Birmania en julio de 1813. En 1837, quedó constituida la Junta Presbiteriana. (Véase Fisher, *History of the Christian Church*, período 9, cap. 7, párrs. 3-25.)

El Dr. A. T. Pierson, en un artículo publicado en la *Missionary Review of the World*, número correspondiente a enero de 1910, declara: "Hace medio siglo, China y Manchuria, Japón y Corea, Turquía y Arabia, y hasta el dilatado continente africano, dormían —naciones ermitañas, encerradas en la calma de largo aislamiento y exclusión. El Asia central estaba comparativamente inexplorada, lo mismo que el Africa central. En muchos países ni se le disputaba a Satanás su larga permanencia ni su imperio. Los países papales eran tan intolerantes como los paganos; Italia y España encarcelaban a quien se atrevía a vender una Biblia, o a predicar el Evangelio. Francia era de hecho incrédula, y Alemania estaba imbuida de racionalismo; y en gran parte del campo misionero, las puertas estaban cerradas y condenadas por un exclusivismo y un sistema de castas más o menos rígido. Ahora los cambios, por todas partes, son tan notables y radicales que, cualquiera que saliese de pronto de aquel período de mediados del siglo pasado..., no reconocería al mundo. El que guarda las llaves de las puertas las ha estado abriendo para hacer a todos los países accesibles para los mensajeros de la cruz. Hasta en la Ciudad Eterna, donde, hace medio siglo, un visitante tuvo que dejar su Biblia fuera de los muros, hay ahora más de veinte capillas protestantes, y las Sagradas Escrituras tienen libre circulación".

Página 297. FECHAS PROFETICAS.—Los hechos históricos y cronológicos relativos a los períodos proféticos de Daniel 8 y 9, incluso muchas pruebas evidentes que indican de modo indubitable que fue el año 457 AC la fecha exacta desde la que deben empezar a contarse estos períodos proféticos, han sido expuestos con claridad por muchos investigadores de la profecía. Véase Stanley Leathes, *Old Testament Prophecy*, conferencias 10, 11 (Conferencias de Warburton para 1876-1880); W. Goode, *Fulfilled Prophecy*, sermón 10, inclusive Nota A. (Conferencias de Warburton para 1854-1858); A. Thom, *Chronology of Prophecy*, págs. 26-106, Londres, 1848; Sir Isaac Newton, *Observations upon the Prophecies of Daniel, and the Apocalypse of St. John*, cap. 10 (ed. de Londres, 1733, págs. 128-143); Urías Smith, *Daniel y el Apocalipsis*, tomo 1, caps. 8, 9; L. R. Conradi, *Los Videntes y lo Porvenir,* parte 1, caps. 8, 9, págs. 129-179. En cuanto a la fecha de la crucifixión, véase W. Hales, *Analysis of Chronology*, tomo 1, págs. 94-101; tomo 3, págs. 164-258 (segunda ed. de Londres, 1830).

Página 299. FECHAS PROFETICAS.—Véase la página 298.

Página 305. CAIDA DEL IMPERIO OTOMANO.—Por más detalles relativos a la predicha caída del imperio turco en el curso del mes de agosto de 1840, véase J. Litch, *The Probability of the Second Coming of Christ about A. D. 1843* (obra publicada en junio de 1838); J. Litch, *An Address to the Clergy* (publicada en el verano de 1840; en 1841 se publicó una segunda edición con datos históricos en apoyo de los cálculos anteriores del período profético que se extiende hasta la caída del imperio otomano); el *Advent Shield and Review*, tomo 1 (1844), No. 1, art. 2, págs. 56, 57, 59-61; J. N. Loughborough, *The Great Advent Movement*, págs. 129-132 (ed. de 1905); J. Litch, artículo en el *Signs of the Times, and Expositor of Prophecy*, 1.° de agosto de 1840. Véase además el artículo en el *Signs of the Times, and Expositor of Prophecy*, 1.° de febrero de 1841.

Página 309. LA BIBLIA NEGADA AL PUEBLO.—Durante siglos la Iglesia Católica Romana se opuso tenazmente a que sus fieles tuvieran acceso directo a la Biblia, prohibiendo su traducción a lenguas populares, impidiendo su lectura, y condenando a quienes la traducían, distribuían o leían. Pero en años recientes se ha operado un cambio dramático y positivo en este sentido. Por un lado, la iglesia ha aprobado la publicación de numerosas versiones hechas a partir de los idiomas originales; por otro, ha promovido el estudio de las Sagradas Escrituras mediante la distribución libre y la celebración de cursillos bíblicos. Sigue, sin embargo, reservándose el derecho exclusivo a interpretar la Biblia a la luz de su propia tradición, con lo que justifica doctrinas que no armonizan con las enseñanzas bíblicas.

Página 328. ACERCA DE LACUNZA.—Para obtener datos sobre la influencia que tuvieron las ideas de Lacunza en el desarrollo del movimiento adventista, no sólo en Sudamérica sino también en muchas otras partes del mundo, véase L. E. Froom, *The Prophetic Faith of Our Fathers*, ed. Review and Herald, 1946, págs. 268, 280, 303-324, 425, 450, 478, 482-485, 518-520, 657; A. F. Vaucher, *Une célébrité oubliée, le P. Manuel de Lacunza y Díaz*, ed. Fides, Collonges, Francia, 1946.

Página 336. MANTOS DE ASCENSION.—La patraña de que los adventistas hicieron mantos especiales para subir "al encuentro del Señor en el aire", fue inventada por los que deseaban vituperar la causa. Fue propagada de modo tan ingenioso que muchos la creyeron; pero una investigación probó su falsedad. Durante muchos años se ha ofrecido una buena gratificación al que probara la veracidad del aserto, pero hasta la fecha nadie ha podido hacerlo. Nadie que amara la venida del Señor hubiera sido tan poco conocedor de las Escrituras para suponer que para semejante ocasión fuesen necesarias vestiduras que ellos pudieran hacer. La única vestidura que necesitarán los santos para ir al encuentro del Señor es la justicia de Cristo. Véase Apocalipsis 19: 8.

Página 337. LA CRONOLOGIA DE LA PROFECIA.—El Dr. Jorge Bush, profesor de hebreo y de literatura oriental en la Universidad de Nueva York, en carta que dirigiera al Sr. Miller, y que se publicó en el *Advent Herald, and Signs of the Times Reporter*, de Boston, Nos. del 6 y 13 de marzo de 1844, hizo algunas importantes declaraciones respecto a sus cálculos de los tiempos proféticos. Dice el Dr. Bush:

"Me parece que no hay por qué censurarle a Ud. ni a sus amigos, por haber dedicado mucho tiempo y atención al estudio de la *cronología* de la profecía, ni por haberse afanado tanto en determinar las fechas del principio y fin de los grandes períodos de ésta. Si el Espíritu Santo indicó períodos en los libros proféticos, fue sin duda con el fin de que *fuesen* estudiados y probablemente también de que concluyeran por ser del todo entendidos; y a nadie se le debe tachar de insensata presunción porque con toda reverencia trate de comprenderlos... Al tomar un *día* como término profético de un *año,* creo, que se mantienen en el terreno de la más sana exégesis, apoyados además por los grandes nombres de Mede, Sir Isaac Newton, Kirby, Scott, Keith, y una legión más que hace mucho tiempo llegaron a conclusiones idénticas a la de Uds. en esta materia. Todos ellos concuerdan en que los períodos principales mencionados por Daniel y Juan terminan efectivamente *hacia nuestra época contemporánea,* y rara lógica sería la que les condenase por sostener los mismos puntos de vista que tanto resaltan en los escritos de aquellos eminentes teólogos". "Los resultados que Uds. obtuvieron en este campo de investigación no me parecen tan errados que afecten uno solo de los grandes intereses de la verdad". "Se equivocaron Uds. en lo relativo a la naturaleza de los acontecimientos que deben producirse al fin de estos períodos. Este es el defecto primordial de su exposición".

Página 358. FECHAS PROFETICAS.—Véase la página 298.

Página 389. UN TRIPLE MENSAJE.—Apocalipsis 14: 6, 7 predice la proclamación del mensaje del primer ángel. Luego dice el profeta: "Y otro ángel, el segundo, le siguió, diciendo: ¡Caída, caída es la gran Babilonia! ... Y otro ángel, el tercero, les siguió". La palabra traducida aquí por "siguió", significa, en construcciones como la de este texto, "acompañar". Liddell y Scott interpretan la palabra como sigue: *"Seguir a uno, ir tras él o acompañarle".* Robinson dice: *"Seguir, ir con alguien, acompañarle".* Es la misma palabra que se usa en S. Marcos 5: 24: Jesús "fue, pues, con él; y le seguía una gran multitud, y le apretaban". Se emplea también al hablar de los ciento cuarenta y cuatro mil redimidos, de los que se dice: "Estos son los que siguen al Cordero por dondequiera que va" (Apocalipsis 14: 4). De estos dos pasajes se desprende de modo evidente que la idea que se quiere expresar es la de ir juntos, acompañar. Así también en 1 Corintios 10: 4, donde se habla de los hijos de Israel que "bebían de la piedra espiritual que los seguía", la palabra "seguía" se traduce del mismo vocablo griego, y se rinde en el margen de algunas versiones por "les acompañaba". De ello se desprende que en Apocalipsis 14: 8, 9 la idea no es sólo que el segundo ángel y el tercero siguieron al primero en cuanto al tiempo, sino que le acompañaban. Los tres mensajes constituyen uno triple. Son *tres* tan sólo en el orden en que se inicia su proclamación, pero una vez iniciada ésta, siguen juntos y son inseparables.

Página 398. SUPREMACIA DE LOS OBISPOS DE ROMA.—Algunas de las circunstancias capitales relacionadas con la apropiación de la supremacía por los obispos de Roma, hállanse descritas en Mosheim, *Histoire Ecclésiastique,* siglo 2, parte 2, cap. 4, sec. 9-11. Véase además G. P. Fisher, *History of the Christian Church,* período 2, cap. 2, párrs. 11-17 (ed. de 1890, págs. 56-58); Gieseler, *Lehrbuch der Kirchengeschichte,* período 1, div. 3, cap. 4, sec. 66, párr. 3, inclusive nota h (3ª. ed. de Bonn, 1831, tomo 1, págs. 290-294); J. N. Andrews, *History of the Sabbath,* págs. 276-279 (3ª ed. rev.).

Página 498. LA BIBLIA NEGADA AL PUEBLO.—Véase la nota de la página 309.

Página 506. EDICTO DE CONSTANTINO.—Véase la nota de la página 47.

Página 509. LA IGLESIA ABISINIA.—Respecto a la observancia del sábado bíblico en Abisinia, véase A. P. Stanley, *Lectures on the History of the Eastern Church,* conferencia 1, párr. 15 (ed. de Nueva York, 1862, págs. 96, 97); M. Geddes, *Church History of Ethiopia,* págs. 87, 88, 311, 312; Gibbon, *Histoire de la Décadence et de la Chute de l'Empire Romain,* cap. 47, párrs. 37-39; Samuel Gobat, *Journal of Three Years' Residence in Abyssinia,* págs. 55-58, 83, 93, 97, 98 (ed. de Nueva York, 1850); A. N. Lewis, *A Critical History of the Sabbath and the Sunday in the Christian Church,* págs. 208-215 (2da. ed. revis.).

Página 511. DICTADOS DE GREGORIO VII (HILDEBRANDO).—Véase la nota para la página 50.

Página 524. LA BIBLIA NEGADA AL PUEBLO.—Véase la nota de la página 309.

Indice de Referencias Bíblicas

39—T.A.D.

Indice General Alfabético

ABEL, aborrecido por Caín, 41; el sábado guardado por, 404.

Abisinia, iglesias cristianas en, 509; viajes de Wolff en, 327.

Abismo, la bestia que sale del, representa el poder ateo ejercido en Francia, 249, 263; representa la tierra desolada, 574.

Abogado, (*véase* Cristo).

Abrahán, guardaba el sábado, 404; intercede por Sodoma, 386; misión de los ángeles ante, 455; promesa mesiánica hecha a, 18.

Acusador, Satanás es el, 355, 430, 431.

Acusadores de los hermanos, agentes de Satanás, 461.

Adams, Juan Quincey, 327.

Adán, arrepentimiento de, 566; dicha de, en la nueva Jerusalén, 566; encuentro de los dos Adanes, 565; estatura de, 563; guardaba el sábado, 404; promesa de redención a, 276, 316; redimido, 564; tentación y caída de, 471-474, 582.

Adoración, a Dios, prohibida en Francia, 252, 253; a la bestia, 390, (*véase* Bestia como leopardo); a la razón, 166, 253, 254; libertad de, (*véase* Libertad religiosa).

Advenimiento de Cristo, tipos del, 358, 359, (*véase también* Primer advenimiento; Segundo advenimiento).

Adventistas, actitud de los, con respecto a la luz, 406-409; acusados de fomentar la incredulidad, 306; clamor de los, a medianoche, 359-362, 379; desengaño de los, en 1844, 299, 319, 320, 337, 352-354, 361-366; equivocación de los, 320, 321; escudriñan las Escrituras una vez pasado el tiempo, 352; estudian el asunto del santuario, 368-372, 384, 385, 405; estudian la ley de Dios, 387-389; fanatismo entre los, 355-357; la parábola de las diez vírgenes aplicada a los, 353, 354, 358-361; línea de conducta de los, en los días de Miller, 339; oposición de las iglesias a los, 307; origen de los, 301, 302, 305; persecución de los, 336; prueba y fe de los, 352, 353-360; se retiran de las iglesias, 340, 350; unión entre los, 342, (*véase también* Mensaje del primer ángel; Profecía; Profecías; Adventistas del Séptimo Día; Señales).

613

CAIN, odio de, contra Abel, 41; por qué se le perdonó la vida, 481.

Calvario, en él se da a conocer la paga del pecado, 316, 446, 478; se manifiesta el carácter de Satanás, 444-446.

Calvino, educado para el sacerdocio, 189, 190; no estuvo libre de errores, 201, 202; se convierte al protestantismo, 188-190; su creencia en la segunda venida de Cristo, 278, 279; sus trabajos en Ginebra, 199, 201.

Cantinas, cerradas como resultado de las predicaciones de Miller, 301-303.

Carácter, de Dios, tergiversado por Satanás, 502; por el papado, 502; del día del juicio final, 383, 384, 427.

Caridad, falsa, 504, 505; los monjes y sus asertos de que Jesús viviera de la, 73, 74.

Carlos V, 126, 199, 203-206, 223, 224; abdicación de, 181; en la dieta de Augsburgo, 177, 178; en la dieta de Spira, 169, 170; imperio de, erigido sobre la tumba de la libertad, 205, 206; libros elegidos por, 214, 215; se niega a recibir la luz, 141, 142.

Carlos IX, 251.

Carta profética, 353.

Carranza, Bartolomé de, 203, 204.

Casas, usadas por los protestantes, demolidas y la tierra sembrada con sal, 219, 220.

Castigo, de los pastores de mala fe, 571-573; de los pecadores, 582, 587; de los ricos, 570, 571; de Satanás, 573-576.

Castilla, sublevaciones en, 205, 206.

Catacumbas, refugio de los cristianos perseguidos, 37.

Catolicismo, (véase Iglesia Católica Romana; Papado; Papa; Jesuitas).

Católicos, condiciones entre los, anhelo de reformas, 203, 204; Cazalla, Dr. Agustín, 212; su encarcelamiento y suplicio, 219.

Ceguedad de los judíos, respecto del primer advenimiento, 341; del pueblo de esta generación, 495, 496.

Cena del Señor, suplantada por la misa, 52.

Cestio, retirada de, de Jerusalén, 27, 28.

Cielo, los rebeldes no podrían ser felices en el, 480, 481; pureza y santidad del, 480, 481; santuario del, (véase Santuario).

Ciencia, búsqueda de la, es a veces artimaña de Satanás, 464, 465; falsa, prepara el camino para el papado, 505, 506; no es verdadera base de creencias religiosas, 523, 524.

Ciento cuarenta y cuatro mil, cántico de los, 566, 567.

Ciro, decreto de, para restaurar a Jerusalén, 297.

Cisma, (véase Papas).

Clamor de medianoche, 358-366, 382, 383; poder impulsor del, 360, 361.

619

EL TRIUNFO DEL AMOR DE DIOS

Cristianismo, el, atacado por el paganismo, 35; unión del, con el paganismo, 38, 39, (*véase también* Religión).

Cristianos, alturas a que pueden llegar como hijos de Dios, 424, 425; bajo el amparo de ángeles tutelares, 455, 456, 458, 459; bendiciones concedidas a los verdaderos, 424; decadencia espiritual de los, 283-285; el carácter y la obra de Satanás no son comprendidos por los, 449-451; han de velar y orar, 452, 453; huida de los, de Jerusalén, 27, 28; persecución de los, durante los primeros siglos, 35-43; progreso del Evangelio a consecuencia de la persecución de los, 37, 38; rechazan el anuncio de la segunda venida de Cristo, 308; rechazan la verdad respecto del sábado, 405; satisfechos con la religión de sus abuelos, 405; se abandonan a los placeres, 422-424; serán divididos en dos clases, 400; tienen necesidad de experimentar la verdadera religión, 527-529; verdaderos, en todas las iglesias, 349, 399, 413, 498, 499, (*véase también* Pueblo de Dios; Persecución; Redimidos; Religión; Libros de registro).

Cristo, abogado nuestro, 429-431.
    aparición de, en la segunda venida, 559, 560.
    como la considerarán los redimidos, 568, 569.
    contempla la caída de Israel, 20, 21.
    coronación de, 582.
    cuidado de, por Israel, 18-21.
    entrada de, en el lugar santísimo del santuario celestial, 379-383.
    la divinidad de, 465.
    lamentación de, ante Jerusalén, 17-22.
    la muerte de, reveló el verdadero carácter de Satanás, 445, 446.
    la paz de la tierra debida a su poder represivo, 32, 33.
    lucha de, con Satanás, 444-446.
    ministerio de, 383-386; ignorado por los cristianos en general, 386; no fue comprendido por los adventistas en 1844, 384-386.
    nacimiento de, 41, 286, 287.
    obra de, en el juicio investigador, 429, 430; obra de, en este mundo, 19, 20, 372, 374, 446.
    rechazado por los israelitas, 19, 20.
    rechazado por los judíos, 523, 524.
    remate de la obra de, en el santuario celestial, 381-385, 539, 540.
    sacrificio de, 315-317.
    satisfecho con los frutos del sacrificio, 568, 569, 585, 586.
    segunda venida de, 276-289, 559-564.
    ternura de, 502-504.
    ve la exaltación de la autoridad humana, 524.
    victoria de, contra la tentación, 452, 453.
    vuelve a la tierra al fin de mil años, 579.
    (*véase también* Primer advenimiento; Mesías; Segundo advenimiento).

Cronología de las Escrituras, 294-299, 358-359, 367, 368, 380, 390-392, (*véase también* Profecía; Profecías).

Crosby, Howard, sobre el estado de las iglesias en 1871, 347, 348.

EL TRIUNFO DEL AMOR DE DIOS

Hijas de Roma, 344-347, (*véase también* Iglesias; Protestantes).

Hipócritas, en la iglesia, 355, 357.

Hombre, contemplando al, en lugar de Dios, 523, 524; naturaleza del, al ser creado, 415; Satanás proyecta su ruina, 471.

"Hombre de pecado", favorecido por la transigencia entre el paganismo y el cristianismo, 44, 45, 247, (*véase también* Papado).

Hopkins, Dr. Samuel, acerca de la corrupción en las iglesias protestantes, 267.

Hugonotes, efecto producido en Francia por la huida de los, 255, 257; perseguidos, 193, 194, 250-252.

Humildad, 424, 425.

Hus, Juan, 85-103; ayudado por Jerónimo en su obra de reforma, 90; carácter de, 90; carta de, a sus amigos de Praga, 91, 92; citado por el Concilio de Constanza, 91, 92; condenado por el papa, 87, 89; conversión de, 87; encarcelamiento de, 93; leyó escritos de Wiclef, 86, 87; martirio de, 95, 96; negativa de, a retractarse, 91, 93, 94; primeros años y educación de, 86, 87; usado por Dios, 90; valor de, 93-96.

IDOLATRIA, en Francia, 254; en la iglesia, 38, 39; en la Iglesia Católica Romana, 502; prevalecimiento de la, 39, 456, 513, (*véase también* Culto de las imágenes).

Iglesia, empleo del poder civil por la, siempre tiránico, 394, 395; la verdadera, 57, 58; peligros de la, en la Edad Media, 49-53; protestante, la primera, organizada en Valladolid, 211, 212; Satanás prepara la última campaña contra la, 452, 453; simbolizada en las profecías por una mujer virtuosa, 343, (*véase también* Pueblo de Dios; Redimidos; Israel; Cristianos; Reforma).

Iglesia Anglicana, 265, 345, 346, 395, (*véase también* Inglaterra).

Iglesia Católica Romana, actitud de la, con respecto a la Biblia, 45, 46, 71, 72, 78, 85, 167, 201, 248, 249, 309, 310, 349; comparada con la iglesia judía, 501, 502; condición de la, en la época de, Hus, 90, 91; Lutero, 130; Wiclef, 75, 76; crecimiento de la, 45-53, 510, 511; culto de la, atrayente, 499, 501; datos sobre la persecución por la 55, 56, 497, 503, 504; defendida por Aleandro, 127-130; descripción de la, como, Babilonia, 344, 345; la bestia como leopardo, 391, 509; errores introducidos por la, 51, 52, 72-74, 475, 476; escuelas de la, patrocinadas por los protestantes, 499; esfuerzos de, contra Lutero, 118-122, 126-145; idolatría en la, 501, 502; logra el favor de los protestantes, 497, 504-506, 510, 511; los protestantes siguen los pasos de la, 344-346, 395, 465, 505, 506; medios usados por la, para reducir a la obediencia, 502, 503; pretensiones de la, 241, 498, 499, 501, 510, 511, 524; resultado del levantamiento contra la, en Francia, 260-262; se reserva el derecho de interpretar las Escrituras, 524; separación de Lutero de la, 123; signo de la autoridad de la, 397-399, 505, 506; usos de la, 44; verdaderos cristianos en la, 399, 498, 499, (*véase también* Papa; Papado).

Iglesia cristiana, peligros de la, si solicita el apoyo de los gobernantes civiles, 345, 346.

Iglesia de los tesalonicenses, 406, 407.

de los "dos testigos", 247-263; los 2.300 años, 296-299, 319, 320, 358, 359, 367, 368, 374, 375, 385, 407, 431, 432; los 1.260 años, 247, 391; del primer advenimiento, no comprendida por los discípulos, 315, 316; estudio de la, por Gaussen, 415; Guillermo Miller, 292-299; los adventistas, 352, 379; los profetas, 314; importancia del estudio de la, 309-315; se puede entender, 309-311, 463, 464, (véase también Bestias; Cronología; Profecías; Señales).

Profecías, acerca del primer advenimiento, su cumplimiento, 314-317, 362, 363, 381-385; cumplidas, 352-366; de Daniel y el Apocalipsis, no son misterios, 309-311, 330, 342, 343, 523; de la destrucción de Jerusalén, 20, 21, 022, 23-28; del segundo advenimiento, 276, 278, 284, 285, 292-379; los judíos no comprendieron las 286-289, 314-316; sobre la reforma sabática, 401-405, (véase también Cronología; Papado; Profecía; "Tiempo de angustia"; Estados Unidos).

Profesión de fe, por Lutero, 137, 138; por los príncipes alemanes en Augsburgo, 172-223; por Wiclef, 79, 80.

Profetas falsos, 161, 162.

Prosperidad nacional, fundamento de la, 255, 257, 262, 263.

Protesta, de antiguos cristianos, 83; de los príncipes, 169-176; efecto de la, 175; texto de la, 173, 175.

Protestantes, acrecientan su tendencia hacia Roma, 497, 499; amenazados por adversarios poderosos, 200; en España, carácter y posición social de los, 212, 213; hacían progresar la verdad, 216; recelo de la Inquisición contra los, 216, 217; homenaje que rinden a Roma guardando el domingo, 398, 399; nacimiento de los, 175; persecución de los, en Francia, 192, 193; siguen los pasos de Roma, 345, 346, 394, 395, 465, 505, 506.

Protestantismo, apostasía del, 272, 274, 275, 346-351, 396, 397, 504; principios esenciales del, 169, 172, 173, 267, 268, 392, 394; poder del, 201, 202; propagación del, en España, 210-214; situación peligrosa del, 181, 200-202; tenderá las manos al espiritismo y a Roma, 516, 517.

Prueba, de lealtad a Dios, es el sábado, 531, 532; objeto de la, 267, 268; para, el mundo, al darse el mensaje del advenimiento, 321; los adventistas, en el desengaño de 1844, 336, 337.

Publicaciones, con ideas de reforma, circularon en Francia, 185, 197, 198; en Escocia, 232, 233; en España, 208; en Ginebra, 261, 262; en la época de Lutero, 120, 121, 137, 138, 145, 166, 167; en Suiza, 153, (véase también Escritos; Libros).

Pueblo de Dios, angustia del, por sus pecados pasados, 543-545; busca la perfección en Cristo, 545, 546; cuidado de Dios con el, 469, 470, 495, 545, 548, 549, 552-554; denunciado como causante de desastres, 519, 520, 539-541; distinguido por guardar el cuarto mandamiento, 397, 398; durante el gran día de expiación, 435, 436, 448, 528, 529; el arco iris extendido sobre los grupos del, 555; en contraste con los adoradores de la bestia y su imagen, 396, 397; es probado hasta el extremo, 543; la fe del, 543, 545, 546; liberación del, 555-569; persecución del, 543; protegido por los ángeles, 455, 456, 458, 459, 551-553; supresión de la historia del, durante la Edad Media, 55, 56; traslación del, 564, 565, (véase también

641